Assessment Program on Blackline Masters

REALIDADES para hispanohablantes

Needham, Massachusetts
Upper Saddle River, New Jersey

Acknowledgments

"ACTFL Performance Guidelines for K-12 Learners"

Note: Every effort has been made to locate the copyright owner of material used in this textbook. Omission brought to our attention will be corrected in subsequent editions.

1 2 3 4 5 6 7 8 9 10 08 07 06 05 04

ISBN 0-13-116428-7

To the Teacher

The *Realidades Assessment Program* includes a variety of ways to evaluate the language learning, communicative abilities, and cultural perspectives of your students. The Assessment Program is organized as follows:

Professional Development: Assessment

Professional Development: Assessment

Assessing the Larger Picture

In previous years, both instruction and assessment were traditionally broken up into small units. There was a tendency to focus on only one aspect of language at a time, such as vocabulary or grammatical structures. Although such aspects are useful to test, the *Standards for Foreign Language Learning* (1995, see page T18) remind us that vocabulary words and points of structure should not be ends in themselves, but rather parts of a larger picture of language use. To be able to assess what students can do with the vocabulary and grammar they are learning is the focus of assessment in a communication-driven classroom.

Realidades provides a balanced approach to classroom assessment in which the assessment program reflects and supports good classroom assessment practices, such as self-assessment, end-of-chapter tests, oral interviews, checklists, student-selected projects, reflective cultural comparisons, portfolios, and performance demonstrations. Additionally, we provide you with templates for scoring rubrics to grade student performance tasks objectively and fairly.

The philosophy of the *Realidades* program is based on the premise that learning comes from the doing and practicing by the learner, whether it is with activities or with assessment tasks. Many times the activities and assessments can be interchangeable, and therefore can serve dual purposes. Good classroom activities can effectively assess student progress on a more frequent basis than formal assessments. Moreover, good assessments provide the student with valuable input to improve performance. With this approach to assessment, you do not have to feel that the time you use for assessment is competing with your instructional time.

The Foundations of Assessment in *Realidades*

The *Realidades* assessment program is based on the *Standards for Foreign Language Learning* (1995), the *ACTFL Performance Guidelines for K-12 Learners* (1998, see page T19), and the California *Foreign Language Framework* (2002). The assessment program is built on the philosophy that assessment needs to be an integral part of instruction and improves both student performance and teacher instruction. The *Standards for Foreign Language Learning* are content standards that describe what students should know and be able to do with the language and culture they are learning. The *ACTFL Performance Guidelines* are performance standards that describe how well students can realistically use language at any given point in the learning continuum.

The California *Foreign Language Framework* provides a Language Learning Continuum that gives models and benchmarks for students as they progress through stages in the second language process (see page T22). The *Realidades* multi-faceted assessment program applies these documents to provide you with relevant assessment tools. In its totality, the program assists you in answering the six performance questions posed by the *ACTFL Performance Guidelines* in regard to your students:

1. How well are they understood? (comprehensibility)
2. How well do they understand? (comprehension)
3. How accurate is their language? (language control)
4. How extensive and applicable is their vocabulary? (vocabulary use)
5. How do they maintain communication? (communication strategies)

6. How is their cultural understanding reflected in their communication? (cultural awareness)

Using Informal Assessment in the Classroom

You probably already use many types of assessment in your classroom, but you may do so in such an informal way that it is difficult to document. These might include teacher observations, recorded anecdotes and/or comments about students, and dialogue journals. Each method of assessment has both advantages and disadvantages. Teacher observation records or anecdotal notes can initially be written on sticky notes while you observe students in individual or group work from your vantage point of "teacher on the sidelines." Although this method involves some recording problems, it can give you good information on performance within paired or group interactions. For example, you might want to choose a specific behavior to observe, such as student effort to use the target language, as students engage in a small group activity. As you walk around the room, you can write your impressions on sticky notes, student cards, or a class roster.

If you have access to a language lab, you can monitor more students anonymously by listening to their conversations as you rotate from group to group while remaining at the teacher console of the lab. These can be correlated to symbols such as *plus* or *minus*, which can later be translated into points. These notations could be accompanied by a very short narrative such as:

Sam: ✓ *Frequently pauses when trying to remember words and often reverts to English.*

Ryan: + *Can express his own thoughts in Spanish and incorporates learned vocabulary.*

These symbols could be converted into points, such as + = 2 points, √ = 1 point, and – = 0 points. In the example above, you have documented that Ryan uses effective and rather sophisticated communication strategies to negotiate his meaning. However, you also substantiated that Sam is on his way to trying to use the Spanish he is learning, although still struggling with cumbersome methods. You probably won't have time to write a comment for each student during each activity, but over a period of time you would have some valuable documentation on students' performance and progress. Later, by scheduling ten minutes in your day, you could transfer these points to your grade book in a more formal way.

Dialogue journals are written conversations between you and your students, which allow you to assess student process rather than achievement. For example, an entry might be a list of "The Top Ten Things I Like To Do on the Weekend." A simple response by you might be *A mí me gusta también* next to one of the items on a student's list. Once again, it is time consuming to read and react to student journals, but it is an excellent way to access personal information about a student and his or her interests.

The Role of Achievement Assessment

Traditional assessments will test limited material that is covered in a given amount of time, and therefore are achievement based. When attempting to determine if you are giving your students an achievement test, try to imagine the student in your class who puts on his most serious game face the day before the test and asks you, "If I know everything in this chapter, will I get an 'A' on the test?" Although you might be reluctant to give a definitive *yes* to his question, you might find yourself saying to him, "Well, yes, if you really know everything in the chapter you will get an 'A.'" With that response, you can be assured that you are giving an achievement test.

This type of testing is good for auditing student achievement at the end of a chapter or unit. Since instruction is organized by chapters, it makes sense to examine student progress at the end of major units in order to help you decide whether your students are acquiring the necessary language to successfully proceed to the next chapter. In many cases, the more traditional tests evaluate the receptive skills of reading and listening, since it is easier and quicker to grade these more objective test items. They are typically fill-in-the-blank items or multiple choice questions that can be easily graded.

In most traditional types of assessments, the teacher is typically looking for right or wrong answers. Performance on these kinds of tests provides a measure of a student's linguistic competence. The test items often fall under the domains of spelling, vocabulary, grammar, and pronunciation. They either knew the word or they didn't. They either provided the correct verb ending or they didn't. They either changed the *o* to *ue,* or they didn't.

Achievement testing at the end of each chapter or multiple chapters can provide useful information about how effective the instruction was for the students. The results from these tests can help you answer some important questions:

- Can your students recall key vocabulary that they will eventually use in real life applications?
- Are your students able to access learned language to employ in more open-ended situations?
- Can your students begin to apply grammatical constructions within structured and uncomplicated contexts, which will then lead to a more natural application of language?

Many times students are more comfortable with the more traditional paper-and-pencil testing, and it is therefore advisable to include it in your testing program while students progress along the assessment continuum from discrete-point tests to more global assessments. They have grown accustomed to being graded on the number of "right" or "wrong" answers they give on a test and feel uncomfortable if they are suddenly thrown into competency-based testing without practice and careful guidance from you. However, if you provide your students with the many authentic communication activities provided throughout the *Realidades* series, they will feel better prepared and more comfortable in using the language they are learning in more creative and personalized ways.

The Role of Authentic/Performance-Based Assessment

In assessing a student's ability to communicate in a second language, teachers often find that an achievement test that focuses on *single answer* may only give them part of the picture. A teacher once described a student who frequently scored 90% or higher on most achievement tests by saying, "He knows a lot, but doesn't have a clue!" In other words, he might know *about* vocabulary and grammar, but he is not able to *do* anything with the language he has learned. Therefore, other forms of assessment are needed to capture the entire picture of student performance.

Authentic assessment includes various forms of assessment that evaluate what students can do with the language, and are therefore competency-based. To that end, *Realidades* includes alternative forms of testing. While traditional assessment surveys coverage of material, authentic/performance-based assessment measures "uncoverage." Evaluating students' performance can reveal and "uncover" how the students can use their acquired language creatively and personally. In most cases, performance-based assessments evaluate the productive skills of speaking and writing. They assess the accuracy with which a student carries out a function within a given context, such as complaining to one's parents about an unfair punishment. They challenge the student to use the language creatively and to express personal meaning from the material they have learned.

In these types of assessments, the test items exhibit the following characteristics. They:

- are contextualized, rather than isolated
- encourage personalized answers
- focus on what the student knows, rather than on what the student does not know
- recycle language from previous units or chapters
- reflect real life tasks
- allow creative and divergent responses
- offer open-ended tasks
- probe for "depth" versus "breadth"
- require students to "put it all together" rather than to selectively recall small pieces of knowledge
- are scored based on well-defined performance criteria

Assessment Options in *Realidades*

The assessment options in *Realidades* combine the best of achievement and authentic/ performance-based assessment.

Placement Test

At the beginning of *Assessment Program,* teachers will find a placement test that will help in assessing students who already have some knowledge of Spanish. The Placement Test is a proficiency test that covers the content in the ten capítulos in *Realidades 3*. As an optional assessment, teachers may consider administering *Examenes cumulativos I* and *II*, which cover and include the same content achievement and proficiency sections. Successful or unsuccessful performance on these two tests precisely places the student as someone familiar with level two content but not ready for third year, or as a student prepared for third-year Spanish.

Para empezar

The introductory chapter, called *Para empezar,* is designed to reacquaint students with a wide range of language previously learned: school and non-school activities, daily routines, special events and celebrations, household chores, errands, entertainment, and travel. It is recommended that teachers have students revisit this material by doing the various activities provided in the Student Edition and the ancillaries. The Assessment Program provides teachers a two-page quiz for each of the two sections in *Para empezar.* One page of each quiz focuses on vocabulary and the other on grammar.

Chapter Quizzes *(Pruebas)*

The *Pruebas* included in all chapters will address vocabulary use, language accuracy, and comprehension. As defined in the Intermediate Learner Range of the *Performance Guidelines,* students at this level should be able to "comprehend general concepts and messages about familiar and occasionally unfamiliar topics." With regard to accuracy, the *Performance Guidelines* remind us that students are most accurate when creating with language about familiar topics in present time, using simple sentences and/or strings of sentences. This type of competency is assessed in the *Pruebas* when students describe or respond to a situation set up visually or complete with verbs or expressions a conversation that is presented within a familiar context.

For each chapter there are four vocabulary quizzes. It is recommended that teachers use the first quiz, Vocabulary recognition, after the first chapter language input section called *A primera vista 1*. Students are expected to have a recognition level control of the vocabulary after completing this section. Students are expected to have productive control (spelling accuracy) of the new vocabulary after the first few pages of the *Manos a la obra 1* section. Teachers are encouraged to give students the Vocabulary production quiz when they feel that students are able to produce the new vocabulary with accuracy. A similar sequence of two quizzes, one for Vocabulary recognition and one for Vocabulary production, occurs at the corresponding places in *A primera vista 2* and *Manos a la obra 2*, later in the chapter.

The *Assessment Program* provides a grammar quiz for each grammar point in a chapter. It is recommended that the students' ability to accurately reproduce the grammatical structures be assessed after they have completed the activities in the Student Edition and selected ancillaries. Students using *Realidades* are exposed to the new grammar first in *A primera vista 1* and *2* as lexical usage. When they work with the grammar formally in *Manos a la obra 1* and *2*, they are already comfortable with the grammar concepts and are able to move quickly through the activities.

Notice that the quizzes were not written to add up to 100%. Teachers across the country told us they did not want artificially inflated point values for quizzes. Feel free to adapt the scoring to meet the way you determine grades.

Examen del capítulo

Current research in assessment emphasizes a direct connection between teaching and testing. The chapter assessments in *Realidades* make a direct link to the way in which your students were taught in the chapter. In the chapter tests of *Realidades* there is a blending of a traditional achievement format and a performance-based format. This allows teachers to assess what students know and what they can do with the language. Part I of each test consists of two vocabulary and grammar sections. The first of these sections is to be administered after completing the work in the *A primera vista 1* and *Manos a la obra 1* portions of the Student Edition and ancillaries, and the second is to be administered after completing the work in *A primera vista 2* and *Manos a la obra 2*. In this way, Part I of each test assesses the mastery of vocabulary and grammar for the entire chapter. Part II assesses the students' ability to apply what they have learned in real life situations.

As state frameworks and district curricula move to more proficiency-based instructional models, it is recommended that the scoring on the chapter test place more emphasis on the performance-based sections (listening, reading, writing, and speaking). Because of this, the suggested breakdown of points per sections is the following:

- Vocabulary and grammar:
  2 quizzes, 60 points each
- Listening: 15 points
- Reading: 15 points
- Writing: 15 points
- Speaking: 15 points
- Culture: 10 points

These point values are *not* printed on the student answer sheet. Instead, the point section is left blank. This allows the teacher to make the final decision as to how the points will be distributed among the different test sections. It also allows for flexibility as teachers pick and choose from different test sections as they construct their end-of-chapter test. It is important to note that the scoring rubrics for both the speaking and writing sections are built upon a top score of 15 points. It is recommended that teachers not change the 15-point total for each of those sections. Teachers will need to write in the point values for each test section on the student *Hoja de respuestas* prior to copying it for distribution to students.

Interpreting Meaning: Listening/Reading

In the listening and reading sections of the *Examen del capítulo,* students are asked to interpret conversations or narratives. Within a highly contextualized and familiar format, students will listen or read for specific details. They employ the same techniques used in the text. In some cases, for example, students listen or read selectively to extract specific information. In others, they use previously practiced strategies, such as contextual guessing or use of cognates. For example, on the listening test for Chapter 1, students hear a listening prompt in which other students discuss vacations they took. They must listen selectively for information, such as where each vacationer went, what he or she did, and events that occurred. Students complete a chart with this information. In another interpretive task, students read comments by several young people about their backgrounds and interests. They rely on the comprehension strategies described in the *Performance Guidelines* of identifying the main ideas and some specific information in the comments they read. Students must then match the information about each young person with an announcement about a competitive event that is most suitable for each one.

Interpersonal and Presentational Communication: Speaking

The speaking component of the *Examen del capítulo* allows students to use the language they have learned primarily in presentational speaking tasks. For example, in Chapter 1, the student is asked to prepare a short presentation in the past tense about a favorite vacation, including a description of the place or places visited, the weather, events that occurred, and an explanation as to why the vacation is a favorite. In this case, you are gathering information to assess how well your students express their own thoughts, describe, and narrate, within a familiar topic, using sentences or strings of sentences.

Interpersonal and Presentational Communication: Writing

The *Performance Guidelines* tell us that in the Level 3 intermediate learner range, students are able to communicate information about familiar topics with sufficient accuracy that readers understand most of what is presented. They may show inaccuracies as well as some interference from the native language when attempting to present less familiar material. For example, in Chapter 1, a writing task prompts students to describe a competitive school event for an article in a school newspaper. According to the *Performance Guidelines,* you should expect students to use false cognates and incorrectly applied terms, and show only partial control of newly acquired expressions.

Cumulative Tests

After Capítulos 5 and 10, teachers will find an *Examen acumulativo*. This test combines both achievement and proficiency assessment.

Computer Test Generator

Teachers are reminded that *Realidades* offers a Computer Test Generator on CD-ROM. This testing program offers a bank of questions already written into a variety of templates (multiple choice, true/false, short answer, essay, etc.). Teachers are encouraged to use the test generator as part of their assessment options.

Using Rubrics

Scoring Rubrics vs. Checklists

Many people confuse scoring rubrics and checklists. Both are helpful to students, but need to be understood by both teachers and students in order to be beneficial. A *checklist* is helpful for students and teachers to verify that all the elements are evidenced in a student's work or performance. A *scoring rubric* clarifies the degrees or levels of performance within those elements.

The following analogy may be helpful to share with your students. If you wanted to open a new restaurant, you would want to hire the best waiters you could find. The first thing you might do would be to visit your favorite restaurant and make a list of the characteristics of the waiters that most impressed you. Neat appearance, politeness, prompt responses to customer requests, ability to answer food preparation questions, or enthusiasm might be a few of the characteristics you might notice. These elements would be the basis for the checklist you would use to screen applicants.

After reflection, you would choose the elements from your list that were most important to you for the final interview criteria. These elements would be the basis for your final assessment of potential waiters. In order to make your judgments more valid, reliable, and consistent, scoring scales or rubrics can be used. When using rubrics, numerical values are associated with varied performance levels, ranging from below average to excellent. The criteria for each performance level must be precisely defined in terms of what the student must do to demonstrate skill or proficiency at each level.

Rubrics should always have an established purpose. When looking for waiters, the owner wants to find people with the best combinations of the qualities he or she deems necessary. Foreign language teachers use rubrics to measure degrees of student understanding when performing language tasks in real life situations. Rubrics can provide greater authenticity in testing and can teach the student what matters.

Scoring rubrics minimize ambiguity by defining a concrete way to grade varied tasks. Rubrics can be developed for such varied tasks as paired conversations or student-made vocabulary games. In addition, by making known the scoring rubrics before students begin the task, teachers offer students a clear understanding of what criteria must be met and what level of performance students must achieve to earn a certain grade. Accordingly, students can use rubrics to assess their own performance in preparation for the teacher's assessment.

There are two principal types of rubrics: holistic and analytic. Five basic steps are helpful in designing a grading rubric:

- Determine the type of rubric
- Determine the range of the scores possible
- Describe the criteria for each score or rating
- Share the rubric with a small group of students for feedback and revise if necessary
- Standardize the process with a set of anchors or a sample

A *holistic rubric* is used to give students a single score based on several criteria. An *analytic rubric* is used to give students a score on each of several criteria, which are then added together for the final score. There are several templates for both types of scoring rubrics at the end of this section. These rubrics include numerical values that are associated with performance levels, such as Below Average (1 point), Average (3 points), and Excellent (5 points). The criteria for each performance level are precisely defined in terms of what the student actually does to demonstrate his or her performance at that level. The criteria reflect what is considered to be appropriate at Level 3 with regard to skills and strategies. The rubrics provided by *Realidades* are designed to match tasks in both the textbook and the Assessment Program, although the criteria can be changed at any time to reflect a different emphasis.

The rubric should be explained in advance to the students so they can have a clear understanding of what is expected of them. Consequently, it becomes a matter of student responsibility as to whether he or she will perform at the highest levels. With a well-designed rubric, there is no confusion as to what he or she must do in order to receive the highest score.

Grading Criteria

You may feel that performance-based assessment tasks are too subjective to grade, and therefore unfair to the students. You may worry that if challenged, you might not be able to document the grade given with concrete evidence such as provided by traditional paper-and-pencil tests. So students need the explicit criteria of a rubric to help them rate the quality of their finished products and to distinguish between acceptable and unacceptable performance. To elicit the maximum performance from students, you must model a strong performance, give "anchors" or examples of outstanding work, and provide your students with time to practice. This process lays the groundwork for setting standards. When students see exemplary work, they will increase their own standards for their work.

Using Analytic Rubrics

When using the analytic rubrics listed below for the different assessments, a student might score at different levels for each criteria or might score at the same level for all of the criteria. For example, the criteria might include amount of communication, accuracy, and comprehensibility. A "below average" performance would resemble the following:

Yo miro el programa "ER." Es un drama. Es el mejor programa de televisión. A mis padres les gusta también. No bostecé cuando miro "ER." Me gustan todos los actores en este drama. Tiene una influencia positiva.

In this sample, the student provides only the name and a very brief description of a favorite program. Some vocabulary such as the use of *gustarse,* is limited and/or repetitive. Although it is evident that the student has some knowledge of the preterite, it is used incorrectly in the sentence *No bostecé cuando miro "ER."* This student still depends on memorized phrases to "pad" his or her performance. This can be seen in the ineffective use of the expression *una influencia positiva.*

A "good" performance might approximate the following sample:

Mi programa favorito es "La abogada." En mi opinión, el programa está bien escrito y muy cómico. La mujer trabaja en una oficina y es un abogado. Es apto para los jóvenes. Tiene influencia positiva para las chicas. No tenemos que ser madres. El episodio que dieron el lunes me pareció fabuloso.

In this sample, the student provides additional information about a favorite program, but communication is still tentative. Sentence structure, for example, is primarily limited to short, simple sentences. Although profound ideas are hinted at, they are not developed.

An "excellent" performance might be similar to the following sample:

Los programas que tienen influencia negativa son las telenovelas. Las familias en estos programas tienen muchos problemas con el amor, el dinero y los conflictos con otros. En realidad estas familias no existen. Estos programas manipulan al público. Las telenovelas son muy populares con las personas que son muy aburridos. Estos programas no informan al público. Pero en mi opinión, los jovenes deben decidir qué progamas van a ver.

In this sample, the student produces a very strong response to the prompt. Opinions are backed up with examples and profound ideas are developed. There are no serious patterns of errors. The student appears to have internalized much of the vocabulary in the chapter and seems comfortable in expressing his or her thoughts in a way that is easily understood.

Rubrics in *Realidades*

In each student performance, you are looking for evidence to determine at what level students understand and can use the language they are learning in your classroom. *Realidades* provides a wide range of scoring rubrics to evaluate student performance. Following the front matter, you will find rubrics for:

- Chapter Projects
- *Presentación oral* and *Presentación escrita* activities in the *¡Adelante!* section of each chapter of the Student Edition
- Writing and Speaking performance-based tasks on the *Examen del capítulo*
- Additional rubrics for group performance, role-plays, individual oral presentations, cultural comparisons, game boards, and technology presentations

Using Portfolios

Because of the limitations that a single test grade can impose, many teachers are including some type of portfolio assessment in their classrooms. A portfolio is a purposeful collection that exhibits a student's performance efforts, progress, and achievement over time. The most basic aspect of portfolios is that they are done *by*, not *to*, the students. A portfolio can be the intimate, personal link between the teacher's instruction and the student's learning. Risk-taking and creativity, which are often missed in other forms of testing, can be encouraged as students generate portfolios.

With portfolios, students participate in their own assessment by evaluating their own work using the same criteria the teacher uses. This learner-centered aspect is the crux of portfolios. It represents what the students are really doing. Additionally, if students choose their own work to be showcased, they are engaging in the type of self-reflection that is far more valuable than simply being given a grade by the teacher. Thus, the student's role changes from passive absorber of information to active learner and evaluator.

Establishing the Purpose of Portfolios in Your Classroom

The most important step in getting started with portfolios is to establish their purpose. The following questions might assist you in determining that.

Is the purpose of the portfolio:

- to monitor student progress?
- to encourage student self-evaluation?
- to encourage student accountability for work?
- to showcase a student's best work?
- to evaluate a student's work within the context of one of the goals of the *Standards for Foreign Language Learning*, such as understanding of other cultures?
- to evaluate written expression?
- to assess oral language?
- to maintain a continuous record to pass on from one level to the next?

Portfolios allow for self-directed work that can be accomplished outside the time constraints of the school day. This can be particularly important under the block schedule. The following chart describes three types of portfolios.

Three Types of Portfolios

Showcase Portfolio	Collection Portfolio	Assessment Portfolio
• Displays only a student's best work • Contains only finished products, and therefore may not illustrate student learning over time • Entries selected to illustrate student achievement rather than the learning process	• Contains all of a student's work • Shows how a student deals with daily assignments • Sometimes referred to as a working folder; illustrates both process and products	• Contents are selected to show growth over time • Each entry is evaluated based on criteria specified by teacher and student in the form of a rubric or checklist • Does not receive a grade; individual entries may be weighted to reflect an overall level of achievement

Types of Portfolio Entries

After determining the purpose of the portfolio in your classroom, you should think about the kinds of entries that will best match your instructional purposes. If you choose to use an assessment portfolio, you will find that it is an excellent vehicle for trying out some of the new approaches to assessment that you are not currently using. It is best to combine both required and optional entries. *Required entries* will provide the primary basis for assessment, and could include samples of specific work, student self-assessments, and some type of teacher assessment. You might begin with two or three entries for each grading period, and build up to about five required entries after both you and your students get accustomed to using portfolios. *Optional entries* provide you with additional information to complement that contained in the required entries. Students provide evidence of their learning by including such things as their preparatory work for a project or a written or tape-recorded story. Refer to the chart below for ideas to include in student portfolios.

Sample First Semester Portfolio Contents

(Shading indicates work not collected that month)

	Sept.	Oct.	Nov.	Dec.
1. Write a postcard describing a camping trip or other outdoor activities that you have participated in with family of friends. Include a photo or illustrations for the front of the postcard. (Required)				
2. Oral or written comparison of at least two works each by two painters from Spanish-speaking countries. Include comparisons of artistic technique, historical and cultural context, symbolism, etc. (required)				
3. Role-play a conversation between a doctor and patient in which you present a health problem and discuss symptoms and remedies. (Required, taped or live)				
4. Write an *autorretrato* describing your relationship with your family and friends. Explain what is needed to maintain a good friendship and how to resolve family conflicts that may arise from time to time. (Required)				
5. Student-designed brochure about an ideal community, including information on types of jobs, schools and community activities and facilities. (Required)				
6. Optional entry #1 Oral or written presentation comparing expressions of love in Latin American and Spanish arts. (e.g., paintings, music & poetry)				
7. Optional entry #2 (e.g., Student-created instructional video entitled *¿Cómo puedo ser voluntario y ayudar en mi comunidad?*)				

The heart of a portfolio is the reflection behind it, not just the work. Many teachers report that since the process requires students to set goals and to self-assess as they progress, their students take more responsibility for their learning. Others report that portfolios allow them to do things with students that they were not able to accomplish before because of a lack of available class time. They encourage students to pursue things outside of class that you don't have time to develop. They are *not* just a collection of work or a scrapbook.

Initial efforts at using portfolios will seem time-consuming. However, rather than looking at them as something extra, you should view them as part of instruction. All portfolios do not need to be evaluated by you on the same day, since students will complete their work over a period of months. When students have finished, they are required to assess their work based on the criteria defined in the scoring rubric you will use to grade them. You can then easily spot-check the students' self-assessments, since the initial groundwork for grading has already been done by them as part of the process.

The real purpose of the portfolio is to coach students to be honest evaluators of their own work and to become part of the learning process instead of passively—or nervously—waiting to be evaluated by you.

Using the Chapter Checklist and Self-Assessment Worksheet

The Assessment Program provides teachers with a two-page Blackline Master to be used at the end of each chapter in *Realidades*. This Chapter Checklist and Self-Assessment Worksheet allows students to reflect upon their performance at the end of a chapter. Teachers are encouraged to build in the time for students to complete this worksheet. The Checklist asks students to:

- evaluate their performance related to the chapter objectives
- evaluate their participation in class
- make connections to other disciplines
- review learning strategies
- reflect on activities they liked and didn't like
- determine their best work and explain why they think it is their best work

This Checklist and Self-Assessment Worksheet is an excellent opportunity for students to use higher-level thinking skills such as evaluation, reflection, and judgment. This worksheet can become part of each student's portfolio. Upon completion of the Checklist, student and teacher might want to review the student's self-assessment and discuss the implications. How can class participation be improved? Why isn't the student doing the homework? How can learning strategies be used more effectively? If a student likes a certain type of activity, how does that reflect his or her individual learning style? It also allows the teacher to spend a few moments praising the student's performance and encouraging that student to do even more with the language. These Checklists also provide useful information to be shared with parents during conferences or Back-To-School events.

Remediation and Reteaching

For students who do not perform well on the *Realidades Examen del capítulo,* the following are suggestions for how students can review and work to improve on areas of deficiencies.

Problems Learning Vocabulary

Some students have difficulty spelling. Here are some suggestions to help these learners.

1. **Flashcards.** Provide students with copies of the Vocabulary Clip Art for visualized vocabulary and have them write out the spelling under the picture. Have them check their spelling against the *A primera vista* section in the Student Edition.
2. **Dictation.** Have students listen to the vocabulary pronunciation sections of the Audio Program. Have them write the words as they hear them. They can then check their spelling against the *A primera vista* section in the Student Edition.
3. **End vocabulary list.** Provide students with a copy of the end vocabulary list with the Spanish words deleted. Have them provide the Spanish word and then check their spelling against the end vocabulary list in their Student Edition.
4. **Practice Workbook.** Have students go back and repeat the activities in the Practice Workbook.
5. **Go online.** Encourage students to go online to the *Realidades* Web site and do the vocabulary activities again.
6. **Write it out.** Remind students that in order to spell a word correctly, they need to say it aloud and write it out. Many students practice spelling by saying the word only. If they say the word aloud and then write it out, they will learn the word more effectively.

Problems Learning Grammar

Grammar is difficult for some students. Many of them don't understand the grammatical concept in English, much less Spanish. Here are some suggestions to help these learners.

1. *Resumen de gramática.* Encourage students to study the grammar summary pages at the back of the Student Edition. They will find clear explanations of grammar concepts and examples. This may provide a better understanding of grammar.
2. **Grammar Study Guides.** Provide students with the laminated study guides available from Pearson Prentice Hall. These guides provide a quick summary of key grammar rules and may serve as a handy study tool.
3. **Practice Workbook.** Have students go back and repeat the activities in the Practice Workbook.
4. **Go online.** Encourage students to go online to the *Realidades* Web site and do the grammar activities again.

Using Student Tutors

Another effective tool is to provide student tutors. It may be possible to have the better Spanish students, such as those in the Spanish Honor Society, be available to assist students who are struggling. These tutors may be able to work with students using some of the strategies suggested above.

Remediation for the *Examen del capítulo*

It is important for students to understand the importance of the *Repaso del capítulo* section at the end of each chapter of the Student Edition. The first two pages provide a complete review of all the new vocabulary and grammar. Students will be expected to show what they know of this content for the two sections of *Parte I: Vocabulario y gramática en uso* of the *Examen del capítulo.* The next two pages are an outline of how they will be asked to show what they can do in the authentic/performance-based tasks in listening, speaking, reading, and writing. Students are told the task on the test, they are given a practice task, and they are told specific activities in each chapter that prepare them for the assessment task. If students do not perform well on the chapter test, they should go back and revisit these four pages.

Here is a general guide for additional ways in which students can remediate deficiencies on the chapter test. These tests follow a consistent format. The following chart provides a model for how students can review test sections in which they did not perform well.

Review and Remediation Guidelines

Test Section	Assessment Goal	Review: Print	Review: Technology
I. Vocabulario y gramática en uso (2 sections)	Demonstrate ability to accurately produce the chapter's vocabulary and grammar	• *Repaso del capítulo* in Student Edition • Vocabulary Clip Art • *Practice Workbook* • Writing activities in *Writing, Audio & Video Workbook*	• Go Online Activities • Audio Program • *Mindpoint Quiz Show* • Grammar Study Guide • *Computer Test Bank*
II. Comunicación y cultura **A. Escuchar**	Demonstrate understanding of recorded conversation and narratives with highly predictable and familiar contexts	n/a	• Audio Program: *A primera vista 1* and *2* vocabulary input • Audio Program: Student Edition listening activities • Audio Program: *En voz alta* activity • Audio Program: *¿Qué me cuentas?* activities in the *¡Adelante!* section of Student Edition • Audio Program: Audio activities in *Writing, Audio & Video Workbook*
B. Leer	Demonstrate understanding of written passages in highly predictable and familiar contexts	• *A primera vista 1* and *2* language input sections in Student Edition • Reading activities in *Manos a la obra 1* and *2* sections of Student Edition • *Lectura* and *Puente a la cultura* activities in *¡Adelante!* section in Student Edition • Focus on reading strategies	n/a

Test Section	Assessment Goal	Review: Print	Review: Technology
C. Escribir	Demonstrate ability to meet limited practical writing needs, such as short messages and notes, by recombining learned vocabulary and structures to form simple sentences on very familiar topics and with some accuracy	• Writing activities in *Manos a la obra 1* and *2* sections in Student Edition • *Presentación escrita* in *¡Adelante!* section of Student Edition • Focus on steps in the writing process found in *Presentación escrita* • Writing activities in the *Writing, Audio & Video Workbook*	n/a
D. Hablar	Demonstrate ability to use short, memorized phrases and sentences with some accuracy in oral presentations on very familiar topics	• Speaking activities in the *Manos a la obra 1* and *2* sections of the Student Edition • Communication Activities Blackline Masters in *Teacher's Resource Book* • *Presentación oral* and *¿Qué me cuentas?* in the *¡Adelante!* section of the Student Edition • *En voz alta* activity in the in the *Manos a la obra 1* and *2* sections of the Student Edition	• Audio Program: *A primera vista 1* and *2* language input sections • Audio Program: *En voz alta*
E. Cultura	Demonstrate understanding of a cultural product or practice and its cultural perspective; demonstrate understanding of a cultural comparison	• *Fondo cultural* in Student Edition • *El español en la comunidad* or *El español en el mundo del trabajo* in Student Edition • *Puente a la cultura* in the *¡Adelante!* section of Student Edition • *Lectura* in the *¡Adelante!* section in Student Edition	• *Realidades* Video Program

Standards for Foreign Language Learning

COMMUNICATION: Communicate in Languages Other than English

Standard 1.1: Students engage in conversations, provide and obtain information, express feelings and emotions, and exchange opinions.

Standard 1.2: Students understand and interpret written and spoken language on a variety of topics.

Standard 1.3: Students present information, concepts, and ideas to an audience of listeners or readers on a variety of topics.

CULTURES: Gain Knowledge and Understanding of Other Cultures

Standard 2.1: Students demonstrate an understanding of the relationship between the practices and perspectives of the culture studied.

Standard 2.2: Students demonstrate an understanding of the relationship between the products and perspectives of the culture studied.

CONNECTIONS: Connect with Other Disciplines and Acquire Information

Standard 3.1: Students reinforce and further their knowledge of other disciplines through the foreign language.

Standard 3.2: Students acquire information and recognize the distinctive viewpoints that are only available through the foreign language and its cultures.

COMPARISONS: Develop Insight into the Nature of Language and Culture

Standard 4.1: Students demonstrate understanding of the nature of language through comparisons of the language studied and their own.

Standard 4.2: Students demonstrate understanding of the concept of culture through comparisons of the cultures studied and their own.

COMMUNITIES: Participate in Multilingual Communities at Home and Around the World

Standard 5.1: Students use the language both within and beyond the school setting.

Standard 5.2: Students show evidence of becoming life-long learners by using the language for personal enjoyment and enrichment.

ACTFL Performance Guidelines for K-12 Learners

Intermediate Learner Range (Levels III-IV)

COMPREHENSIBILITY: How well are they understood?

Interpersonal

- express their own thoughts using sentences and strings of sentences when interacting on familiar topics in present time
- are understood by those accustomed to interacting with language learners
- use pronunciation and intonation patterns which can be understood by a native speaker accustomed to interacting with language learner
- make false starts and pause frequently to search for words when interacting with others
- are able to meet practical writing needs, such as short letters and notes, by recombining learned vocabulary and structures demonstrating full control of present time and evidence of some control of their time frames

Presentational

- express their own thoughts, describe and narrate, using sentences and strings of sentences, in oral and written presentations on familiar topics
- use pronunciation and intonation patterns that can be understood by those accustomed to interacting with language learners
- make false starts and pause frequently to search for words when interacting with others
- communicate oral and written information about familiar topics with sufficient accuracy that listeners and readers understand most of what is presented

COMPREHENSION: How well do they understand?

Interpersonal

- comprehend general concepts and messages about familiar and occasionally unfamiliar topics
- may not comprehend details when dealing with unfamiliar topics
- may have difficulty comprehending language not supported by situational context

Interpretive

- understand longer, more complex conversations and narratives as well as recorded material in familiar contexts
- use background knowledge to comprehend simple stories, personal correspondence, and other contextualized print
- identify main ideas and some specific information on limited number of topics found in the products of the target culture such as those presented on TV, radio, video, or live and computer-generated presentations, although comprehension may be uneven
- determine meaning by using contextual clues
- are aided by the use of redundancy, paraphrase, and restatement in order to understand the message

LANGUAGE CONTROL: How accurate is their language?

Interpersonal

- comprehend messages that include some unfamiliar grammatical structures
- are most accurate when creating with the language about familiar topics in present time using simple sentences and/or strings of sentences
- exhibit a decline in grammatical accuracy as creativity in language production increases
- begin to apply familiar structures to new situations
- evidence awareness of capitalization and/or punctuation when writing in the target language
- recognize some of their own spelling or character production errors and make appropriate adjustments

Interpretive

- derive meaning by comparing target language structures with those of the native language
- recognize parallels between new and familiar structures in the target language
- understand high-frequency idiomatic expressions

Presentational

- formulate oral and written presentations on familiar topics, using a range of sentences and strings of sentences primarily in present time but also, with preparation, in past and future time
- may show inaccuracies as well as some interference from the native language when attempting to present less familiar material
- exhibit fairly good accuracy in capitalization and punctuation (or production of characters) when target language differs from native language in these areas

VOCABULARY USE: How extensive and applicable is their vocabulary?

Interpersonal

- use vocabulary from a variety of thematic word groups
- recognize and use vocabulary from a variety of topics including those related to other curricular areas
- show some understanding and use of common idiomatic expressions
- may use false cognates or resort to their native language when attempting to communicate beyond their scope of familiar topics

Interpretive

- comprehend an expanded range of vocabulary
- frequently derive meaning of unknown words by using contextual clues
- demonstrate enhanced meaning when listening to or reading content which has a recognizable format

Presentational

- demonstrate control of an expanding number of familiar words or phrases and of a limited number of idiomatic expressions
- supplement their base vocabulary, for both oral and written presentations, with expressions acquired from other sources such as dictionaries
- in speech and writing, may sometimes use false cognates and incorrectly applied terms, and show only partial control of newly acquired expressions

COMMUNICATION STRATEGIES: How do they maintain communication?

Interpersonal

- may use paraphrasing, question-asking, circumlocution, and other strategies to avoid a breakdown in communication
- attempt to self-correct primarily for meaning when communication breaks down

Interpretive

- identify the main idea of a written text by using reading strategies such as gleaning information from the first and last paragraphs
- infer meaning of many unfamiliar words that are necessary in order to understand the gist of an oral or written text

Presentational

- make occasional use of reference sources and efforts at self-correction to avoid errors likely to interfere with communication
- use circumlocution when faced with difficult syntactic structures, problematic spelling, or unfamiliar vocabulary
- make use of memory-aids (such as notes and visuals) to facilitate presentations

CULTURAL AWARENESS: How is their cultural understanding reflected in their communication?

Interpersonal

- use some culturally appropriate vocabulary and idiomatic expressions
- use some gestures and body language of the target culture

Interpretive

- use knowledge of their own culture and that of the target culture(s) to interpret oral and written texts more accurately
- recognize target culture influences in the products and practices of their own culture
- recognize differences and similarities in the perspectives of the target culture and their own

Presentational

- use some culturally appropriate vocabulary, idiomatic expressions, and non-verbal behaviors
- demonstrate some cultural knowledge in oral and written presentations

Language Learning Continuum: Stage III

The Language Learning Continuum was developed by the Articulation and Achievement Project to provide clear benchmarks that measure student performance. The Language Learning Continuum describes what students should know and be able to do as a result of second language study. The *Foreign Language Framework* for California Public Schools, K-12 relies on the model of the Language Learning Continuum. This chart shows the components and benchmarks for Stage III.

Language Learning Continuum: Stage III

Function	Context	Text Type
Students can expand their ability to perform all the functions developed in Stages I and II. They also develop the ability to: • clarify and ask for and comprehend clarification; • express and understand opinions; • narrate and understand narration in the present, past, and future; • identify, state, and understand feelings and emotions.	Students can perform these functions: • when speaking, in face-to-face social interaction and in simple transactions on the phone; • when listening, in social interaction and using audio or video texts; • when reading short stories, poems, essays, and articles; • when writing journals, letters, and essays.	Students can: • use strings of related sentences when speaking; • understand most spoken language when the message is deliberately and carefully conveyed by a speaker accustomed to dealing with learners when listening; • create simple paragraphs when writing; • acquire knowledge and new knowledge from comprehensive authentic texts when reading.
	Content	
Content includes cultural, personal, and social topics such as: • history, art, literature, music, current affairs, and civilization, with an emphasis on significant people and events in these fields; • career choices, the environment, social issues, and political issues.		
	Accuracy	
Students: • tend to become less accurate as the task or message becomes more complex, and some patterns of error may interfere with meaning; • generally choose appropriate vocabulary for familiar topics, but as the complexity of the message increases, there is evidence of hesitation and groping for words, as well as patterns of mispronunciation and intonation; • generally use culturally appropriate behavior in social situations; • are able to understand and retain most key ideas and some supporting detail when reading and listening.		

Assessment Terms

alternative assessment: any method employed to find out what students know or can do that is not obtained through traditional methods, such as multiple-choice testing

analytic scoring: the assignment of separate scores in designated categories on a scoring rubric

anchors: representative products or performances used to characterize each point on a scoring rubric or scale

anecdotal records: informal written notes on student learning products or processes, usually jotted down by teacher from direct observation

assessment: a systematic approach to collecting information on student learning or performance, usually based on various scores of evidence

authentic assessment: procedures for evaluating student performance using activities that represent real life tasks

cloze test: an assessment of reading comprehension that asks students to infer the missing words in a reading passage

collection portfolio: a collection of all work showing how a student deals with daily classroom assignments

content standards: the knowledge specific to a given content area

criteria: guidelines, rules, or principles by which student responses, products, or performances are judged

dialogue journal: a type of writing in which students make entries in a notebook on topics of their choice to which the teacher responds

discrete-point tests: a test of a specific linguistic subskill, such as spelling, vocabulary, grammar, or pronunciation

evaluation: interpretation of assessment data regarding the quality of some response, product, or performance

formative assessment: ongoing diagnostic assessment providing information to guide instruction

holistic scoring: the assignment of a single score, based on specific criteria, to a student's performance

information gap: an oral language activity in which a student is rated on his or her success in conveying information unknown to a partner

performance assessment: assessment tasks that require a student to construct a response, create a product, or demonstrate applications of knowledge; performance is often related to a continuum of agreed-upon standards of proficiency or excellence

performance standard: the level of performance required on specific activities

portfolio: a collection of student work demonstrating student reflection and progress or achievement over time in one or more areas

portfolio assessment: a selective collection of student work, teacher observations, and self-assessment used to show progress over time with regard to specific criteria

process writing: a form of writing instruction that typically includes pre-writing, writing, and post-writing stages

project: an activity in which students prepare a product to show what they know and can do

reliability: the degree to which an assessment yields consistent results

rubric: a measurement scale used to evaluate student performance and consisting of a fixed scale and a list of characteristics that describe criteria at each score point for a particular outcome

scaffolding: providing contextual supports for meaning during instruction or assessment, such as visuals, lists, tables, or graphs

self-assessment: appraisal by a student of his or her own work

showcase portfolio: a collection of a student's best work, often selected by the student, that highlights what he or she is able to do

standard: an established level of achievement, quality of performance, or degree of proficiency

summative assessment: culminating assessment for a unit, grade level, or course of study that provides a status report on mastery or degree of proficiency according to identified learning outcomes and that aids in making decisions about passing, failing, or promotion

task: an activity usually requiring multiple responses to a challenging question or problem

test: a set of questions or situations designed to permit an inference about what a student knows or can do in a given area

validity: refers to whether or not a given assessment is an adequate measure of what is being assessed

Criterios de Evaluación de los Proyectos de los Capítulos

Para evaluar los proyectos temáticos sugeridos en la Edición del Estudiante de *Realidades* deben usarse los siguientes criterios. Se recomienda que los profesores les entreguen a los estudiantes fotocopias de estas páginas y las repasen con ellos antes de que hagan las tareas.

PARA EMPEZAR

Proyecto: *La entrevista*

CRITERIOS	1 punto	3 puntos	5 puntos
Tu evidencia de planificación	No incluyes un borrador escrito	Tienes un borrador, pero no corregido	Das un borrador corregido
Tu uso de ilustraciones	No incluyes un horario	Tu horario es difícil de leer, incompleto y/o incorrecto	Tu horario es fácil de leer, completo y correcto
Tu presentación de la entrevista	No incluyes la mayoría de los elementos requeridos	Incluyes algunos de los siguientes elementos: saludo, preguntas, respuestas y descripciones	Incluyes: saludo, preguntas, respuestas y descripciones

CAPÍTULO 1

Proyecto: *Club de exploradores*

CRITERIOS	1 punto	3 puntos	5 puntos
Tu evidencia de planificación	Presentas una propuesta preliminar o borradores de los pies de fotos	Creas una propuesta preliminar y los pies de fotos, pero no las corriges	Haces la propuesta y los pies de fotos, y las corriges
Tu uso de ilustraciones	No incluyes fotos	Incluyes fotos, pero el diseño está desorganizado	Incluyes fotos, y la presentación es fácil de leer y convincente
Tu presentación	No incluyes la información requerida	Incluyes la mayor parte de la información requerida	Incluyes toda la información requerida

CAPÍTULO 2

Proyecto: *Escultura personal*

CRITERIOS	1 punto	3 puntos	5 puntos
Tu evidencia de planificación	No haces un borrador ni un texto escrito	Falta el borrador o el texto escrito	Haces un borrador y lo corriges
Tu uso de materiales	Incluyes poca o ninguna decoración	Falta la estructura o la decoración	Haces un buen trabajo
Tu presentación oral	Muy breve y no relacionada con la escultura	Describes parte de la escultura	Describes en detalle tu relación con la escultura

CAPÍTULO 3

Proyecto: *Buenos hábitos*

CRITERIOS	1 punto	3 puntos	5 puntos
Tu evidencia de planificación	No tienes un borrador escrito ni un diseño	Falta tu borrador escrito o el diseño	Muestras un borrador y un diseño corregidos
Tu uso de ilustraciones	No incluyes ningún tipo de música o canción	Faltan datos sobre el artista	Incluyes la música y los datos sobre el artista
Tu presentación	Tu presentación es inconsistente	Tu programa de dieta y ejercicios no se complementan	Presentaste un programa coordinado

CAPÍTULO 4

Proyecto: *Anuncio ilustrado "Busco nuevos(as) amigo(as)"*

CRITERIOS	1 punto	3 puntos	5 puntos
Tu evidencia de planificación	No das un borrador escrito ni un diseño del anuncio	Das un borrador escrito y un diseño del anuncio, pero no corregidos	Muestras un borrador escrito y un diseño corregidos
Tu uso de ilustraciones	No incluyes fotos ni recortes	Incluyes fotos y recortes, pero el diseño está desorganizado	Tu anuncio es fácil de entender, y las fotos y los recortes complementan el texto
Tu presentación	Incluyes muy poco de la información requerida	Incluyes la mayor parte de la información requerida	Incluyes toda la información requerida

CAPÍTULO 5

Proyecto: *Álbum de mis amigos en el futuro*

CRITERIOS	1 punto	3 puntos	5 puntos
Tu evidencia de planificación	No presentas una propuesta ni un borrador de las descripciones	Presentas una propuesta y descripciones, pero no las corriges	Presentas un propuesta y descripciones, y las corriges
Tu uso de ilustraciones	No incluyes fotos ni ilustraciones	Incluyes fotos o ilustraciones pero desorganizadas	Incluyes fotos e ilustraciones bien organizadas
Tu presentación de la propuesta	No incluyes la información requerida	Incluyes la mayor parte de la información requerida	Incluyes toda la información requerida

CAPÍTULO 6

Proyecto: *Página Web*

CRITERIOS	1 punto	3 puntos	5 puntos
Tu evidencia de planificación	No das un borrador escrito ni un diseño	Das un borrador escrito y un diseño, pero no los corregiste	Muestras un borrador y un diseño corregidos
Tu uso de ilustraciones	No incluyes fotos ni material visual	Incluyes fotos o material visual, pero el diseño está desorganizado	Tu página Web es fácil de leer, completa y correcta
Tu presentación de la propuesta	Incluyes muy poco de la información requerida	Incluyes la mayor parte de la información requerida	Incluyes toda la información requerida

CAPÍTULO 7

Proyecto: *Cartel de arte indígena*

CRITERIOS	1 punto	3 puntos	5 puntos
Tu evidencia de planificación	No das un borrador ni un diseño del cartel	Das un borrador y un diseño, pero no los corriges	Das un borrador y un diseño corregidos
Tu uso de ilustraciones	No incluyes fotos ni arte, o incluyes imágenes que no son de arte indígena	Incluyes imágenes, pero el diseño está desorganizado	El cartel está hecho con mucho cuidado y las imágenes complementan el texto
Tu presentación del cartel	Incluyes muy poca de la información requerida	Incluyes la mayor parte de la información requerida	Incluyes toda la información requerida

CAPÍTULO 8

Proyecto: *Carteles del encuentro entre culturas*

CRITERIOS	1 punto	3 puntos	5 puntos
Tu evidencia de planificación	No presentas una propuesta ni un borrador de las descripciones	Presentas una propuesta y las descripciones, pero no las corriges	Presentas una propuesta y las descripciones corregidos
Tu uso de ilustraciones	Tus fotos o ilustraciones están incorrectamente descriptas	Tus fotos o ilustraciones están desorganizadas	Tus fotos o ilustraciones están organizadas. Tu presentación es fácil de entender
Tu presentación de la propuesta	No incluyes la información requerida	Incluyes la mayor parte de la información requerida	Incluyes toda la información requerida

CAPÍTULO 9

Proyecto: *Visita un parque nacional*

CRITERIOS	1 punto	3 puntos	5 puntos
Tu evidencia de planificación	No das un borrador escrito ni un diseño de la página	Das un borrador escrito y un diseño de la página, pero no corregidos	Das un borrador escrito y un diseño de la página corregidos
Tu uso de ilustraciones	No incluyes fotos ni material visual	Incluyes fotos o material visual, pero el diseño está desorganizado	Tu folleto es fácil de entender, y está completo y correcto
Tu presentación de la propuesta	Incluyes muy poco de la información requerida	Incluyes parte de la información requerida; intentas persuadir	Incluyes toda la información requerida y nos persuades de que apoyemos el proyecto

CAPÍTULO 10

Proyecto: Páginas Web del *Club Los Ruidosos*

CRITERIOS	1 punto	3 puntos	5 puntos
Tu evidencia de planificación	No das un borrador escrito ni un diseño de la página	Das un borrador escrito y un diseño de la página, pero no corregidos	Das un borrador escrito y un diseño de la página corregidos
Tu uso de ilustraciones	No usas imágenes, e incluyes muy poco de la información requerida	Incluyes imágenes, pero el diseño está desorganizado	Tu página Web está bien hecha y las imágenes son coherentes con el texto
Tu presentación	No distingues los derechos de las responsabilidades	Incluyes la mayor parte de la información requerida	Incluyes toda la información requerida

Criterios de Evaluación de la *Presentación oral* y la *Presentación escrita*

Para evaluar la *Presentación oral* y la *Presentación escrita* sugeridas en la Edición del Estudiante de *Realidades* deben usarse los siguientes criterios.

CAPÍTULO 1

Presentación oral

CRITERIOS	1 punto	3 puntos	5 puntos
Cuán bien narras el evento	No incluyes la narración o la presentas incompleta	Presentas una idea para la narración, pero no la desarrollas	Presentas una narración interesante y bien desarrollada
Cuán bien usas el vocabulario del capítulo	No usaste nada del vocabulario del capítulo	Usaste una o dos secciones del vocabulario del capítulo	Usaste apropiadamente varias secciones del vocabulario del capítulo
Eficacia para comunicarte	No miras a la audiencia al hablar; no usas la entonación	Miraste esporádicamente a la audiencia; usaste la entonación pero no convincentemente	Miraste a la audiencia al hablar; tu entonación y tus gestos contribuyeron al interés del relato

Presentación escrita

CRITERIOS	1 punto	3 puntos	5 puntos
Partes de la tarea que completas	No subrayas ningún evento especial	Presentas una idea de narración, pero no la desarrollas	Narras claramente el evento especial, que resultó prominente
Organización y nivel de detalle	Presentas tus ideas sin un orden lógico y sin detalles	Tienes algunos problemas de organización; incluyes uno o dos detalles	Tu organización del trabajo es fácil de seguir; proporcionas buenos detalles
Estructura de las oraciones	Escribes el texto seguido sin puntuación, o fragmentado y con muchos errores	Escribes el texto en oraciones bien definidas, pero con algunos errores	Escribes el texto en oraciones correctas, con muy pocos errores

CAPÍTULO 2

Presentación oral

CRITERIOS	1 punto	3 puntos	5 puntos
Cuán bien proporcionas la información	Falta información importante, tal como quién era el/la artista	Presentas toda la información importante sobre el/la artista	Presentas claramente toda la información sobre el/la artista
Cuán bien respaldas tu opinión	No presentas ninguno o presentas muy pocos detalles convincentes	Presentas algunos detalles convincentes, pero no los desarrollas	Presentas argumentos y detalles claros y convincentes
Eficacia para comunicarse	No miras a la audiencia al hablar	Miras esporádicamente a la audiencia; usas la entonación pero no convincentemente	Miras a la audiencia al hablar; y hablas con la entonación y los gestos apropiados

Presentación escrita

CRITERIOS	1 punto	3 puntos	5 puntos
Cuán bien organizas la información	Falta información importante sobre el candidato	Presentas la información importante, pero en forma desorganizada	Presentas la información de forma clara y bien organizada
Cuán bien justificas tu elección	Das pocos o ningún detalle para justificar la elección de ese candidato	Das detalles convincentes para votar por ese candidato	Tus detalles sobre el candidato son convincentes y están bien organizados
Estructura de las oraciones, gramática y ortografía	Escribes el texto seguido sin puntuación, o fragmentado y con muchos errores	Escribes el texto en oraciones bien definidas, pero con algunos errores	Escribes el texto en oraciones correctas, con muy pocos errores

CAPÍTULO 3

Presentación oral

CRITERIOS	1 punto	3 puntos	5 puntos
Cuán bien organizas la información	Presentas ideas sin desarrollar y con poca o ninguna transición entre una y otra	Presentas algunas de las ideas sin desarrollar; tus transiciones son confusas	Presentas las ideas bien organizadas y con transiciones claras
Eficacia para comunicaste	No miras a la audiencia al hablar; tienes poca entonación	Miras esporádicamente a la audiencia; hablas con la entonación apropiada	Miras a la audiencia al hablar; hablas con la entonación apropiada
Eficacia del uso material visual	Tu material visual no transmite el mensaje deseado	Usa material visual, pero no resulta efectivo	Presentas material visual muy apropiado y efectivo

Presentación escrita

CRITERIOS	1 punto	3 puntos	5 puntos
Partes de la tarea que completas	Faltan partes importantes de la carta	Algunas partes de la carta faltan o están incorrectas	Incluyes todo y bien organizado
Capacidad de persuasión	La falta de información o la desorganización hace que el mensaje resulte confuso	Tu mensaje está claro, pero es poco convincente	Tu información transmite un mensaje claro
Estructura de las oraciones, gramática y ortografía	Escribes el texto seguido sin puntuación, o fragmentado y con muchos errores de ortografía y/o gramática	Escribes el texto en oraciones bien definidas, pero con algunos errores de ortografía y/o gramática	Escribes el texto en oraciones correctas, con muy pocos errores de ortografía y/o gramática

CAPÍTULO 4

Presentación oral

CRITERIOS	1 punto	3 puntos	5 puntosCuán bien
Cuán bien presentaste el problema	No presentaste ningún problema, o presentaste uno que no se entendió	Mencionaste un problema pero no lo presentaste con claridad	Mencionaste un problema, y lo presentaste de forma clara y completa
Cuán bien presentaste las soluciones	No ofreciste ninguna solución	Ofreciste algunas soluciones, pero no las desarrollaste	Ofreciste soluciones claras y completas
Cuán bien retrataste a los personajes	Tus personajes hablaban muy poco; tampoco los describiste	Tus personajes leyeron sus partes	Tus personajes representaban personalidades realistas y reconocibles

Presentación escrita

CRITERIOS	1 punto	3 puntos	5 puntos
Partes de la tarea que completas	Tu falta de información o desorganización hace que el escrito resultara confuso	Presentas una descripción, pero falta información importante	Tu tipo y organización de la información dada transmite un mensaje claro y convincente
Descripción de los personajes	No identificas ni describes a los personajes	Tus descripciones no están bien desarrolladas	Los personajes están bien retratados
Estructura de las oraciones, gramática y ortografía	Escribes el texto seguido sin puntuación, o fragmentado y con muchos errores de ortografía y/o gramática	Escribes el texto en oraciones bien definidas, pero con algunos errores de ortografía y/o gramática	Escribes el texto en oraciones correctas, con muy pocos errores de ortografía y/o gramática

CAPÍTULO 5

Presentación oral

CRITERIOS	1 punto	3 puntos	5 puntos
Cuán bien organizas la información	Presentas ideas sin desarrollar y con poca o ninguna transición entre una y otra	Presentas algunas de las ideas sin desarrollar; las transiciones son confusas	Presentas las ideas bien organizadas y con transiciones claras
Cuán convincente eres	Lees la presentación, y la exposición resulta débil y poco convincente	Presentas detalles sólo en parte convincentes; miras esporádicamente a la audiencia	Todos los argumentos y detalles que presentas son convincentes; miras a la audiencia al hablar, y haces los gestos apropiados
Eficacia del uso del material visual	Casi no usas material visual, o el que presentas no contribuye a transmitir el mensaje	Usas algo de material visual, pero no siempre de forma efectiva	Presentas material visual apropiado y lo presentas de una forma efectiva

Presentación escrita

CRITERIOS	1 punto	3 puntos	5 puntos
Partes de la tarea que completa	Faltan partes importantes de la carta	Algunas partes de la carta faltan o son incorrectas	Incluyes todo y bien organizado
Capacidad de persuasión	Tu falta de información o la desorganización hace que el mensaje resulte confuso	Tu mensaje está claro, pero es poco convincente	Tu información dada transmite un mensaje claro
Estructura de las oraciones, gramática y ortografía	Escribes el texto seguido sin puntuación, o fragmentado y con muchos errores	Escribes el texto en oraciones bien definidas, pero con algunos errores	Escribes el texto en oraciones correctas, con muy pocos errores

CAPÍTULO 6

Presentación oral

CRITERIOS	1 punto	3 puntos	5 puntos
Cuán bien organizas la información	No desarrollas las ideas o no las tratas en absoluto	Tiendes a saltar de una idea a otra	Presentas las ideas de una manera lógica y bien planeada
Cuán bien respaldas las principales ideas	No las respaldas en absoluto	Presentas algunos detalles, pero no convincentes	Respaldas todas las ideas importantes con detalles interesantes
Eficacia para comunicarte	Lees la presentación sin mirar a la audiencia; la entonación no contribuye a que se te entienda mejor	Miras esporádicamente a la audiencia; hablas con cierta entonación, pero no convincentemente	Miras a la audiencia al hablar; la entonación contribuye a transmitir el mensaje

Presentación escrita

CRITERIOS	1 punto	3 puntos	5 puntos
Partes de la tarea que completas	Tu idea principal no queda clara o no se desarrolla	Delimitas la idea principal del ensayo, pero no la desarrollas bien	Delimitas claramente la idea principal del ensayo y la desarrollas adecuadamente
Desarrollo de la comparación	No comparas en el ensayo dos épocas o momentos	Presentaste dos épocas o momentos, pero no los comparas en detalle	Comparas dos épocas o momentos y das un buen número de detalles para respaldar tus ideas
Estructura de las oraciones, gramática y ortografía	Escribes el texto seguido sin puntuación, o fragmentado y con muchos errores de ortografía y/o gramática	Escribes el texto en oraciones bien definidas, pero con algunos errores de ortografía y/o gramática	Escribes el texto en oraciones correctas, con muy pocos errores de ortografía y/o gramática

CAPÍTULO 7

Presentación oral

CRITERIOS	1 punto	3 puntos	5 puntos
Capacidad para concentrarse	La teoría que presentas no está bien desarrollada; faltan ideas importantes	Presentas una teoría, pero las ideas están desorganizadas	Presentas una teoría de manera lógica y organizada
Capacidad de persuasión	Tus explicaciones resultan débiles o poco convincentes	Tus explicaciones resultan bastante convincentes	Tus explicaciones resultan convincentes
Eficacia para comunicarte	Lees la presentación sin mirar a la audiencia	Miras esporádicamente a la audiencia y hablas con cierta entonación	Miras a la audiencia al hablar; la entonación contribuye a transmitir el mensaje

Presentación escrita

CRITERIOS	1 punto	3 puntos	5 puntos
Partes de la tarea que completas	Lo que escribiste no era una leyenda	Escribes una idea para una leyenda, pero faltan elementos importantes	Escribiste una leyenda interesante, con todos los elementos necesarios
Variedad de la estructura oracional	Tus oraciones son de la misma extensión	Combinas algunas oraciones, pero no todas las posibles	Tus oraciones son de estructura variada, interesantes y efectivas
Gramática y ortografía	Tus errores de ortografía y gramática dificultaban la lectura	Cometes algunos errores de ortografía y/o gramática	Cometes muy pocos errores de ortografía y/o gramática

CAPÍTULO 8

Presentación oral

CRITERIOS	1 punto	3 puntos	5 puntos
Claridad con que expresas tu propósito	No explicitas tu propósito, ni éste resulta evidente	Insinúas un propósito, pero no lo explicitas	Explicitas el propósito al comienzo de la presentación
Organización con que presentas la información	Das muy poca información	Falta información importante; la información que das no está bien organizada	Presentas la información de manera completa, interesante y bien organizada
Eficacia para comunicarte	Lees la presentación sin mirar a la audiencia	Miras esporádicamente a la audiencia	Miras varias veces a la audiencia mientras hablas

Presentación escrita

CRITERIOS	1 punto	3 puntos	5 puntos
Partes de la tarea que completas	La idea principal no queda clara; apenas la desarrollas	Insinúas la idea principal; pero no la desarrollas bien	Expones claramente la idea principal y la desarrollas de un modo interesante
Orden cronológico y transiciones	Presentas muy pocos hechos y no hay transiciones entre uno y otro	Presentas los hechos en el orden incorrecto o sin hacer las transiciones necesarias	Presentas los hechos como una secuencia y con las transiciones apropiadas
Estructura de las oraciones, gramática y ortografía	Escribes el texto seguido sin puntuación, o fragmentado y con muchos errores de ortografía y/o gramática	Escribes el texto en oraciones bien definidas, pero con algunos errores de ortografía y/o gramática	Escribes el texto en oraciones correctas, con muy pocos errores de ortografía y/o gramática

CAPÍTULO 9

Presentación oral

CRITERIOS	1 punto	3 puntos	5 puntos
Cuán bien organizas la información	Tu presentación no está bien organizada	Tu información está parcialmente organizada, pero resulta difícil de seguir	Tu información está bien organizada y resulta fácil de seguir
Cuán bien usas los detalles	No incluyes detalles que hacen la presentación más interesante	Incluyes muy pocos detalles; algunos no se relacionan con la idea principal	Presentas detalles interesantes que respaldan la idea principal
Eficacia para comunicarte	Lees la presentación sin mirar a la audiencia	Miras esporádicamente a la audiencia y hablas con cierta entonación	Miras a la audiencia al hablar; la entonación contribuye a transmitir el mensaje de un modo persuasivo

Presentación escrita

CRITERIOS	1 punto	3 puntos	5 puntos
Partes de la tarea que completas	Faltan partes importantes en la carta	Faltan algunas partes o están mal organizadas	Incluyes organizadamente todas las partes necesarias para que la carta resulte persuasiva
Conclusión eficaz	Falta una conclusión convincente	Escribes una conclusión, pero no es convincente	Escribes una conclusión convincente y persuasiva
Gramática y ortografía	Cometes muchos errores de ortografía y/o gramática	Cometes algunos errores de ortografía y/o gramática	Cometes muy pocos errores de ortografía y/o gramática

CAPÍTULO 10

Presentación oral

CRITERIOS	1 punto	3 puntos	5 puntos
Cuán bien usas las ayudas gráficas	No incluyes ayudas gráficas en tu discurso	Presentas una o dos ayudas gráficas, pero con muy poca información útil	Presentas ayudas gráficas y las usas apropiadamente para organizar la presentación
Capacidad de persuasión	No incluyes argumentos importantes; los que presentas eran débiles	Presentas algunos argumentos convincentes	Presentas argumentos convincentes
Eficacia para comunicarte	Lees la presentación sin mirar a la audiencia	Miras esporádicamente a la audiencia; y le das cierta entonación a lo que decía	Miras varias veces a la audiencia mientras hablas; la entonación contribuye a transmitir el mensaje de un modo persuasivo

Presentación escrita

CRITERIOS	1 punto	3 puntos	5 puntos
Partes de la tarea que completa	En tu ensayo faltan partes importantes	Presentas la información mal organizada; resulta difícil de seguir	Presentas organizadamente todas las partes necesarias para que el ensayo resulte convincente
Eficacia de la introducción	Falta una introducción en tu ensayo	Presentas una introducción, pero no está bien	Tu introducción es convincente, despierta el interés y se orienta a la lectura
Gramática y ortografía	Cometes muchos errores de ortografía y/o gramática	Cometes algunos errores de ortografía y/o gramática	Cometes muy pocos errores de ortografía y/o gramática

Criterios de Evaluación de las Secciones *Hablar* y *Escribir* del *Examen del capítulo*

Para evaluar el desempeño de los estudiantes en las secciones *Hablar* y *Escribir* del *Examen del capítulo*, deben usarse los siguientes criterios. Se recomienda que los profesores entreguen con anterioridad fotocopias de estas páginas, o que las proyecten durante el examen, para que los estudiantes puedan ver cómo se evaluará cada parte.

CAPÍTULO 1

Escribir

CRITERIOS	1 punto— Por debajo del promedio	3 puntos—Bueno	5 puntos—Excelente
Partes de la tarea que completa	Proporciona información sobre el tipo de evento, dónde tuvo lugar y quién ganó	Cuadro anterior, más descripción de cómo se sentían los jugadores durante y después del evento	Cuadro anterior, más la reacción del público o la audiencia
Uso del vocabulario	Usa un vocabulario muy limitado y repetitivo	Usa correctamente el vocabulario del capítulo	Usa tanto el vocabulario nuevo como el aprendido con anterioridad
Gramática y ortografía	Comete muchos errores en las formas del imperfecto y/o del pretérito	Comete algunos errores en las formas del imperfecto y/o del pretérito	Comete muy pocos errores en las formas del imperfecto y/o del pretérito

Hablar

CRITERIOS	1 punto— Por debajo del promedio	3 puntos—Bueno	5 puntos—Excelente
Partes de la tarea que completa	Incluyes muy pocos detalles sobre el viaje	Incluyes algunos detalles más sobre el viaje	Incluyes muchos detalles sobre el viaje y explica por qué era su favorito
Gramática y ortografía	Comete muchos errores en las formas del imperfecto y/o del pretérito	Comete algunos errores en las formas del imperfecto y/o del pretérito	Comete muy pocos errores en las formas del imperfecto y/o del pretérito
Comprensión y organización	Difícil de entender; mal organizado	Bastante fácil de entender; pero mal organizado	Bien organizado y fácil de entender

CAPÍTULO 2

Escribir

CRITERIOS	1 punto— **Por debajo del promedio**	3 puntos—Bueno	5 puntos—Excelente
Partes de la tarea que completa	Da sólo el nombre y un breve resumen de la película	Cuadro anterior, más su opinión sobre los principales actores	Cuadro anterior, más al menos un detalle adicional, como la reacción del público
Uso del vocabulario	Muy limitado y repetitivo	Suficiente para transmitir la información básica	Lo bastante variado para presentar una descripción más detallada
Control del idioma	Repitió muchos errores al usar el pretérito y el imperfecto (Ej.: en las formas irregulares de *ser*)	Repitió algunos errores al usar el pretérito y el imperfecto	Cometió muy pocos errores al usar el pretérito y el imperfecto

Hablar

CRITERIOS	1 punto— **Por debajo del promedio**	3 puntos—Bueno	5 puntos—Excelente
Corrección gramatical	Sólo es correcto al usar oraciones simples y frecuentes, o frases memorizadas	Sólo es correcto al expresarse en oraciones simples en el presente	Por lo general, se expresó correctamente en oraciones simples en el presente y en los tiempos del pasado
Facilidad con que se entiende	Se entendió, pero con dificultad (Ej.: usa el vocabulario inadecuado)	En general, se entendió (Ej.: usa un vocabulario suficiente para transmitir lo básico)	Se entendió con facilidad (Ej.: usa el vocabulario adecuado para expresarse con cierto detalle)
Cantidad de información dada	Sólo dice qué clases se ofrecían en áreas determinadas y describes los materiales necesarios	Describe las clases, los materiales, y al menos una actividad típica de esas clases	Describe las clases, los materiales, las actividades, y al menos un proyecto importante para esas clases

CAPÍTULO 3

Escribir

CRITERIOS	1 punto— **Por debajo del promedio**	3 puntos—Bueno	5 puntos—Excelente
Partes de la tarea que completa	Hace sugerencias para una sola de las cuatro categorías	Hace sugerencias para dos o tres de las cuatro categorías	Hace sugerencias para las cuatro categorías
Uso de los mandatos	Muchos errores en el uso de los mandatos	Algunos errores en el uso de los mandatos	Muy pocos errores en el uso de los mandatos
Uso del subjuntivo	Usa el subjuntivo de forma inconsistente; no sabe usar las formas irregulares	Usa el subjuntivo de forma correcta y consistente; repite errores en las formas irregulares	Usa el subjuntivo de forma correcta y consistente, y sabe usar las formas irregulares

Hablar

CRITERIOS	1 punto— Por debajo del promedio	3 puntos—Bueno	5 puntos—Excelente
Partes de la tarea que completa	Sólo hace dos recomendaciones a los niños	Hace al menos cuatro recomendaciones a los niños	Hace cinco o más recomendaciones a los niños
Uso de los mandatos informales	Muchos errores al formar los mandatos informales afirmativos y negativos	Algunos errores al formar los mandatos informales afirmativos y negativos	Muy pocos errores al formar los mandatos informales afirmativos y negativos
Uso del subjuntivo	Muchos errores al expresar lo que es importante o necesario que hagan los niños	Algunos errores al expresar lo que es importante o necesario que hagan los niños	Muy pocos errores al expresar lo que es importante o necesario que hagan los niños

CAPÍTULO 4

Escribir

CRITERIOS	1 punto— Por debajo del promedio	3 puntos—Bueno	5 puntos—Excelente
Partes de la tarea que completa	Sólo describe lo que causó el conflicto	Describe qué pasó y cómo se resolvió el conflicto	Cuadro anterior, más: describe los sentimientos y actitudes de las dos personas
Calidad de la narración	Usa sólo frases y oraciones sueltas para narrar el hecho; no presenta una secuencia	Puede describir lo que pasó, pero no puede conectar las oraciones	Narra la secuencia de hechos usando oraciones bien conectadas entre sí
Ortografía, vocabulario y gramática	No usa bien el vocabulario y repite muchos errores de ortografía y gramática	No usa bien el vocabulario y repite algunos errores de vocabulario y gramática	Comete muy pocos errores en el uso del vocabulario, y de ortografía y gramática

Hablar

CRITERIOS	1 punto— Por debajo del promedio	3 puntos—Bueno	5 puntos—Excelente
Cantidad de detalles que proporciona	Da dos ejemplos o menos de buena y mala conducta	Da al menos cuatro ejemplos de buena y mala conducta	Da cinco o más ejemplos de buena y mala conducta
Pronunciación y fluidez	Hace muchas pausas largas y comienzos interrumpidos, los problemas de pronunciación dificultan la comprensión de lo que dice	Hace algunas pausas y comienzos interrumpidos; se expresa en oraciones cortas; comete algunos errores de pronunciación	Hace pocas pausas o comienzos interrumpidos; se expresa con fluidez; comete pocos errores de pronunciación
Comprensión	Recurre a repeticiones y gestos para expresar ideas	Usa algunos gestos, pero se comunica bien con vocabulario aprendido	Usa palabras y frases nuevas, y se le entiende fácilmente

CAPÍTULO 5

Escribir

CRITERIOS	1 punto— Por debajo del promedio	3 puntos—Bueno	5 puntos—Excelente
Partes de la tarea que completa	Sólo incluye una descripción de las cualidades personales relacionadas con el puesto	Incluye las cualidades personales y la experiencia de trabajo	Cuadro anterior, más: da las razones por las que le interesa el puesto
Control del lenguaje	Muchos errores al usar el tiempo perfecto	Algunos errores al usar el tiempo perfecto	Muy pocos errores al usar el tiempo perfecto
Cantidad de información dada	Incluye una sola razón por la que le interesa el trabajo y una sola característica personal	Incluye al menos dos razones y características personales	Incluye tres o más razones y características personales

Hablar

CRITERIOS	1 punto— Por debajo del promedio	3 puntos—Bueno	5 puntos—Excelente
Partes de la tarea que completa	Describe sus conocimientos y habilidades; hace una pregunta sobre el trabajo	Describe sus conocimientos y habilidades; hace al menos dos preguntas sobre el trabajo	Cuadro anterior, más: habló más sobre su experiencia de trabajo
Interacción en la conversación	Responde las preguntas directas; muestra alguna reacción o comenta algo de lo que dice el "consejero"	Responde las preguntas directas; reacciona o comenta con frecuencia lo que dice el "consejero"	Responde las preguntas directas; continúa fluidamente la conversación con el "consejero"; agrega información
Control del idioma	Muchos errores al usar el tiempo perfecto	Algunos errores al usar el tiempo perfecto	Muy pocos errores al usar el tiempo perfecto

CAPÍTULO 6

Escribir

CRITERIOS	1 punto— Por debajo del promedio	3 puntos—Bueno	5 puntos—Excelente
Cantidad de información dada	Da un ejemplo de cada categoría	Da al menos dos ejemplos de cada categoría	Da tres o más ejemplos de cada categoría
Control del idioma	Muchos errores al usar las formas del futuro	Algunos errores al usar las formas del futuro	Muy pocos errores al usar las formas del futuro
Variedad con que describe acciones en el futuro	Muy limitada; repite muchas veces *habrá* para describir el futuro	Usa distintos verbos para hablar del futuro (*habrá*, la gente *tendrá*, *vivirá*, etc)	Usa una variedad de verbos y expresiones para hablar del futuro

Hablar

CRITERIOS	1 punto— Por debajo del promedio	3 puntos—Bueno	5 puntos—Excelente
Cantidad de detalles que proporciona	Proporciona información muy limitada; incluye muy pocas habilidades o intereses personales; describe qué piensa hacer al graduarse	Incluye alguna información sobre sus habilidades e intereses, qué piensa hacer al graduarse y sus metas para el futuro	Cuadro anterior, más: describe qué le gustaría realizar en la vida
Control del idioma	Muchos errores al usar las formas del futuro	Algunos errores al usar las formas del futuro	Muy pocos errores al usar las formas del futuro
Pronunciación y fluidez	Hace muchas pausas largas y comienzos interrumpidos, los problemas de pronunciación dificultan la comprensión de lo que dice	Hace algunas pausas y comienzos interrumpidos; se expresa en oraciones cortas; algunos errores de pronunciación producen algún malentendido	Hace pocas pausas o comienzos interrumpidos; se expresa con fluidez; comete pocos errores de pronunciación

CAPÍTULO 7

Escribir

CRITERIOS	1 punto— Por debajo del promedio	3 puntos—Bueno	5 puntos—Excelente
Cantidad de información dada	Sólo menciona el fenómeno y lo ubica correctamente en la civilización correspondiente	Cuadro anterior, más: describe la ubicación geográfica	Cuadro anterior, más: trata de dar alguna explicación racional o científica
Modo en que narró la historia	Puede transmitir la idea principal del mito o la leyenda asociada al fenómeno	Puede narrar el mito o la leyenda con al menos dos detalles	Puede narrar el mito o la leyenda en la secuencia correcta e incluyendo detalles
Ortografía y gramática	Muchos errores de ortografía y de la gramática recién aprendida	Frecuentes errores de ortografía y de la gramática recién aprendida	Muy pocos errores de ortografía y de la gramática recién aprendida

Hablar

CRITERIOS	1 punto— Por debajo del promedio	3 puntos—Bueno	5 puntos—Excelente
Partes de la tarea que completa	Describe el misterio, pero no da ninguna explicación	Describe el misterio y sugiere una explicación (popular o racional)	Describe el misterio y sugiere una explicación popular y una explicación racional
Narración en el pasado	Muchos errores al narrar en el pasado	Algunos errores al narrar en el pasado	Muy pocos errores al narrar en el pasado
Comprensión y organización	Difícil de entender; desorganizado	Bastante fácil de entender, pero mal organizado	Ideas bien organizadas y fáciles de entender

CAPÍTULO 8

Escribir

CRITERIOS	1 punto— Por debajo del promedio	3 puntos—Bueno	5 puntos—Excelente
Cantidad de información dada	Incluye no más de dos sugerencias para las familias	Incluye al menos cuatro sugerencias para las familias	Incluye cinco sugerencias para las familias
Cantidad de información personal dada	Incluye información sobre su herencia cultural	Incluye información sobre su herencia cultural y dio un ejemplo de al menos una tradición	Cuadro anterior, más: describe la comida o receta favorita de su familia
Uso correcto de la nueva gramática	Muchos errores en las formas del condicional y/o del imperfecto del subjuntivo	Algunos errores en las formas del condicional y/o del imperfecto del subjuntivo	Muy pocos errores en las formas del condicional y/o del imperfecto del subjuntivo

Hablar

CRITERIOS	1 punto— Por debajo del promedio	3 puntos—Bueno	5 puntos—Excelente
Cantidad de información dada	Incluye información sobre dos lugares históricos de la ciudad; habla de las influencias culturales	Cuadro anterior, más: presenta una breve historia de la ciudad	Cuadro anterior, más: sugiere lugares en la ciudad adonde podrían ir los jóvenes
Pronunciación y fluidez	Hace muchas pausas largas y comienzos interrumpidos, los problemas de pronunciación dificultan la comprensión de lo que dice	Hace algunas pausas y comienzos interrumpidos; se expresa en oraciones cortas; algunos errores de pronunciación producen algún malentendido	Hace pocas pausas o comienzos interrumpidos; se expresa con fluidez; comete pocos errores de pronunciación
Comprensión y organización	Difícil de entender; desorganizado	Bastante fácil de entender, pero mal organizado	Ideas bien organizadas y fáciles de entender

CAPÍTULO 9

Escribir

CRITERIOS	1 punto— Por debajo del promedio	3 puntos—Bueno	5 puntos—Excelente
Partes de la tarea que completa	Describe un problema con una solución posible	Describe dos problemas con las soluciones posibles	Describe dos problemas con sus soluciones posibles; explica qué pasará si no se hace nada
Uso del vocabulario	Describe problemas y soluciones con un vocabulario muy poco variado	Describe problemas y soluciones con cierta variedad de vocabulario	Describe problemas y soluciones con un vocabulario amplio y variado
Comprensión y organización	Difícil de entender; desorganizado	Bastante fácil de entender, pero mal organizado	Ideas bien organizadas y fáciles de entender

Hablar

CRITERIOS	1 punto— Por debajo del promedio	3 puntos—Bueno	5 puntos—Excelente
Partes de la tarea que completa	Describe sólo lo que se puede hacer en un área de la vida personal (Ej.: en la comunidad)	Describe lo que se puede hacer al menos en dos áreas de la vida personal	Describe lo que se puede hacer en las tres áreas de la vida personal
Cantidad de información dada	Hace una sola sugerencia por categoría mencionada	Hace dos sugerencias por categoría mencionada	Hace tres o más sugerencias por categoría mencionada
Fluidez	Muchas pausas largas y comienzos interrumpidos, presenta las ideas en frases inconexas	Algunas pausas y comienzos interrumpidos; pero expresa sus ideas en oraciones cortas y bien hiladas	Pocas pausas o comienzos interrumpidos; combina algunas ideas en oraciones más extensas y bien construidas

CAPÍTULO 10

Escribir

CRITERIOS	1 punto— Por debajo del promedio	3 puntos—Bueno	5 puntos—Excelente
Uso correcto del vocabulario y la gramática recién aprendidos	Vocabulario muy poco variado; muchos errores gramaticales	Vocabulario limitado; algunos errores gramaticales	Vocabulario variado; muy pocos errores gramaticales
Habilidad para formular preguntas	Hace dos o menos preguntas sobre el uso o propósito del parque	Hace entre tres y cinco preguntas sobre el uso o propósito del parque	Hace seis o más preguntas; incluye una explicación introductoria al cuestionario
Comprensión	Muchos errores al tratar de usar el subjuntivo en el pasado o el presente	Algunos errores al tratar de usar el subjuntivo en el pasado o el presente	Muy pocos errores al intentar usar el subjuntivo en el pasado o el presente

Hablar

CRITERIOS	1 punto— Por debajo del promedio	3 puntos—Bueno	5 puntos—Excelente
Partes de la tarea que completa	Explica brevemente la causa del problema; menciona una manera en que la comunidad puede ayudar	Explica brevemente la causa del problema; menciona al menos uno de los derechos de los animales, y una obligación de los ciudadanos hacia los animales abandonados	Cuadro anterior, más: incluye al menos una sugerencia sobre cómo pueden ayudar los jóvenes
Fluidez	Hace muchas pausas largas y comienzos interrumpidos, presenta las ideas en frases inconexas	Hace algunas pausas y comienzos interrumpidos; pero expresa sus ideas en oraciones cortas y bien conectadas	Hace pocas pausas o comienzos interrumpidos; combina algunas ideas en oraciones más extensas y bien construidas
Comprensión y organización	Difícil de entender; desorganizado	Bastante fácil de entender, pero mal organizado	Ideas bien organizadas y fáciles de entender

Evaluación de la Sección *Cultura* del *Examen del capítulo*

El propósito de la sección de cultura de cada prueba o examen es que los estudiantes puedan demostrar que han aprendido la información dada en las notas culturales del libro, y que pueden aplicar esos conocimientos a situaciones de la vida real. Se les asignará la mayor calificación, 10 puntos, a aquellas respuestas que demuestren, si corresponde, tanto que se tiene la información como que se ha reflexionado sobre ella. En la Clave de Respuestas se encontrarán modelos de respuestas.

Criterios para Evaluar las Secciones *Hablar* y *Escribir* del *Examen de Nivel* y los *Exámenes Acumulativos I* y *II*

EXAMEN DE NIVEL

Escribir

CRITERIOS	1 punto— Por debajo del promedio	3 puntos—Bueno	5 puntos—Excelente
Partes de la tarea que completa	Da muy pocos ejemplos de futuros avances electrónicos y/o tecnológicos (Ej.: sólo menciona uno, para el hogar o para entretenimiento)	Menciona varios posibles avances electrónicos y/o tecnológicos, además de los otros dos; dice dónde podrían usarse tanto en el hogar como para entretenimiento	Incluye toda la información anterior así como varios otros avances posibles; describe quiénes podrían usarlos y/o para qué
Uso de vocabulario	Usa correctamente un vocabulario muy limitado y repetitivo	Usa correctamente un vocabulario bastante variado	Usa correctamente un vocabulario amplio y elaborado
Ortografía y gramática	Muchos errores en las formas verbales	Algunos errores al usar las formas verbales, inclusive el futuro y el subjuntivo	Muy pocos errores al usar las formas verbales

Hablar

CRITERIOS	1 punto— Por debajo del promedio	3 puntos—Bueno	5 puntos—Excelente
Partes de la tarea que completa	No explica la importancia de estas actividades y da pocos ejemplos de cómo piensa cumplir con los requisitos (Ej.: sólo menciona uno o dos de los requisitos)	Da su opinión sobre la importancia de estas actividades y proporciona datos de apoyo; también describe adecuadamente cómo piensa cumplir con los requisitos	Justifica plenamente su opinión sobre la importancia de esas actividades; describe una variedad de maneras en la que piensa cumplir con los requisitos; da ejemplos específicos
Gramática	Frecuentes errores en las formas verbales	Algún error al usar las formas verbales, incluyendo el subjuntivo	Muy pocos errores al usar las formas verbales
Comprensión y organización	Difícil de entender; desorganizado	Bastante fácil de entender, pero mal organizado	Ideas bien organizadas y fáciles de entender

EXAMEN ACUMULATIVO I

Escribir

CRITERIOS	1 punto— Por debajo del promedio	3 puntos—Bueno	5 puntos—Excelente
Partes de la tarea que completa	Da razones limitadas y superficiales para seguir ofreciendo esas clases (Ej.: sólo menciona una o dos razones para continuar una de las dos clases)	Incluye las razones mencionadas, así como otras para continuar esas clases; menciona varias desventajas de quitarlas del programa	Usa un vocabulario amplio y elaborado
Uso del vocabulario	Usa correctamente un vocabulario muy limitado y repetitivo	Usa correctamente un vocabulario apropiado y bastante variado	Usa un vocabulario amplio y elaborado
Gramática	Frecuentes errores en las formas verbales	Algunos errores al usar las formas verbales, incluyendo el subjuntivo y los mandatos	Muy pocos errores en las formas verbales

Hablar

CRITERIOS	1 punto— Por debajo del promedio	3 puntos—Bueno	5 puntos—Excelente
Partes de la tarea que completa	Incluye la mínima información requerida sobre el cuadro; menciona sólo el nombre del pintor; no incluye opiniones personales	Cuadro anterior, más: se refiere a cada punto de forma más completa y da más datos sobre el pintor y su estilo; también expresa brevemente su opinión personal	Cuadro anterior, más: desarrolla su opinión personal sobre el cuadro y da ejemplos de la contribución del pintor a la sociedad
Gramática	Frecuentes errores en las formas verbales	Algunos errores al usar las formas verbales, incluyendo el tiempo perfecto	Muy pocos errores en las formas verbales
Comprensión y organización	Difícil de entender; desorganizado	Bastante fácil de entender, pero mal organizado	Ideas bien organizadas y fáciles de entender

EXAMEN ACUMULATIVO II

Escribir

CRITERIOS	1 punto— Por debajo del promedio	3 puntos—Bueno	5 puntos—Excelente
Partes de la tarea que completa	Da razones limitadas y superficiales de la civilización; sólo se refiere a unos detalles; no describe el estado actual de esa civilización	Cuadro anterior, más: ofrece una descripción más completa de cada punto, así como del estado actual de esa civilización	Cuadro anterior, más: presenta una o dos teorías sobre lo que pudo haberle pasado a esa civilización
Uso del vocabulario	Usa correctamente un vocabulario muy limitado y repetitivo	Usa correctamente un vocabulario apropiado y bastante variado	Usa un vocabulario amplio y elaborado
Gramática	Frecuentes errores en las formas verbales	Algunos errores al usar las formas verbales, incluyendo los tiempos pasados y el presente	Muy pocos errores en las formas verbales

CRITERIOS	1 punto— Por debajo del promedio	3 puntos—Bueno	5 puntos—Excelente
Partes de la tarea que completa	Incluye la mínima información requerida sobre su experiencia de trabajo y habilidades	Cuadro anterior, más: dio una respuesta más completa sobre cada punto y comenta algo sobre sus expectativas de trabajo	Cuadro anterior, más: expuso detalladamente sus metas personales
Gramática	Frecuentes errores en las formas verbales	Algunos errores al usar las formas verbales, incluyendo el presente, el futuro y los tiempos pasados	Muy pocos errores en las formas verbales
Comprensión y organización	Difícil de entender; desorganizado	Bastante fácil de entender pero mal organizado	Ideas bien organizadas y fáciles de entender

Criterios para Evaluar otras Tareas

Criterio 1. Actividades en grupo

Estos criterios pueden usarse para evaluar cualquier actividad en grupo, como una representación o un informe.

Criterios para evaluar actividades en grupo

CRITERIOS	Debe ensayar más 1 punto — Por debajo del promedio	De aquí, al noticiero local 3 puntos —Bueno	¡De aquí, al noticiero nacional! 5 puntos —Excelente
Preparación	No presenta un plan	Presenta una lista de ideas	Presenta una lista de ideas y un borrador del informe, y el detalle de la tarea asignada a cada estudiante
Material visual	No usa material visual ni de apoyo	Usa algunos materiales visuales o de apoyo	Usa una variedad de material visual y de apoyo
Calidad del contenido	Proporciona poca o ninguna información	Proporciona información inexacta o incompleta	Proporciona información veraz y completa
Calidad de la presentación	Difícil de entender o seguir	Poco clara en algunos momentos	Clara y efectiva
Creatividad	Presenta lo básico, sin agregar nada extra fuera de la asignación original	Enriquece la presentación con alguna adición a la asignación original	Enriquece la presentación con al menos dos adiciones a la asignación original
PUNTUACIÓN TOTAL: 18–20 puntos = **A**	15–17 puntos = **B**	12–14 puntos = **C**	8–11 puntos = **D**

Criterio 2. Representación de situaciones

Estos criterios pueden usarse para evaluar cualquier actividad o tarea en que dos estudiantes deban representar una situación.

Criterios para evaluar representaciones

CRITERIOS	De aquí, al teatro escolar 1 punto — Por debajo del promedio	De aquí, al teatro de la comunidad 3 puntos —Bueno	¡De aqui, a Broadway! 3 puntos —Excelente
Uso de la lengua	Recurre demasiado a las palabras, el orden de las palabras y la pronunciación del inglés	Recurre algunas veces a las palabras, el orden de palabras y la pronunciación del inglés	Puede expresarse bien y mantener la conversación
Habilidad para conversar	Sólo responde las preguntas directas del/la compañero/a	Hace y responde preguntas y expresa su opinión	Expresa opiniones, razones, y acuerdo o desacuerdo con el/la compañero/a
Interacción en la conversación	No reacciona a lo que dice el/la compañero	Reacciona con limitaciones a lo que dice el/la compañero	Responde naturalmente a lo que se le dice
Uso del vocabulario	Muy limitado y repetitivo	Sólo usa el vocabulario recién aprendido	Usa tanto el vocabulario nuevo como el aprendido anteriormente
PUNTUACIÓN TOTAL: 18–20 puntos = **A** 15–17 puntos = **B** 12–14 puntos = **C** 8–11 puntos = **D**			

Criterio 3. Presentación oral individual

Estos criterios pueden usarse para evaluar cualquier actividad o tarea en que el/la estudiante deba describir algo o a alguien.

Criterios para evaluar presentaciones orales individuales

CRITERIOS	Los hechos ante todo 1 punto — Por debajo del promedio	¡Una buena conversación! 3 puntos —Bueno	Grandes oradores 5 puntos —Excelente
Uso de la lengua	Errores al tratar de reproducir las palabras o frases que memoriza	Usa correctamente un número muy limitado de las palabras y frases que memoriza	Usa correctamente una variedad de palabras y frases memorizadas
Fluidez	Muchas pausas largas y comienzos interrumpidos, con frecuente recurrencia al inglés	Frecuentes pausas y comienzos interrumpidos; ideas expresadas en oraciones cortas	Pocas pausas o comienzos interrumpidos; ideas bien organizadas en oraciones
Pronunciación	Los problemas de pronunciación dificultan la comprensión de lo que dice	Frecuentes problemas de pronunciación crean algún malentendido	Pocos problemas de pronunciación; se le entiende fácilmente
Partes de la tarea que completa	Sólo se refiere a unos pocos de los temas sugeridos	Se refiere a la mayoría de los temas sugeridos	Se refiere a todos los temas sugeridos
PUNTUACIÓN TOTAL: 18–20 puntos = **A** 15–17 puntos = **B** 12–14 puntos = **C** 8–11 puntos = **D**			

Criterio 4. Comparación entre culturas

Estos criterios pueden usarse para evaluar cualquier actividad o tarea en que el/la estudiante deba comparar una cultura con otra(s).

Criterios para evaluar comparaciones culturales

CRITERIOS	Turista amable 1 punto — Por debajo del promedio	Viajero/a experimentado/a 3 puntos —Bueno	Guía turístico/a internacional 5 puntos —Excelente
Cantidad de semejanzas y diferencias que señala	Menciona al menos dos semejanzas o diferencias	Menciona al menos cuatro semejanzas o diferencias	Menciona al menos seis semejanzas o diferencias
Cantidad de fuentes consultadas	Sólo el libro de texto	Al menos dos fuentes (revistas, libros, Internet)	Tres o más fuentes (revistas, libros, Internet, entrevistas, etc.)
Comparación de ilustraciones	Presenta la información en un cuadro o diagrama de Venn	Presenta la información en un cuadro con al menos una ilustración	Presenta la información en un cartel con ilustraciones
Evidencia de reflexión cultural	No expresa ninguna reflexión sobre el tema	Incluye al menos una opinión o comentario sobre el tema	Incluye una opinión o comentario, y una conclusión personal
PUNTUACIÓN TOTAL: 18–20 puntos = **A** 15–17 puntos = **B** 12–14 puntos = **C** 8–11 puntos = **D**			

Criterio 5. Juegos

Puede ser entretenido para los estudiantes poder presentar una tarea de evaluación en forma de juego, que les permita practicar el vocabulario, la gramática o los temas culturales con toda la clase. Tanto la creación y preparación como la puesta en práctica del juego en el salón de clase contribuirá a que los estudiantes repasen conceptos aprendidos en el curso. Los siguientes criterios pueden usarse para evaluar cultura, vocabulario y estrategias de comunicación.

Criterios para evaluar la preparación y participación en juegos

CRITERIOS	Juego de segunda mano 1 punto — Por debajo del promedio	¡Ganadores de la semana! 3 puntos —Bueno	Edición de lujo 5 puntos —Excelente
Juegos de tablero	Sólo hace un borrador; no lo corrige ni completa	Presenta un tablero de colores, sin faltas de ortografía en la mayoría de las palabras o frases	Presenta un tablero atractivo y correcto, y un juego de tarjetas
Marcadores del juego	Sin ninguna relación con el tema	Relacionado con el tema del juego	Objetos que corresponden al tema del juego
Vocabulario	Usa palabras de un solo grupo (Ej.: el vocabulario de los colores)	Usa palabras de al menos tres grupos (Ej.: personalidad, ropa, cuartos)	Usa palabras de más de tres grupos
Estrategias de conversación	Los jugadores no conversan entre sí y el resultado queda librado a la suerte	Los jugadores leen las preguntas escritas en las tarjetas para obtener información	Los jugadores hacen preguntas para obtener respuestas, e interactúan para ganar
PUNTUACIÓN TOTAL: 18–20 puntos = **A** 15–17 puntos = **B** 12–14 puntos = **C** 8–11 puntos = **D**			

Criterio 6. Hyperstudio/Power Point

Criterios para evaluar las presentaciones de Hyperstudio/PowerPoint

CRITERIOS	1 punto — Por debajo del promedio	3 puntos —Bueno	5 puntos —Excelente
Organización de la información	No tiene una estructura organizativa clara o lógica; sólo una serie de datos	Usa encabezamientos o listas; pero la organización general no es consistente	El contenido está bien organizado bajo encabezamientos, o en listas de elementos afines
Creatividad	Presenta lo básico, sin agregar nada extra fuera de la asignación original	Enriquece la presentación con alguna adición a la asignación original	Enriquece la presentación con al menos dos adiciones a la asignación original
Uso de gráficas	Las gráficas son atractivas, pero varias no contribuyen a la presentación del tema o contenido	Las gráficas son atractivas, pero algunas no contribuyen a la presentación del tema o contenido	Las gráficas son atractivas, del tamaño y colores apropiados, y todas contribuyen a la presentación del tema o contenido
Diseño del programa	Sin conexiones ni enlaces; muy difícil de navegar	Al menos una conexión o enlace; pero con algunas opciones "sin salida"	Al menos una conexión o enlace; el programa fluye fácil y lógicamente
PUNTUACIÓN TOTAL: 18–20 puntos = **A** 15–17 puntos = **B** 12–14 puntos = **C** 8–11 puntos = **D**			

AUTOEVALUACIÓN DEL CAPÍTULO

I. Autoevaluación

A. Hasta dónde cumplí con los objetivos del capítulo.

Vuelve a leer los objetivos que aparecen al comienzo del capítulo. Cópialos, y pon una √ junto a aquellos que hayas cumplido.

☐ Ahora puedo ____________________

☐ Ahora puedo ____________________

☐ Ahora puedo ____________________

☐ Ahora puedo ____________________

B. Cómo describiría mi participación en las actividades de la clase.

Evalúa cómo fue tu trabajo en este capítulo.

	Excelente	Bueno	No tan bueno	Comentarios
Participación en clase				
Trabajo en pareja/grupo				
Tarea para la casa				

II. Conexiones

Cómo puedo relacionar con otras clases lo que aprendí en este capítulo.

____

____

III. Estrategias de aprendizaje

Estrategia que usé para cumplir con una tarea de este capítulo.

Actividad: ____________________

Estrategia: ____________________

IV. Reflexión

La actividad de este capítulo que más me gustó fue ______________________

La actividad de este capítulo que menos me gustó fue ______________________

V. Mi mejor trabajo

Como ejemplos de los mejores trabajos que hice en este capítulo, incluí:

1. ______________________
2. ______________________

Razón por la que escogí esos trabajos.

____

____

____

____

____

____

VI. Observaciones sobre el tema de cultura

Fuera de la escuela, observé los siguientes aspectos o participé en las siguientes actividades relacionadas con el tema cultural del capítulo.

____

____

____

Éstos son mis comentarios, opiniones, comparaciones o ideas sobre esa experiencia:

____

____

____

____

Examen del capítulo
Guiones para la comprensión auditiva

Placement Test

Vas a escuchar a cinco estudiantes comentar sobre varios planes y experiencias de su vida. Mira las dos conclusiones breves sobre los comentarios de cada estudiante. Mientras escuchas, marca con una *X* la frase que ofrezca la mejor conclusión sobre los comentarios. Vas a oír cada comentario dos veces.

1. **MALE 1:** Soy Eduardo y siempre he tenido la ilusión de trabajar como voluntario en un país extranjero. Por fin encontré un programa internacional interesante. Completé la solicitud, me aceptaron y pasé un año construyendo casas en Honduras. Aprendí muchísimo y, además, ¡me divertí mucho también!

2. **MALE 2:** Hola, soy Gerardo. Para mí, lo más importante es ser un buen ciudadano. Los buenos ciudadanos deben trabajar juntos para tratar de solucionar los problemas de la sociedad. Uno de los problemas más graves es la contaminación del medio ambiente. Mucha gente piensa que no se puede hacer nada para resolver este problema. Pero estoy seguro de que sí es posible proteger el medio ambiente. ¡Tenemos que hacer un esfuerzo!

3. **FEMALE 1:** Me llamo Sonia. Pues, siempre me han fascinado las civilizaciones antiguas de México. Tengo muchas ganas de ver las ruinas mayas de Chichén Itzá y Uxmal. Me gustaría ir ahora mismo, pero no sé . . . Si no tuviera que tomar unos cursos importantes, iría el próximo año, pero no creo que tenga tiempo. Ojalá que pueda ir dentro de dos o tres años.

4. **FEMALE 2:** Me llamo Linda y a mí me importa mucho tener una profesión interesante en el futuro y una con mucha responsabilidad. Por eso, creo que es importante trabajar durante los veranos para aprender todo lo que pueda. Por ejemplo, ahora estoy solicitando un puesto en una oficina de arquitectos. Es para recepcionista . . . así, puedo ver todo lo que pasa durante el día para ver si me interesa o no.

5. **FEMALE 3:** Soy Pilar y . . . bueno . . . el año pasado no hice mucho ejercicio. Tuve que estudiar mucho y me sentí muy estresada y nerviosa. Una amiga me sugirió hacer yoga para controlar el estrés. Hay clases de yoga que comienzan esta semana. No sé . . . todavía estoy muy ocupada . . . no estoy segura de que pueda encontrar tiempo para las clases. Me gustaría ir, pero es muy probable que no vaya a tener tiempo libre. ¡Qué pena!

Examen del capítulo 1

Cinco jóvenes nos hablan de los viajes que hicieron. Escucha lo que dice cada joven para saber: (1) adónde fue, (2) qué hizo y (3) qué le sucedió. Mientras escuchas, puedes tomar apuntes en el recuadro de tu hoja de respuestas. Luego, completa la tabla. Vas a oír cada descripción dos veces.

1. **MALE TEEN 1:** Me llamo Carlos. Mis amigos del equipo atlético y yo fuimos al parque nacional para entrenarnos para la competencia escolar que tuvo lugar el mes pasado. Corrimos por los senderos y escalamos las rocas para prepararnos y hacernos más fuertes. Nosotros queríamos ganar y nuestra meta era obtener el trofeo. ¿Y sabes qué sucedió? ¡Alcanzamos nuestra meta!

2. **FEMALE TEEN 1:** Me llamo Mónica. El verano pasado me perdí en el bosque porque no tenía una brújula. Estaba dando un paseo, mirando pájaros con los binoculares. De repente me di cuenta de que estaba completamente perdida. Me asusté y empecé a gritar. Afortunadamente, alguien me oyó y me ayudó. Aprendí que nunca debo ir sola a explorar el bosque.

3. **Male Teen 2:** Hola, soy Juan. La semana pasada fui de vacaciones a un desierto cerca de la ciudad. Me gustan mucho las rocas del desierto y tengo una colección muy grande. Anduve por el desierto para buscar rocas nuevas. De repente, perdí el equilibrio y me caí. ¡Qué dolor horrible! ¡Me torcí el tobillo!

4. **Female Teen 2:** Me llamo Margarita, y me encanta montar a caballo. Hace poco fui a unas montañas hermosas. Una vez allí monté a caballo y fui a dar un paseo al amanecer. Desafortunadamente, el cielo se puso muy oscuro y comenzó a llover. Había muchos truenos y relámpagos. ¡Terminé mojadísima!

5. **Male Teen 3:** Soy Pepe. El mes pasado mis amigos y yo fuimos a un concurso de pesca en un valle en las montañas. En el valle había un río, lleno de peces de muchas clases. Pesqué muchos y creía que iba a ganar. Sin embargo, me caí al agua y perdí todos los peces. ¡Qué pena!

Examen del capítulo 2

Después de estudiar a los artistas de España en la clase, la Sra. Molina les habla a los estudiantes sobre dos cuadros. En tu hoja de respuestas, dibuja lo que hay en primer plano y al fondo de cada cuadro. ¡No importa tu habilidad artística! Puedes hacer figuras muy sencillas y sólo necesitas dibujar lo que la profesora dice y poner los dibujos en el lugar correspondiente. Vas a oír cada descripción dos veces. Después de hacer los dibujos, identifica los objetos escribiendo el nombre de cada uno al lado de su dibujo correspondiente.

1. Este artista fue un pintor de la corte del rey Felipe IV de España. Pintaba con un estilo realista. En esta pintura del siglo diecinueve se ve en primer plano una niña de seis años con pelo largo. Lleva un vestido elegante y está parada cerca de una joven. Su perro está sentado frente a ella. Al fondo se ve al pintor con un pincel, pintando a la niña. Se ve un espejo en la pared y también un hombre parado cerca de la puerta. Muchas personas del mundo del arte dicen que ésta es la obra maestra del pintor y que el fondo y el primer plano son como dos cuadros distintos.
2. Esta artista fue una pintora famosa del siglo veinte. Pintaba con un estilo abstracto. Le gustaba intercambiar frutas y flores con el cuerpo humano. Éste es un retrato de una mujer. En primer plano se ve una mujer sentada cerca de una mesa en su jardín. ¡No es una mujer normal! ¡Su cabeza es una flor y su cuerpo es un plátano! Al fondo se ve un jardín con muchas flores y una fuente, pero las flores no son reales. En cada flor se ve la cara de una mujer. Estas figuras expresan los sentimientos de la pintora sobre la belleza de las mujeres y la naturaleza.

Examen del capítulo 3

El Dr. Moya tiene un programa de radio muy popular. Las personas que llaman al programa describen sus síntomas y el doctor les da consejos. Escucha lo que dice cada persona para saber: (1) qué síntomas tiene, (2) qué debe tomar y (3) qué más le aconseja el médico. Mientras escuchas, puedes tomar apuntes en el recuadro de tu hoja de respuestas. Luego, completa la tabla. Vas a oír cada conversación dos veces.

1. **Luisa:** Dr. Moya, soy Luisa y me siento muy cansada todo el tiempo. No puedo caminar de una clase a otra sin tener que descansar. Siempre siento que me caigo de sueño, hasta me duermo durante las clases. ¿Qué puedo hacer?

Dr. Moya: Luisa, creo que no comes muy bien. Es importante que sigas una dieta equilibrada. Evita la comida basura y toma vitaminas. ¡No saltes el desayuno! Y duerme por lo menos ocho horas por día.

2. **Juan:** ¡Ay, doctor, soy Juan y he tenido una semana terrible! La tos no me deja dormir por la noche. Tengo la cara muy caliente y estornudo mucho. Me siento muy mal y no quiero comer nada. ¿Qué tengo, doctor?

Dr. Moya: Parece que estás resfriado. ¡Qué lástima! No hay un jarabe que cure el resfriado. Toma dos aspirinas cada ocho horas para la fiebre. Toma muchos jugos, agua y sopa, y descansa en la cama durante varios días.

3. **Marta:** Soy Marta. Cuando empieza la primavera estornudo todo el día. También me duelen mucho los ojos y la nariz. No tengo estos síntomas durante el invierno. ¿Por qué me pasa esto y qué puedo hacer?

Dr. Moya: Marta, me parece que tienes una alergia. Las alergias empiezan muchas veces en la primavera. Te voy a recomendar que tomes una medicina dos veces al día para la alergia. Si puedes, evita ir al campo.

4. **Alberto:** Aquí Alberto. Doctor, me siento fatal. Me duele el pecho y tengo una tos muy fuerte. También tengo fiebre. ¿Qué tengo, doctor?

Dr. Moya: Para saber lo que tienes tengo que examinarte. Hay que tener cuidado con estos síntomas. Debes tomar antibióticos y aspirinas para la fiebre. Debes quedarte en casa descansando por lo menos una semana.

5. **Catrina:** Soy Catrina, doctor, y, ¡no aguanto más! Todos me exigen mucho y estoy estresada. Tengo demasiado trabajo y no tengo suficiente tiempo. Siempre estoy de mal humor. ¿Qué puedo hacer?

Dr. Moya: Para estar más tranquila, te aconsejo que hagas yoga. Y te recomiendo que te rías más y que trabajes menos. De vez en cuando, ve programas cómicos en la tele. Y antes de ir a dormir, bebe un vaso de leche caliente.

Examen del capítulo 4

Don Fernando, un locutor de radio, entrevista a varios jóvenes sobre lo que piensan de sus amigos. Escucha lo que dice cada joven para saber: (1) cuál es la mejor cualidad de su amigo, (2) qué le molesta de su amigo y (3) qué tienen en común. Mientras escuchas, puedes tomar apuntes en el recuadro de tu hoja de respuestas. Luego, completa la tabla. Vas a oír cada entrevista dos veces.

Don Fernando: ¡Buenas tardes! Soy don Fernando, de KM103. Hoy tenemos en el estudio a Alberto, María, Antonio, Susi y Lorena, cinco jóvenes que nos van a hablar de sus mejores amigos. Bienvenidos a nuestro programa.

1. **Don Fernando:** Alberto, ¿qué me dices de tu mejor amigo?

Alberto: Mi mejor amigo es Felipe. Lo conozco desde que estábamos en la escuela primaria. Es mi mejor amigo porque es muy comprensivo. Me escucha y me ayuda mucho cuando tengo problemas con mi novia. Pero algunas veces es demasiado vanidoso y eso me molesta. Sin duda, los dos somos muy celosos con las novias.

Don Fernando: Gracias, Alberto. Felipe parece ser un buen amigo. Ser comprensivo es una buena cualidad. ¡Qué pena que sean celosos!

2. **Don Fernando:** Bueno . . . ¿y tú, María? ¿Tienes una buena amiga?

María: Mi amiga más íntima se llama Rosa. Nos conocimos hace dos años en la escuela. Es muy cariñosa. Siempre que nos vemos me da un abrazo muy fuerte. Cuando estoy triste, siempre hablo con Rosa porque me pone de buen humor. Sin embargo, es un poco entrometida. Eso no me gusta mucho. Pero nos llevamos muy bien porque las dos somos un poco chismosas. Siempre estamos hablando de las otras chicas.

Don Fernando: ¡Ay! Estas muchachas son terribles. No importa, todos tenemos un defecto. Yo soy un poco vanidoso. Me veo en el espejo todas las mañanas y no salgo de casa hasta que todo esté perfecto.

3. **Don Fernando:** Antonio . . . háblanos de tu mejor amigo.

Antonio: Mi mejor amigo es Pedro. Lo conozco desde hace mucho tiempo. Somos vecinos y confío mucho en él. Pedro es muy honesto con todo el mundo; es su mejor cualidad. Lo que me molesta es que es un poco egoísta porque no le gusta compartir conmigo ni sus discos compactos ni sus videojuegos. Sin embargo, tenemos mucho en común. Somos muy atrevidos.

4. **Don Fernando:** Y tú, Susi. Me pareces muy sociable. ¿Cómo es tu mejor amiga?

Susi: Mi mejor amiga se llama Elena. Nuestras familias se conocen desde hace mucho tiempo. Elena es muy considerada. Sabe guardar un secreto muy bien. Siempre puedo contar con ella.

Don Fernando: Me parece una amiga perfecta. ¿Hay algo que te molesta de ella?

Susi: Por lo general, nada me molesta. Bueno, pienso que me critica demasiado. Pero lo hace porque quiere que yo sea mejor persona. Y tenemos mucho en común. Nos gusta navegar en la Red.

5. **Don Fernando:** Lorena, ¿Cómo defines a tu mejor amiga?

Lorena: Me parece que una amiga te debe apoyar en los momentos difíciles. Para mí, mi mejor amiga es Linda. Es muy cariñosa y siempre me escucha cuando tengo un problema. Nos conocemos desde que éramos niñas.

Don Fernando: Háblanos de lo que te molesta.

Lorena: Linda es un poco chismosa. ¡No sabe guardar secretos! Pero nos llevamos bien. Parecemos hermanas. Nos gustan los mismos colores, el rojo y el blanco.

Don Fernando: Muy bien. Bueno, muchachos, gracias por hablar con nosotros hoy.

Examen del capítulo 5

Las clases han terminado y muchos estudiantes empiezan a buscar empleo para el verano. Cinco jóvenes van a entrevistas de trabajo. Escucha la entrevista de cada joven para saber: (1) si el trabajo es a tiempo parcial o a tiempo completo, (2) cuál es el salario y (3) cuál es por lo menos una de las responsabilidades que tiene en ese trabajo. Mientras escuchas, puedes tomar apuntes en el recuadro de tu hoja de respuestas. Luego, completa la tabla. Vas a oír cada entrevista dos veces.

1. **Female Adult 1:** ¡Hola, Teresa! Mi esposo y yo estamos muy ocupados durante el verano porque somos dueños de un restaurante. Estamos buscando una niñera para cuidar a nuestros dos hijos desde las cinco de la

tarde hasta las diez de la noche. Pagamos diez dólares la hora. ¿Te interesaría?

TERESA: Sí, me interesa mucho. Me encantan los niños y soy muy responsable. ¿Sólo tengo que cuidar a los niños?

FEMALE ADULT 1: Sí. Pero debes prepararles la cena y acostarlos a dormir. ¿Quieres el trabajo?

TERESA: Sí, lo quiero. Muchísimas gracias.

2. **LUIS:** ¡Hola! Soy Luis Hernández. He venido porque leí el anuncio clasificado en el periódico. He trabajado como salvavida antes, y tengo muchas referencias. Soy muy puntual y dedicado. ¿Qué salario ofrece el puesto?

MALE ADULT 1: En el trabajo de salvavida a tiempo completo se paga mil dólares al mes. Serás responsable de que la gente siga las reglas. Muy bien, parece que tienes todos los requisitos para el puesto. Tienes que cumplir con el horario puntualmente. Preséntate el lunes al trabajo.

3. **MALE ADULT 2:** ¡Buenos días! Mi secretaria me dijo que usted solicitó trabajo en nuestra agencia de viajes. Carmen, el puesto es a tiempo completo y le ofrecemos un salario de quince dólares por hora y muy buenos beneficios. Es vital que sepa computación para poder hacer las reservaciones de viaje. Además, debe trabajar con un horario flexible y ser muy amable con los clientes.

CARMEN: Como puede ver en mi solicitud de empleo, he trabajado con computadoras por muchos años y soy muy dedicada al ayudar a los clientes. No tengo problemas con el horario de trabajo flexible.

4. **FEMALE ADULT 2:** ¡Hola Enrique! ¿Te interesaría trabajar como consejero en nuestro campamento de verano? Pagamos seis dólares la hora. El puesto es a tiempo parcial porque los niños no se quedan a dormir. El campamento está abierto desde las siete de la mañana hasta el mediodía, de lunes a viernes.

ENRIQUE: Nunca he trabajado en un campamento de verano, pero me gustan los niños y me llevo muy bien con ellos. ¿Qué hace un consejero?

FEMALE ADULT 2: El consejero ayuda a los niños mientras realizan las diferentes actividades del campamento, como la natación, el básquetbol y el fútbol. También les sirve el almuerzo. ¿Te interesa?

ENRIQUE: Me encantaría. ¿Cuándo me presento?

5. **MALE ADULT 3:** Dolores, ¿tienes experiencia como recepcionista de un consultorio médico?

DOLORES: Sí, tengo dos años de experiencia como recepcionista. ¿El puesto es a tiempo parcial o completo?

MALE ADULT 3: El puesto es a tiempo parcial. Mi consultorio está abierto desde las ocho de la mañana hasta la una de la tarde. La recepcionista contesta el teléfono y ayuda a los pacientes. El salario es doscientos cincuenta dólares a la semana. ¿Te interesaría?

DOLORES: Por supuesto. ¿Cuándo empiezo?

Examen acumulativo I

Actividad A

Vas a escuchar a cinco personas describir algo que les pasó durante un viaje fuera de la ciudad. Mientras escuchas, escribe el número de la persona que habla al lado del dibujo correspondiente. Luego, indica con una *X* lo que hizo allí. Solamente vas a escribir *cinco* números y marcar *cinco* actividades. Vas a oír cada descripción dos veces.

1. **FEMALE 1:** A ver . . . el último viaje que hice fue una excursión al río que está en el valle cerca de la ciudad. Es un lugar muy hermoso. Me gusta mucho ir allí y no hacer nada más que descansar y relajarme un poco. ¡Es un sitio muy tranquilo!
2. **FEMALE 2:** Hace meses que no salgo de la ciudad. Creo que la última vez que salí fue cuando fui a un bosque que está a unas cien millas de la ciudad. Me gusta mucho porque los árboles son enormes. Fui de cámping con un amigo durante dos días. Lo pasamos muy bien.
3. **MALE 1:** ¿La última vez que hice una excursión? Sí . . . lo recuerdo perfectamente. Unos amigos y yo fuimos a las montañas. Una vez allí fuimos a dar un paseo y disfrutamos del hermoso paisaje. El día siguiente, al amanecer, fuimos a escalar unas rocas, pero después de media hora perdí el equilibrio, casi me caí y me asusté mucho. Me desanimé y no quise seguir . . . ¡Jamás volveré a escalar las montañas!
4. **MALE 2:** Bueno . . . hace tres meses hice un viaje al desierto con mi familia. Queríamos ir allá para acercarnos a la naturaleza y ver las plantas y los animales de la región, pero no tuvimos mucha suerte. Al principio, no pudimos encontrar la carretera y nos perdimos. Después de un rato llegamos al desierto, pero hacía mucho calor y no sabíamos dónde había un refugio, así que no quisimos andar mucho. ¡Volveremos el próximo mes con un buen mapa!
5. **MALE 3:** Sí . . . acabo de volver con unos amigos de un refugio de pájaros. Es un lugar muy remoto. Es también muy hermoso y muy tranquilo. Estuvimos allí tres días y dimos un paseo todos los días. Lo pasamos muy bien, y nos impresionó poder oír todos esos pájaros al amanecer.

Examen acumulativo I

Actividad B

Vas a escuchar cuatro conversaciones. En las conversaciones, varias personas chismosas hablan de las relaciones personales de sus amigos. Mientras escuchas, marca con una *X* la frase que ofrezca la mejor conclusión sobre la situación que se describe en cada conversación. Vas a oír cada conversación dos veces.

1. **MALE 1:** Oye, Manuel, ¿oíste lo último sobre Chela y Roberto?
   MALE 2: No, ¿qué pasa?
   MALE 1: Bueno, dicen que aunque solamente salen juntos desde hace una semana, se pelean día y noche.
   MALE 2: ¡No me digas! ¿Y por qué?
   MALE 1: Es que son como el día y la noche. A Roberto le gusta ir de cámping al bosque o a las montañas. Le encantan los deportes y también hacer ejercicio.

Male 2: ¿Y a Chela no le gustan esas cosas?

Male 1: No. A ella le gusta ir a ver obras de arte en el museo, o ir a ver un espectáculo de danza clásica.

Male 2: Ojalá que hagan las paces pronto . . . pero no creo que puedan hacerlo. Tienen personalidades muy diferentes, ¿no?

Male 1: Sí, tienes razón. ¡Qué lío!

2. **Female 1:** Mira, Carlos, ¿sabes lo que pasó entre Susana y Marcos?

Male 3: ¡No! ¡Cuéntame todo!

Female 1: Bueno . . . Sabes que tuvieron una pelea, ¿no?

Male 3: Pues sí . . .

Female 1: Bueno . . . Marcos le pidió perdón a Susana y ella lo perdonó, pero luego dijo que él estaba equivocado y que no lo iba a perdonar . . . y ahora no pueden reconciliarse.

Male 3: Uy, es una lástima que no se pongan de acuerdo . . . los dos son muy amables.

3. **Female 2:** Hola, Tere. ¿Qué tal te va?

Female 3: ¡Ha sido un día increíble! Primero Miguel y yo tuvimos un conflicto que no pudimos resolver y tuvimos una pelea después de la clase de historia.

Female 2: ¡No me digas! ¿Qué pasó?

Female 3: Bueno . . . le dije que tiene que aceptarme tal como soy y confiar más en mí.

Female 2: ¿Y qué te contestó?

Female 3: Que se dio cuenta de que estaba equivocado y no quería criticarme.

Female 2: ¡Qué bien! Entonces resolvieron el conflicto y están juntos otra vez. ¡Espero que no se peleen de nuevo!

4. **Male 4:** Marta, ¿escuchaste las noticias?

Female 4: ¿Qué noticias?

Male 4: Me sorpende que no sepas lo de Luisa y Lorenzo . . .

Female 4: No, cuéntame . . .

Male 4: ¡Tuvieron una pelea durante la clase de biología!

Female 4: ¡No me digas! ¿Qué pasó?

Male 4: Parece que todo fue un malentendido. Pero el Sr. Rodríguez los mandó a la oficina del director.

Female 4: ¿Y ya hicieron las paces?

Male 4: Todavía no. Están furiosos.

Female 4: ¡Qué dramático!

Examen del capítulo 6

La Sra. Robles es consejera de una escuela secundaria. Varios estudiantes la visitan para hablar de los resultados de sus exámenes de intereses y habilidades. Escucha la conversación de cada estudiante para saber: (1) según el examen, cuál es uno de sus intereses o habilidades y (2) qué hará después de graduarse o qué le gustaría hacer en su futura carrera. Mientras escuchas, puedes tomar apuntes en el recuadro de tu hoja de respuestas. Luego, completa la tabla. Vas a oír cada conversación dos veces.

1. **Sra. Robles:** ¡Hola Teresa! Tengo tu examen de intereses y habilidades. Según el examen, te interesan las ciencias y las matemáticas. Eres capaz, cuidadosa y te gustan los detalles. ¿Qué te parece?

Teresa: ¡Me parece muy bien! Seré la mejor científica del mundo y ganaré un Premio Nobel porque habré salvado muchas vidas.

2. **Berto:** ¡Hola, Sra. Robles! ¿Ya sabe cuáles son mis intereses? No estoy seguro de qué carrera quiero seguir. Sólo sé que después de graduarme me casaré con mi novia, Alma. ¡Estamos muy enamorados!

Sra. Robles: ¡Tranquilo, Berto, tranquilo! Ten en cuenta que eres muy joven. Por tu examen me enteré de que tienes habilidad para las finanzas. Eres muy emprendedor y una fuente de inspiración para los demás.

3. **Sra. Robles:** ¡Buenos días, Margarita! Tengo una sorpresa para ti. Según tu examen de intereses y habilidades, debes trabajar en los medios de comunicación. Eres muy extrovertida y ambiciosa.

Margarita: Eso está muy bien, pero no tengo dinero para ir a la universidad después de que me gradúe. Tendré que trabajar en un restaurante de comida rápida para ahorrar dinero antes de estudiar una carrera.

4. **Sra. Robles:** Juan, pasa a la oficina. Según el examen, te gusta inventar cosas y trabajar con máquinas. Eres muy maduro y eficiente. Siempre has tenido muy buenas notas en matemáticas. Creo que serás un buen ingeniero.

Juan: ¿Cómo lo supo, Sra. Robles? Sí, quiero ser ingeniero mecánico. Inventaré máquinas para que la gente trabaje menos y pueda divertirse más. Quiero que la vida sea más fácil y que las personas vivan más felices.

5. **Sra. Robles:** ¡Hola, Pepe! Pasa, pasa, muchacho. Aquí tengo tu examen. Se lo enviaré a tu madre mañana y se sentirá muy orgullosa de ti. Te interesan los avances tecnológicos y la realidad virtual, ¿no? Eres muy ambicioso y emprendedor . . .

Pepe: ¡Fantástico! Me encanta la programación de computadoras. Inventaré los mejores videojuegos del universo. Haré cosas increíbles con las computadoras y ganaré mucho dinero.

Examen del capítulo 7

Bienvenidos al programa de entrevistas de don Fernando. Don Fernando está conversando con el Dr. Cruz, el famoso arqueólogo puertorriqueño, y los miembros de su equipo arqueológico. Escucha la entrevista con cada arqueólogo para saber: (1) qué civilización estudió; (2) qué excavó o qué encontró y (3) qué uso tenía. Mientras escuchas, puedes tomar apuntes en el recuadro de tu hoja de respuestas. Luego, completa la tabla. Vas a oír cada entrevista dos veces.

Don Fernando: Bienvenidos a nuestro programa. Hoy tenemos con nosotros a varios arqueólogos que trabajan en el Instituto Arqueológico del Dr. Cruz. Dr. Cruz, ¿qué nos puede decir de su equipo arqueológico?

Dr. Cruz: Nuestro equipo arqueológico tiene cinco arqueólogos que se especializan en distintas civilizaciones. Nuestras excavaciones son muy importantes y cada una de ellas contribuye un poco más al conocimiento de estos pueblos antiguos.

1. **Don Fernando:** Dr. Cruz, ¿qué civilización estudia usted?

Dr. Cruz: Estudio a los aztecas. Es una civilización muy interesante. Hace poco excavé las ruinas de un observatorio. Dudo que alguien haya visto algo tan increíble. Los aztecas lo usaban para estudiar las estrellas y el cielo. ¿Sabía usted que los aztecas tenían un calendario?

Don Fernando: Sí, el calendario azteca es muy famoso.

2. **Don Fernando:** Dra. Gutiérrez . . . ¿qué estudia usted?

Dra. Gutiérrez: Siempre me ha fascinado la civilización maya. Los mayas fueron grandes astrónomos. También construyeron muchas pirámides en América. En mi último viaje excavé una pirámide maya que tenía un templo rectangular en la parte más alta.

Don Fernando: ¿Era para algún dios? ¿El dios de la luna?

Dra. Gutiérrez: No era para el dios de la luna, sino para el dios del sol.

3. **Don Fernando:** A ver, Dr. Martínez . . . Me dice el Dr. Cruz que usted ha estudiado la civilización inca desde hace 20 años.

Dr. Martínez: Sí, es cierto. Y mi equipo arqueológico encontró hace poco una estatua del dios de la luna. Mide noventa centímetros de alto y es impresionante. Es probable que haya estado en un templo. Dudo que otros arqueólogos hayan encontrado algo tan impresionante.

4. **Don Fernando:** ¿Y usted, Dra. Maldonado?

Dra. Maldonado: Yo también estudio la civilización inca. Hace poco encontré una pared con diseños geométricos y dibujos. Estoy segura de que hablan sobre el mito del origen de la Tierra. Es probable que la pared fuera parte de un templo. Parece que la usaban en las ceremonias religiosas.

5. **Don Fernando:** Nuestra última invitada, la Dra. Hernández, también estudia a los aztecas.

Dra. Hernández: Sí, así es. Estudio el sistema de escritura de los aztecas. Hace poco encontré una piedra redonda llena de símbolos. Algunos de ellos son números. Según las evidencias, mi teoría es que no son un calendario, sino notas científicas.

Examen del capítulo 8

Un grupo de estudiantes de la Escuela Central regresa de su viaje a España. Todos lo pasaron muy bien y quieren contarle a su profesora de ciencias sociales lo que hicieron durante el viaje. Escucha lo que dice cada joven para saber: (1) qué ciudad visitó; (2) por qué es famosa esa ciudad y (3) qué le sugirió el guía. Mientras escuchas, puedes tomar apuntes en el recuadro de tu hoja de respuestas. Luego, completa la tabla. Vas a oír cada conversación dos veces.

1. **Teacher:** ¡Hola muchachos! ¿Cómo les fue en el viaje a España?

María: Muy bien. España es un país muy hermoso. Fui a Sevilla, la capital de Andalucía. Ahí se encuentra el Archivo General de las Indias, que contiene toda la historia sobre la llegada de los españoles a las Américas. Sevilla es muy famosa por su celebración de Semana Santa. Mi lugar favorito es la torre de la Giralda, una construcción hecha por los árabes, que ahora forma parte de la catedral de Sevilla. Es impresionante porque no tiene escaleras, sólo una rampa. El guía me dijo que fuera al Alcázar Real para ver sus arcos, que están decorados con azulejos muy bonitos.

TEACHER: María, parece que Sevilla es muy bonita.

2. **TEACHER:** Javier, ¿adónde fuiste tú?

JAVIER: Visité Granada, que también está en Andalucía. Es una ciudad muy famosa porque fue la última ciudad árabe en España. Lo que más me gustó fue la Alhambra. Primero fue el palacio de los reyes árabes y luego de los reyes españoles. Hoy en día es un monumento histórico. Quedé tan impresionado con la Alhambra que el guía me sugirió que aprendiera la historia del palacio.

TEACHER: Me gustaría ir a Granada.

3. **TEACHER:** ¿Y tú, Teresa?

TERESA: Fui a la ciudad cultural de Toledo. Toledo es muy famosa por su catedral. ¿Sabía que es una de las catedrales más grandes de Europa?

TEACHER: No, no lo sabía. Sigue contándome.

TERESA: Mi lugar favorito fue el museo de la catedral de Toledo. Tiene obras de arte de El Greco y de Goya. Me encanta el arte español y El Greco es uno de mis pintores favoritos. El guía dijo que sería bueno si yo pudiera vivir unos meses en Toledo. Me gustaría hacer eso para mejorar mis conocimientos de español.

TEACHER: Toledo parece muy interesante.

4. **TEACHER:** Joaquín, es tu turno . . .

JOAQUÍN: Visité Barcelona, la capital de Cataluña. Barcelona tiene un puerto y está muy cerca de Francia. Esta ciudad es famosa por la influencia francesa en su idioma y sus comidas. Me encanta la crema catalana. ¡Es deliciosa! Mi lugar preferido fue la Pedrera, también llamada la casa de Milá. Es una de las obras del arquitecto Antonio Gaudí. Muchos turistas la visitan cada año. El guía me dijo que si aprendiera catalán, podría ir a ver una obra de teatro en Barcelona. Tal vez me ponga a estudiar ese idioma.

TEACHER: Lamentablemente no enseñamos catalán en la escuela.

5. **TEACHER:** Margarita . . .

MARGARITA: Fui a Córdoba, una ciudad andaluza. Córdoba tiene una gran influencia árabe. Es muy famosa por la gran mezquita Aljama. Los arcos y las columnas de esa mezquita son únicos. Hoy en día es una catedral cristiana. Pero lo que más me gustó fueron las ruinas de Madinat Al-Zahra. Hace siglos fue la maravillosa ciudad-palacio de un rey árabe. Es mi lugar favorito. El guía me sugirió que comprara un libro que habla de estas ruinas.

Examen del capítulo 9

Don Fernando, el famoso locutor de radio, tiene como invitado al Dr. Buenaventura, un experto sobre el medio ambiente. Escucha lo que dice cada persona para saber: (1) de qué problema habla y (2) qué solución le sugiere el Dr. Buenaventura. Mientras escuchas, puedes tomar apuntes en el recuadro de tu hoja de respuestas. Luego, completa la tabla. Vas a oír cada conversación dos veces.

1. **Male Teen 1:** ¡Hola, Dr. Buenaventura! Me llamo Beto. Yo creo que los ríos de mi ciudad están amenazados. Los peces se mueren porque las aguas están contaminadas. ¿Qué podemos hacer?

Dr. Buenaventura: Quizás haya pesticidas en los ríos de tu ciudad. Las fábricas que echan productos químicos en los ríos deben dejar de hacerlo.

2. **Female Teen 1:** Hola, soy Elena. Pienso que cuando se agote el petróleo, no podremos viajar de un lugar a otro.

Dr. Buenaventura: Elena, aunque nos amenaza la escasez de petróleo, creo que pronto no tendremos que depender de él. Los ingenieros que desarrollan coches eléctricos y los gobiernos fomentarán su uso. En cuanto estos coches sean populares, el petróleo perderá importancia.

3. **Male Teen 2:** Habla Antonio desde San Juan. La gente sigue practicando la caza de los animales que están en peligro de extinción. Es una situación muy triste.

Dr. Buenaventura: Sí que lo es, Antonio. Y las personas lo seguirán haciendo hasta que el gobierno tome medidas para la protección de esos animales con nuevas leyes y multas que castiguen la caza.

4. **Female Teen 2:** Me llamo Carmen. El recalentamiento global es un problema que nos afecta a todos. Yo sé que algunos desperdicios gaseosos dañan la capa de ozono.

Dr. Buenaventura: Lo que tú dices es cierto. Para que se resuelva este problema, cada persona debe disminuir el uso de aerosoles y así ayudar a la preservación de la atmósfera.

5. **Male Teen 3:** Soy Raúl. Ayer leí que hubo un horrible derrame de petróleo en las costas de Alaska. ¿Qué se puede hacer para ayudar a los animales?

Dr. Buenaventura: Raúl, siento decirte que muchos animales morirán a menos que hagamos una rápida limpieza del área afectada.

Examen del capítulo 10

Escucha a las siguientes personas que se quejan de algunos problemas. Escucha lo que dice cada joven para saber: (1) si está hablando de un derecho o de un deber y (2) de qué derecho o deber está hablando. Mientras escuchas, puedes tomar apuntes en el recuadro de tu hoja de respuestas. Luego, completa la tabla. Vas a oír cada comentario dos veces.

1. **Female Teen 1 (Ana):** No puedo creer que mis padres no me hayan dejado ir a la fiesta la semana pasada. Mi amiga Elena tiene la libertad de ir adonde quiera. Sus padres entienden que ella es una adolescente y la apoyan. Ella no hubiera tenido que pedirles permiso para ir a esa fiesta. Los padres de Elena la tratan con respeto y no la obligan a hacer cosas que no quiere. Yo quiero el mismo respeto de mis padres. Es todo lo que pido. Ya no soy una niña.

2. **Male Adult 1 (Ramón):** ¡Es increíble que me hayan detenido por esto! Yo no soy culpable. No sé por qué creen que soy un sospechoso. Si hubiera sabido que me iban a meter a la cárcel, habría llamado a un abogado. Conozco la ley. Sé que es un servicio gratuito.

Los ciudadanos tenemos ciertas garantías. Merezco un juicio rápido y público, con un jurado imparcial. ¿Qué hubiera hecho mi hermana en esta situación? Yo creo que ella habría llamado a la prensa.

3.FEMALE ADULT 2 (DIANA): Mi hijo es un típico adolescente. Sólo quiere salir con sus amigos, escuchar música, ver la tele y navegar en la Red. Pero no quiere estar sujeto a las reglas de la casa. A veces él actúa como si su padre y yo lo hubiéramos maltratado o abusado. Pero es un exagerado. Y además dice que debemos tratarlo con igualdad. ¡Bueno, pues es hora de que empiece a ayudar con los quehaceres del hogar! ¡Esta casa no es un hotel gratuito! Mientras viva aquí, tendrá que colaborar sacando la basura o lavando los platos.

4.MALE ADULT 2 (DANIEL): Si hubiera sabido que la policía nos iba a detener, no habría ido a la manifestación. No había motivo para detenernos. Todas las personas se habían reunido con fines pacíficos. Estaban protestando el trato que se le ha dado a uno de los presos en el juicio. Éste es un país democrático y no se puede privar a la gente de que proteste. ¡Es absurdo que la policía haya arrestado a algunas personas! Yo esperaba que la prensa hubiera venido, pero no fue así. Ahora nadie va a enterarse de lo que pasó en la marcha.

5.FEMALE TEEN 3 (LORENA): Yo jamás hubiera creído que esta escuela estaba tan mal. El estado tiene que dar su apoyo a la niñez. Las autoridades deben asegurarse de que la enseñanza sea para todos. No se debe discriminar a nadie. El gobierno tiene que usar su autoridad y aplicar las leyes para que todos los niños puedan estudiar. Para eso existe, ¿no? Es su deber. Si yo hubiera sabido cómo estaba esta escuela, habría tratado de ayudar.

Examen acumulativo II

Actividad A

Vas a escuchar cinco descripciones de unas partes del castillo del dibujo. Mientras escuchas, escribe el número de la descripción en la parte correspondiente del dibujo. Luego escribe la letra del comentario de la lista que corresponde a la parte del castillo indicada. Vas a oír cada descripción dos veces.

1. Este castillo es una maravilla del estilo árabe. Mira el arco en la entrada al castillo. Es un ejemplo perfecto del diseño árabe y mide diez metros de alto. Es impresionante, ¿verdad? Era muy común que los árabes usaran arcos en vez de puertas para las entradas de sus edificios.
2. Los arquitectos árabes eran famosos por la calidad de las torres que construían. Aquí tenemos una muestra muy interesante. Nota la manera en que la torre se integra perfectamente al castillo. Es la unión perfecta de la función y la decoración.
3. Los azulejos del patio del frente del castillo son una de las maravillas de las construcciones árabes. Mira cómo brillan en el sol, con sus alegres diseños geométricos. El uso de los azulejos era muy común en las casas, castillos y otras obras de la era musulmana.
4. Tal vez lo más misterioso de este castillo sea el balcón. Éste no es del estilo árabe, sino del estilo romano. Muestra la influencia romana con sus líneas rectas y

y sencillas. No se sabe exactamente por qué este balcón es de un estilo diferente que el resto del castillo.

5. Los edificios y construcciones árabes en el sur de España frecuentemente tienen rejas, como éstas del castillo. Sirven para proteger a la gente que está dentro de la casa, pero también tienen la función de decorar. En este caso, la reja domina el frente del castillo.

Examen acumulativo II

Actividad B

Vas a escuchar a cinco personas hablar sobre el futuro. Mientras escuchas, escribe la letra de la persona que habla al lado del dibujo correspondiente. Luego marca con una X la acción de la que habla esa persona. Solamente vas a escribir *cinco* letras y marcar *cinco* acciones. Vas a oír cada comentario dos veces.

1. **FEMALE 1:** En el futuro, ojalá que podamos hacer algo para ayudar a las personas sin hogar. Me gustaría trabajar en un comedor de beneficencia. Si tuviera un poco de ayuda, estoy segura de que podría organizar un programa de voluntarios para trabajar en el comedor. Es una buena causa y creo que mis amigos querrían hacer algo para contribuir al bienestar de la comunidad.
2. **MALE 1:** Me preocupa mucho el futuro de varias especies de animales. La contaminación, la caza excesiva y la falta de protección las ponen en peligro de extinción. Si yo fuera presidente del país, haría todo lo que mi autoridad me permitiera para proteger a estos animales, como la ballena azul y el águila calva. Creo que promover la protección de las especies y la preservación del medio ambiente es lo más importante que podemos hacer.
3. **MALE 2:** Creo que los medios de comunicación y transporte van a aumentar aún más en el futuro. Ya es posible comunicarse con personas que están en cualquier parte del mundo usando los nuevos inventos. Los científicos descubrirán nuevos usos para los satélites de comunicación. Los medios de transporte también serán más rápidos y eficientes, gracias a los avances tecnológicos y al uso de otras fuentes de energía.
4. **FEMALE 2:** Ojalá que en el futuro se castigue a quienes contaminan la atmósfera y el agua. La contaminación es un problema grave y no va a desaparecer si no hacemos un gran esfuerzo ahora mismo. Las fábricas que se deshacen de desperdicios, como los productos químicos y los venenos, echándolos al agua y al aire, tienen que dejar de hacerlo inmediatamente.
5. **FEMALE 3:** El estado debe garantizar que todos los ciudadanos tengan igualdad ante la ley y debe fomentar que todos conozcan sus derechos. Es fundamental que en el futuro haya buena educación en las escuelas sobre los derechos, la libertad, la igualdad, la tolerancia, el respeto y todos los valores de una sociedad democrática.

Examen del capítulo
Guiones para el nivel de conversación

Administering the *Examen del capítulo* Speaking Proficiency Test

The speaking section in the *Examen del capítulo* evaluates a student's speaking proficiency. Students in the third year of language study should be expected to interact with a conversational partner within a wide variety of contexts, with the ability to freely change the subject, and using much of the vocabulary and grammar taught through the end of the second year.

There are several ways to administer this section of the test.

- Call individual students aside while the remainder of the class is taking the *Examen del capítulo*. The student brings up his or her test and answer sheet. The teacher speaks with the student, evaluates the performance using the rubric, and writes the score on the student answer sheet. The disadvantage of this system is that it is difficult to monitor the rest of the class while speaking one-on-one with an individual student.
- Administer the speaking task in the days prior to test day. Give students the speaking task and rubric in advance of the test and administer the task while the other students are reviewing or doing other activities.
- Be available before or after school for students who prefer to speak with you outside of class.
- Administer the test using a cassette recorder or the language lab. Students can record the speaking task for evaluation at a later time or in the lab with the teacher listening while other students are working.

Another option is to use a different speaking activity in the chapter and program resources such as the *Presentación oral* or the *Situation Cards* from the *Teacher's Resource Book* as the end-of-chapter speaking task. You would evaluate using the appropriate rubric and use that score as you give a final grade on the *Examen del capítulo*.

Evaluating the *Examen del capítulo* Speaking Proficiency Task

Teachers are encouraged to use the rubrics available in the *Assessment Program* frontmatter section called "Speaking and Writing Rubrics for the *Examen del capítulo*." A rubric has been specially written for each speaking task. For a complete overview of rubrics, see the article called "Using Rubrics" in the Professional Development section.

Placement Test

Getting started: Students will have already read through the task while at their desks. Greet the student in Spanish. You might "warm up" the conversation by asking a few familiar questions, such as: *¿Cómo estás? ¿Te va bien en este año escolar?*

After the greeting, summarize the speaking task in Spanish by saying *Vamos a hablar de CAS. ¿Por qué son importantes estas tres categorías?* The student will begin discussing the categories of *creatividad, actividad física,* and *servicio* and how he or she plans to fulfill the requirements for the diploma. If the student is having difficulty providing the information on the task, you might want to prompt with these questions: *¿Qué vas a hacer en el campo de la creatividad (la actividad física, el servicio)? ¿Por qué es importante esto?* You might want to ask an additional question or two based upon the information the student provides.

Closing: Make your closing statement, such as a personal opinion or a simple expression appropriate to the topic the student has been talking about. End with an appropriate expression to wrap up the conversation.

Examen del capítulo 1

Getting started: Students will have already read through the task while at their desks. Greet the student in Spanish. You might "warm up" the conversation by asking a few familiar questions, such as: *¡Hola! ¿Qué tal? A ti, ¿cuáles cosas te gustan? ¿Te gusta viajar?*

After the greeting, summarize the speaking task in Spanish by saying *Vamos a hablar de los viajes. Dime algunas cosas sobre tu viaje favorito.* The student will begin discussing his or her favorite trip. If the student is having difficulty providing the information on the task, you might want to prompt with these questions: *¿Viajaste con tu familia o con tus amigos? ¿Adónde fueron? ¿Qué hacían?* You might want to ask an additional question or two based upon the information the student provides.

Closing: Make your closing statement, such as a personal opinion or a simple expression appropriate to the topic the student has been talking about. End with an appropriate expression to wrap up the conversation.

Examen del capítulo 2

Getting started: Students will have already read through the task while at their desks. Greet the student in Spanish. You might "warm up" the conversation by asking a few familiar questions, such as: *¿Cómo van tus clases? ¿Estás en una clase de arte este año?*

After the greeting, summarize the speaking task in Spanish by saying *Vamos a hablar de las artes. ¿Qué clases de arte prefieres? ¿Las de pintura, música o danza?* The student will begin discussing his or her favorite fine art class. If the student is having difficulty providing the information on the task, you might want to prompt with these questions: *¿Qué te gusta más, pintar o tocar un instrumento? ¿Qué usas cuando pintas?* You might want to ask an additional question or two based upon the information the student provides.

Closing: Make your closing statement, such as a personal opinion or a simple expression appropriate to the topic the student has been talking about. End with an appropriate expression to wrap up the conversation.

Examen del capítulo 3

Getting started: Students will have already read through the task while at their desks. Greet the student in Spanish. You might "warm up" the conversation by asking a few familiar questions, such as: *¿Cómo estás? ¿Estás con buena salud?*

After the greeting, summarize the speaking task in Spanish by saying *Imagina que yo soy un estudiante del primer grado. Dame tus recomendaciones sobre lo que puedo hacer para estar en forma y mantener la salud.* The student will begin giving his or her recommendations on how you, the "child," can keep fit and healthy. If the student is having difficulty providing the information on the task, you might want to prompt with these questions: *¿Qué como? ¿Está bien si siempre como alimentos con mucho azúcar?* You might want to ask an additional question or two based upon the information the student provides.

Closing: Make your closing statement, such as a personal opinion or a simple expression appropriate to the topic the student has been talking about. End with an appropriate expression to wrap up the conversation.

Examen del capítulo 4

Getting started: Students will have already read through the task while at their desks. Greet the student in Spanish. You might "warm up" the conversation by asking a few familiar questions, such as: *¿En general, te gustan tus compañeros de clase? ¿Tienes amigos en la escuela?*

After the greeting, summarize the speaking task in Spanish by saying *¿Qué piensas de un estudiante que a veces se porta bien y a veces mal? Háblame de su comportamiento.* The student will begin discussing the good and bad behavior of the imaginary classmate. If the student is having difficulty providing the information on the task, you might want to prompt with these questions: *Dame algunos ejemplos de su mal comportamiento. Y tú, ¿qué piensas de esto?* You might want to ask an additional question or two based upon the information the student provides.

Closing: Make your closing statement, such as a personal opinion or a simple expression appropriate to the topic the student has been talking about. End with an appropriate expression to wrap up the conversation.

Examen del capítulo 5

Getting started: Students will have already read through the task while at their desks. Greet the student in Spanish. You might "warm up" the conversation by asking a few familiar questions, such as: *¿Cómo te va? ¿Tienes un trabajo después de las clases? ¿Dónde trabajas?*

After the greeting, summarize the speaking task in Spanish by saying *Imagina que yo soy consejero(a) en una feria de trabajo y tú estás buscando trabajo. ¿Qué tipo de trabajo quieres? ¿Qué tienes que decirme sobre ti mismo?* The student will begin discussing his or her best qualities and the type of work he or she is seeking. If the student is having difficulty providing the information on the task, you might want to prompt with these questions: *¿Prefieres trabajar adentro o afuera? ¿Has trabajado antes? ¿Qué hacías?* You might want to ask an additional question or two based upon the information the student provides.

Closing: Make your closing statement, such as a personal opinion or a simple expression appropriate to the topic the student has been talking about. End with an appropriate expression to wrap up the conversation.

Examen acumulativo 1

Getting started: Students will have already read through the task while at their desks. Greet the student in Spanish. You might "warm up" the conversation by asking a few familiar questions, such as: *¿Te interesa el arte? ¿Qué estilo de arte te gusta?*

After the greeting, summarize the speaking task in Spanish by saying *Háblame de la pintura que viste.* The student will begin discussing a painting he or she saw. If the student is having difficulty providing the information on the task, you might want to prompt with these questions: *Para ti, ¿qué significa la pintura? ¿Por qué te gusta? ¿Quién la pintó?* You might want to ask an additional question or two based upon the information the student provides.

Closing: Make your closing statement, such as a personal opinion or a simple expression appropriate to the topic the student has been talking about. End with an appropriate expression to wrap up the conversation.

Examen del capítulo 6

Getting started: Students will have already read through the task while at their desks. Greet the student in Spanish. You might "warm up" the conversation by asking a few familiar questions, such as: *Es importante que pienses en tu futuro. ¿Tienes un plan para los próximos años?*

After the greeting, summarize the speaking task in Spanish by saying *Háblame como si fuera representante de una universidad. ¿Por qué debemos darte una beca?* The student will begin discussing his or her interests and long-range plans. If the student is having difficulty providing the information on the task, you might want to prompt with these questions: *¿Cuáles son tus intereses y habilidades? ¿Qué piensas hacer después de la escuela secundaria?* You might want to ask an additional question or two based upon the information the student provides.

Closing: Make your closing statement, such as a personal opinion or a simple expression appropriate to the topic the student has been talking about. End with an appropriate expression to wrap up the conversation.

Examen del capítulo 7

Getting started: Students will have already read through the task while at their desks. Greet the student in Spanish. You might "warm up" the conversation by asking a few familiar questions, such as: *¿Te interesan los misterios que hemos estudiado? ¿Sabes de otros misterios?*

After the greeting, summarize the speaking task in Spanish by saying *Descríbeme un misterio que te interese. ¿Hay alguna explicación popular para ello?* The student will begin discussing a mystery that is of interest to him or her. If the student is having difficulty providing the information on the task, you might want to prompt with these questions: *¿Dónde se encuentra este misterio? ¿Tiene un nombre? ¿Tienes una explicación lógica para este misterio?* You might want to ask an additional question or two based upon the information the student provides.

Closing: Make your closing statement, such as a personal opinion or a simple expression appropriate to the topic the student has been talking about. End with an appropriate expression to wrap up the conversation.

Examen del capítulo 8

Getting started: Students will have already read through the task while at their desks. Greet the student in Spanish. You might "warm up" the conversation by asking a few familiar questions, such as: *¿Tienes una ciudad favorita? ¿Cuál es?*

After the greeting, summarize the speaking task in Spanish by saying *Háblame como si yo acabara de llegar a los Estados Unidos. Descríbeme tu ciudad favorita.* The student will begin describing your city or his or her favorite city. If the student is having difficulty providing the information on the task, you might want to prompt with these questions: *¿Qué eventos históricos sucedieron en esta ciudad? ¿Adónde van los jóvenes para divertirse?* You might want to ask an additional question or two based upon the information the student provides.

Closing: Make your closing statement, such as a personal opinion or a simple expression appropriate to the topic the student has been talking about. End with an appropriate expression to wrap up the conversation.

Examen del capítulo 9

Getting started: Students will have already read through the task while at their desks. Greet the student in Spanish. You might "warm up" the conversation by asking a few familiar questions, such as: *¿Te gustan los niños? ¿Piensas que es necesario educarlos sobre el medio ambiente?*

After the greeting, summarize the speaking task in Spanish by saying *Háblame como si yo fuera un grupo de niños. Explícanos qué podemos hacer para proteger el medio ambiente.* The student will begin advising you, the "children," on how to protect the environment. If the student is having difficulty providing the information on the task, you might want to prompt with these questions: *¿Qué podemos hacer en casa? ¿Y en la escuela? ¿Y después de la escuela?* You might want to ask an additional question or two based upon the information the student provides.

Closing: Make your closing statement, such as a personal opinion or a simple expression appropriate to the topic the student has been talking about. End with an appropriate expression to wrap up the conversation.

Examen del capítulo 10

Getting started: Students will have already read through the task while at their desks. Greet the student in Spanish. You might "warm up" the conversation by asking a few familiar questions, such as: *¿Te gustan los animales? ¿Piensas que tenemos la responsabilidad de protegerlos?*

After the greeting, summarize the speaking task in Spanish by saying *Háblales a tus compañeros de clase sobre cómo podemos ayudar a los animales abandonados en nuestra comunidad.* The student will begin advising the class on how to help abandoned animals. If the student is having difficulty providing the information on the task, you might want to prompt with these questions: *¿Piensas que los animales tienen derechos? ¿Cuáles son? Y nosotros ¿qué podemos hacer?* You might want to ask an additional question or two based upon the information the student provides.

Closing: Make your closing statement, such as a personal opinion or a simple expression appropriate to the topic the student has been talking about. End with an appropriate expression to wrap up the conversation.

Examen acumulativo 2

Getting started: Students will have already read through the task while at their desks. Greet the student in Spanish. You might "warm up" the conversation by asking a few familiar questions, such as: *¿Cuáles son tus planes para el verano? ¿Vas a trabajar?*

After the greeting, summarize the speaking task in Spanish by saying *Háblame como si yo fuera el jefe de la agencia de empleos. Háblame de ti, de tus experiencias de trabajo y del trabajo que te gustaría tener.* The student will begin talking about his or her personal qualities, work experience, and the type of job desired. If the student is having difficulty providing the information on the task, you might want to prompt with these questions: *¿Qué trabajos has hecho? ¿Por qué crees que serías un(a) buen(a) empleado(a)? ¿Qué tipo de trabajo buscas? ¿Qué metas tienes?* You might want to ask an additional question or two based upon the information the student provides.

Closing: Make your closing statement, such as a personal opinion or a simple expression appropriate to the topic the student has been talking about. End with an appropriate expression to wrap up the conversation.

Clave de respuestas

HOJA DE RESPUESTAS, EXAMEN DE NIVEL

A. Escuchar *(___ / ___ puntos)*

Estudiante	¿Cuál es la mejor conclusión?
1. Eduardo: trabajar de voluntario	_X_ Ya lo hizo. ___ Va a hacerlo.
2. Gerardo: mejorar el medio ambiente	_X_ Cree que es posible. ___ No cree que sea posible.
3. Sonia: ver unas ruinas mayas	___ Irá el próximo año. _X_ Irá dentro de dos años.
4. Linda: solicitar un puesto	_X_ Está solicitándolo. ___ Ya lo solicitó.
5. Pilar: hacer yoga	_X_ Duda que pueda. ___ Sabe que puede.

B. Leer *(___ / ___ puntos)*

Cierto o Falso

1. En España sólo se celebran dos fiestas cada año en honor de los Santos Patrones. _F_
2. La Semana Santa tiene lugar en Sevilla. _C_
3. Las fallas son enormes edificios que forman un gran incendio en el centro de Valencia. _F_
4. Las otras fiestas no religiosas se celebran sólo durante la primavera. _F_
5. Típicamente se celebran estos festivales con comida y danzas regionales. _C_

C. Leer *(___ / ___ puntos)*

_5_ **a.** Primero les sugiero que sigan las reglas — por ejemplo, pidan permiso de iniciar una manifestación para expresarse. Hay dos o tres organizaciones que ayudan a los estudiantes a conocer los derechos que les están garantizados. A continuación les envío sus números de teléfono para que puedan llamarlas.

_3_ **b.** ¡Bienvenidos! Les voy a dar el número de teléfono de una biblioteca donde varios voluntarios hispanohablantes dan clases cada semana. No cuesta nada porque es un servicio organizado por la ciudad. También les recomiendo que se pongan en contacto con La Sociedad de Buenos Vecinos. Siempre están listos para ayudar.

_2_ **c.** ¡Aplaudo sus deseos! Es una lástima que no hayan encontrado quien los ayude. Les voy a dar el número de teléfono de un centro de la comunidad. Allí encontrarán el apoyo que necesitan. Les recomiendo que se inscriban en sus competencias.

_4_ **d.** ¡Admiro tu deseo de participar en tu nuevo hogar que es la comunidad! También es una buena manera de conocer a tus vecinos. Conozco un museo donde ofrecen programas para niños. El museo siempre está buscando personas que tengan entusiasmo y comprendan a los jóvenes.

_1_ **e.** ¡Qué causa tan justa! Les recomiendo que pronto hablen con una organización que acaba de juntar dinero para fomentar tales proyectos. Al mismo tiempo, es la manera de asociarse con otras personas que tienen las mismas metas. No tienen Uds. que pagar nada, pero se pide que ayuden trabajando como voluntarios unas horas cada semana.

D. Escribir *(___ / ___ puntos)*

E. Hablar *(___ / ___ puntos)*

Prueba P-1

I. Vocabulario

A. Rosa nos está hablando sobre algunas actividades que le gusta hacer. Contesta las preguntas basadas en lo que Rosa nos dice.

Me gusta hacer muchas cosas divertidas durante mi tiempo libre. Me gusta tocar la guitarra, ir de compras y mirar la tele. No me gusta hacer los quehaceres de la casa, pero los sábados ayudo a mamá y a papá a limpiar la casa. No me gusta jugar deportes, pero me encanta ir a los partidos de fútbol los viernes por la noche con mis amigas.

1. ¿Qué cosas divertidas hace Rosa?
   Rosa toca la guitarra, va de compras y mira la tele.
2. ¿Cuándo hace estas cosas divertidas?
   Hace estas cosas durante su tiempo libre.
3. ¿Qué hace Rosa los sábados?
   Hace los quehaceres / Ayuda a su mamá y a su papá a limpiar la casa.
4. ¿Cómo se divierte ella los viernes por la noche?
   Va a los partidos de fútbol con sus amigas.

B. Roberto tiene una rutina que hace todos los días. ¿Es similar a tu rutina? Contesta las preguntas basadas en lo que Roberto nos dice.

Yo tengo mi rutina diaria. Mi mamá me despierta a las siete de la mañana. Después de vestirme y hacer la cama, me preparo el desayuno. Cuando termino, salgo para la escuela. Después de las clases, vuelvo a casa y hago la tarea. Luego camino al gimnasio con mis amigos Pepe y Ricardo. Allí hacemos ejercicio y nos divertimos mucho. Por la noche, estudio un poco, como la cena y hablo por teléfono con un amigo. A las diez apago la luz y me acuesto.

1. ¿Qué hace la mamá de Roberto?
   Lo despierta a las siete de la mañana.
2. ¿Qué hace Roberto después de vestirse y hacer la cama?
   Se prepara el desayuno.
3. ¿Cuándo va al gimnasio? ¿Con quién va?
   Va al gimnasio después de hacer la tarea. Va con sus amigos Pepe y Ricardo.
4. ¿Cómo lo pasan en el gimnasio él y sus amigos?
   Ellos se divierten mucho en el gimnasio.
5. ¿Qué pasa a las diez de la noche?
   Roberto apaga la luz y se acuesta.

C. En la casa de Tomás todos ayudan con los quehaceres. Tomás nos dice cómo ayuda él. Completa las frases con la forma correcta del presente de uno de los verbos entre paréntesis.

En mi casa todos ayudamos. Yo, como ***soy*** *(ser / estar)* el menor, ***tengo*** *(tener / salir)* que hacer pequeños trabajos, pero muchos. A mí no me importa porque yo ***sé*** *(saber / dar)* que mamá necesita mucha ayuda. Yo siempre le ***digo*** *(caer / decir)* que me gusta ayudarla. Por ejemplo, yo le ***doy*** *(saber / dar)* de comer al perro, ***pongo*** *(poner / tener)* la mesa y ***hago*** *(conocer / hacer)* mi cama. Los sábados, cuando mamá va al mercado, yo ***voy*** *(saber / ir)* con ella para ayudarla. A veces, si ***veo*** *(ver / dar)* que papá no puede cortar el césped, yo ***traigo*** *(traer / conocer)* a un amigo y lo cortamos juntos. Cuando yo no ***estoy*** *(tener / estar)* en casa, mis hermanas hacen mis quehaceres.

D. Tomás juega al fútbol y nos habla sobre su equipo, que es muy bueno. Completa las frases con la forma correcta del presente de uno de los verbos entre paréntesis.

Hoy nosotros ***empezamos*** *(empezar / pensar)* a practicar fútbol. ***Tenemos*** *(Entender / Tener)* un equipo muy bueno. No ***queremos*** *(querer / preferir)* perder ni un partido. Mi amigo José ***piensa*** *(recordar / pensar)* que nuestro equipo ***puede*** *(poder / perder)* ganar casi todos, excepto con "Los caballeros." Nosotros ***jugamos*** *(contar / jugar)* muy bien, pero ellos ***juegan*** *(comer / jugar)* mejor. Ellos no ***pierden*** *(perder / pedir)* nunca. Nuestro entrenador siempre nos ***recuerda*** *(recordar / volver)* que lo importante es jugar y divertirse.

E. Ahora, Tomás nos habla de lo que hacen todos en su casa por las mañanas. Completa las frases con el presente de uno de los verbos entre paréntesis.

En casa, papá ***se despierta*** *(despertarse / acostarse)* primero. Entonces ***se levanta*** *(pintarse / levantarse)*, ***se ducha*** *(secarse / ducharse)*, ***se afeita*** *(afeitarse / bañarse)*, ***se viste*** *(vestirse / ponerse)* y después hace el desayuno. Mamá y mis hermanas ***se despiertan*** *(despertarse / dormirse)* al sentir el olor del café. Yo ***me despierto*** *(despertarse / ponerse)* un poco después. Voy al baño, ***me cepillo*** *(levantarse / cepillarse)* los dientes, ***me lavo*** *(ducharse / lavarse)* la cara y voy a desayunar.

Prueba P-2

I. Vocabulario

A. Aquí tienes una gráfica de las actividades que hacen algunos(as) chicos(as) y de cuántas veces hacen cada actividad. Contesta las preguntas basadas en la gráfica usando el presente del indicativo.

Actividad	Veces por semana	Veces por mes	Veces por año	Nunca
ir a partidos de fútbol	Juan, 1	María, 2; Marta, 1	Manu, 6	
ver la televisión	Marta, 5; Manu, 4			
ir a una fiesta de cumpleaños		Manu, 1; María 2	Marta, 5	Juan, nunca
ensayar con la orquesta	Marta, 3			Manu, María, Juan, nunca
reunirse con amigos	Manu, 2; María, 1	Marta, 2; Juan, 2		
asistir a una boda			María, 1; Manu, 1; Marta, 3	Juan, nunca
participar en un concurso		María, 1	Juan, 1; Marta, 2; Manu, 3	
ver fuegos artificiales			Manu, 3; María, 2	
ir de picnic			María, 20 Manu, 10	Marta, nunca; Juan, nunca

1. ¿Es Juan aficionado al fútbol? ¿Por qué?
   Sí, porque va a un partido una vez por semana.
2. ¿Qué persona del grupo toca un instrumento musical?
   Marta
3. ¿Es Manu más o menos sociable que Marta y Juan? Por qué?
   Manu es más sociable porque se reúne con amigos más veces.
4. Tú invitas a Marta a comer contigo en un parque al aire libre. ¿Crees que ella acepta tu invitación? ¿Por qué?
   No, porque ella nunca va de picnic.
5. Tu prima va a casarse en dos meses. ¿Quién probablemente quiere ver el evento, Juan o Marta?
   Marta
6. ¿Les gusta a Manu y María celebrar los días festivos en casa o en un parque? ¿Por qué?
   En un parque, porque van de picnic muchas veces al año.

B. En la casa de Eduardo a todos les gusta hacer algo especial. Completa las frases usando el presente del verbo entre paréntesis. Usa el pronombre apropiado para cada frase.

A mi padre ***le gustan*** *(gustar)* mucho los partidos de fútbol y los mira en la tele. También ***le gusta*** *(gustar)* practicar fútbol conmigo y a mí ***me encanta*** *(encantar)* practicarlo con él. A él también ***le interesa*** *(interesar)* la política, pero a mí no. No ***me gustan*** *(gustar)* los políticos porque me parece que no son honestos. A mamá y a mis hermanas ***les encanta*** *(encanta)* leer e ir de compras. A ellas no ***les importa*** *(importar)* mucho gastar dinero, pero a papá sí ***le importan*** *(importar)* esas cosas. Por eso algunas veces discuten. A mí ***me encantan*** *(encantar)* las fiestas familiares. Y a ti, ¿qué cosas ***te gustan*** *(gustar)* hacer?

C. Margarita nos habla de su casa. Completa las frases con el adjetivo posesivo apropiado.

Nosotros vivimos en una casa mediana, pero estamos contentos con ***nuestra*** casa. Tiene tres dormitorios. El dormitorio de ***mis*** padres está en el primer piso. ***Su*** dormitorio es el más grande. Los dormitorios de Pedrito, Juanito y yo, ***nuestros*** dormitorios, son más pequeños. El dormitorio de ***mis*** hermanos es más grande que ***mi*** dormitorio porque ***su*** dormitorio, el de ellos, tiene dos camas. La casa tiene una sala grande y al lado de la sala hay una biblioteca pequeña donde papá tiene ***sus*** libros. El comedor es pequeño, pero la cocina es grande y como mis padres cocinan mucho, ellos pasan mucho de ***su*** tiempo allí. La casa no tiene un sótano, pero vivimos muy felices aquí. Y tú, amiga, ¿cómo es ***tu*** casa?

Prueba 1-1

Comprensión del vocabulario 1

A. Vas a ir de cámping y tienes que hacer una lista de las cosas que necesitas. Escoge las palabras apropiadas del recuadro. No todas las palabras del recuadro son necesarias.

la linterna	la tienda de acampar	el bosque	el saco de dormir
la brújula	el repelente de insectos	los binoculares	

Tengo que llevar:

1. ***la tienda de acampar*** para protegerme de la lluvia y de los animales del bosque.
2. ***el repelente de insectos*** porque en el bosque hay muchos mosquitos.
3. ***la linterna*** para poder ver cuando está oscuro de noche.
4. También es importante llevar ***la brújula*** para no perderme.
5. Como me gusta observar los pájaros, voy a llevar ***los binoculares***.
6. Voy a llevar ***el saco de dormir***. Así duermo más cómodo.

B. El fin de semana pasado tú y tus amigos visitaron un valle. Háblanos de lo que sucedió subrayando la palabra que mejor completa cada frase.

El fin de semana pasado mis amigos y yo fuimos a visitar un valle que está cerca de casa. (*Una vez allí / Hacia*) admiramos el hermoso (*saco de dormir/ paisaje*). Empezamos a (*asustar / andar*) y entramos en un (*bosque / desierto*) donde había muchos árboles muy altos. Todo estaba muy oscuro y eso nos (*sucedió / asustó*). Salimos corriendo de allí (*así / hacia*) el valle. De repente empezó a llover muy fuerte y a caer (*granizo / rocas*). Vimos una casita y la usamos de (*brújula / refugio*). Pronto (*se acercó a / dejó de*) llover y (*apareció / impresionó*) el sol. Un rato después regresamos a casa.

C. Tu profesor(a) quiere saber si comprendes el vocabulario. Lee las frases. Si la frase es cierta, escribe una C. Si la frase es falsa, escribe una *F.*

1. ***C*** Cuando me levanto al amanecer, me levanto muy temprano en la mañana.
2. ***C*** Cuando hay una tormenta, puedes oír truenos y ver relámpagos.
3. ***C*** Si uno pierde el equilibrio, puede caerse.
4. ***F*** Si lo pasamos bien, nos aburrimos mucho.
5. ***C*** Lo opuesto de acercarse es ir muy lejos.
6. ***C*** Podemos escalar la sierra.
7. ***F*** En el desierto siempre llueve y muchas veces cae granizo.
8. ***F*** Para no tener frío buscamos refugio al aire libre.
9. ***C*** En una ciudad grande nos podemos perder si no tenemos un mapa.
10. ***F*** Pasé un rato con mis abuelos, quiero decir, pasé muchas horas con ellos.
11. ***C*** Si vemos algo muy hermoso nos puede impresionar.
12. ***C*** Es posible dar un paseo por los senderos del bosque.
13. ***C*** Cuando visitas los parques nacionales, puedes disfrutar de la naturaleza.
14. ***F*** Al anochecer sale el sol.

Prueba 1-2

Aplicación del vocabulario 1

A. Estás en una tienda de artículos de cámping con tu papá porque el fin de semana te vas de cámping con unos amigos. Mira los dibujos y escribe la mejor palabra para completar cada frase.

PAPÁ: A ver hijo, ¿qué necesitas?

TÚ: Bueno, necesito una ***tienda de acampar*** si llueve y un ***saco de dormir***, así no tengo frío para dormir.

PAPÁ: También, es importante llevar ***repelente de insectos***. En el bosque hay muchos mosquitos.

TÚ: Es verdad. Y también necesito una ***linterna*** para poder ver cuando está oscuro.

PAPÁ: A ti te gusta observar los pájaros, ¿por qué no compramos unos ***binoculares***?

TÚ: ¡Buena idea! ¿Puedo llevar una ***brújula*** para no perderme?

PAPÁ: ¡Claro! Creo que es todo lo que necesitas. Lo vas a pasar muy bien.

B. Estás haciendo un crucigrama con el vocabulario de este capítulo para darlo a la clase como práctica de vocabulario. Escribe las palabras que se buscan.

Horizontal

1. Subir por una roca o montaña ***escalar***
2. Parar de . . . ***dejar de***
3. Caminar ***andar***
4. Muy bonito ***hermoso***
5. Esconderse o entrar en un lugar para esperar que pase la tormenta ***refugiarse***
6. De esta manera ***así***
7. Pasar ***suceder***
8. Divertirse ***pasarlo bien***
9. Poco tiempo ***un rato***

Vertical

1. Lugar donde puedes esperar a que pare de llover ***refugio***
2. Es una serie de montañas ***sierra***
3. Lugar donde hay muchos árboles ***bosque***
4. Al empezar la noche ***al anochecer***
5. Al empezar la mañana ***al amanecer***
6. Lugar donde casi nunca llueve ***desierto***

C. Tu profesor(a) les dio unas frases incompletas. Ayuda a Jorge a terminarlas.

1. En una tormenta cae ***granizo***, se ven ***relámpagos*** y se oyen ***truenos***.
2. Un turista puede ***perderse*** si no tiene un mapa del lugar.
3. El opuesto de ir lejos es ***acercarse***.
4. Alguien puede caerse si ***pierde el equilibrio***.
5. Un oso grande me da miedo, me ***asusta*** mucho.
6. Me gusta ***dar un paseo*** caminando por el parque.

Prueba 1-3

El pretérito de verbos con el cambio ortográfico *i* → *y*

Marta y Rosa hablan por teléfono sobre lo que le sucedió a la Sra. López. Completa el diálogo usando el préterito de uno de los verbos entre paréntesis. ¡Cuidado! No todos los verbos tienen cambios ortográficos.

MARTA: Hola, Rosa, ¿qué tal? ¿ **Viste** *(ver / creer)* en la tele lo que le **sucedió** *(suceder / hacer)* ayer a la Sra. López?

ROSA: No, pero papá lo **leyó** *(oír / leer)* y me **contó** *(contar / dar)* que con la tormenta, un árbol **se cayó** *(caerse / creer)* encima de su casa y la **destruyó** *(caer / destruir)*. Por suerte a ella no le **pasó** *(pasar / ver)* nada.

MARTA: Cuando yo se lo **conté** *(comer / contar)* a mis padres, ellos no lo **creyeron** *(creer / leer)*. Mamá lo **creyó** *(sacar / creer)* cuando lo **leyó** *(ver / leer)* en el periódico.

ROSA: Mamá **oyó** *(oír / ver)* decir que la Sra. López **se fue** *(irse / caerse)* a vivir con su hija.

MARTA: Eso **fue** *(ser / ver)* una buena idea. Bueno, Rosa, me llama mi mamá, hasta luego.

Prueba 1-4

El pretérito de los verbos irregulares

Tú y tus amigos fueron a la sierra. Completa el párrafo con el pretérito de uno de los verbos entre paréntesis para contar lo que pasó.

El fin de semana pasado, Carlos y yo **pudimos** *(poner / poder)* ir a la sierra. Juan, el hermano de Carlos, también **vino** *(venir / decir)* con nosotros. Nos **despertamos** *(despertarse / acostarse)* al amanecer y salimos muy contentos. Yo **traje** *(traer / hacer)* la tienda de acampar, una linterna y los binoculares. Carlos y Juan **trajeron** *(venir / traer)* los sacos de dormir, la brújula, el repelente de insectos y la comida.

Los tres **anduvimos** *(andar / tener)* por muchas horas hasta que encontramos un lugar muy hermoso para acampar. Una vez allí, **pusimos** *(saber / poner)* todo en la tienda de acampar.

Más tarde, Carlos **tuvo** *(tener / saber)* la idea de escalar hasta lo más alto de la montaña. Le **dije** *(decir / oír)* que debíamos llevar la brújula para no perdernos y él me **dijo** *(decir / venir)* que era buena idea. Después de una hora llegamos al punto más alto. ¡Qué hermoso paisaje! Con los binoculares nosotros **pudimos** *(creer / poder)* observar mejor el paisaje. Todos **estuvimos** *(estar / decir)* allí un largo rato disfrutando de la naturaleza y luego regresamos al campamento. Lo pasamos muy bien.

Prueba 1-5

El pretérito de verbos con los cambios *e* → *i*, *o* → *u* en la raíz

A. Cuéntanos lo que cada persona hizo ayer cambiando el verbo que está en el presente al pretérito. Debes terminar la frase de forma lógica.

Modelo Hoy leo el periódico, pero ayer ***leí*** una revista.

1. Hoy Roberto y Pedro se sienten bien, pero ayer ***se sintieron*** mal.
2. Hoy prefiero pescar, pero ayer ***preferí*** escalar.
3. Hoy ellos duermen cinco horas, pero ayer ***durmieron*** ocho.
4. Hoy tú te diviertes, pero ayer no ***te divertiste***.
5. Hoy Mercedes y Pati comen pescado, pero ayer ***comieron*** pollo.
6. Hoy estoy muy contenta, pero ayer ***estuve*** triste.
7. Hoy Ana se pone un vestido, pero ayer ***se puso*** pantalones.
8. Hoy ustedes prefieren té, pero ayer ***prefirieron*** café.
9. Hoy ellos se divierten en mi casa, pero ayer ***se divirtieron*** en el parque.
10. Hoy Pedro quiere ir al cine, pero ayer ***quiso*** ir a la playa.

B. Ayer tú y tus padres fueron de picnic a un lago. Llena los espacios en blanco con el pretérito de uno de los verbos del recuadro para contar lo que pasó.

divertirse	preferir	morir	sentirse	servir	sugerir

Ayer fuimos de picnic a un lago que está cerca de mi casa. Mis padres me ***sugirieron*** invitar a Luis García, mi nuevo vecino de México. Él ***se sintió*** muy contento por la invitación. Una vez allí, Luis y yo jugamos al fútbol y ***nos divertimos*** mucho. Luego mamá nos ***sirvió*** sándwiches de jamón y jugo de naranja. Después del almuerzo Luis y yo decidimos ir de pesca. Papá no quiso ir. Él ***prefirió*** dormir un rato. Lo pasamos muy bien.

HOJA DE RESPUESTAS, EXAMEN 1

A. (___ / ___ *puntos*)

1. ***saco de dormir***
2. ***binoculares***
3. ***desierto***
4. ***linterna***
5. ***rocas***
6. ***valle***
7. ***relámpago***
8. ***repelente de insectos***

B. (___ / ___ *puntos*)

1. ***lo paso bien***
2. ***al amanecer***
3. ***hermoso***
4. ***un rato***
5. ***perdernos***

C. (___ / ___ *puntos*)

1. ***leyó***
2. ***fueron***
3. ***quiso***
4. ***se perdió***
5. ***oyó***
6. ***apareció***
7. ***tuvo***
8. ***pudo***
9. ***gritó***
10. ***salió***
11. ***volvió***
12. ***dijo***
13. ***sucedió***
14. ***supo***
15. ***se fue***
16. ***creyeron***
17. ***durmieron***

D. (___ / ___ *puntos*)

1. ***fue***
2. ***celebraron***
3. ***me vestí***
4. ***Me puse***
5. ***fueron***
6. ***le hicieron***
7. ***sirvieron***
8. ***tuve***
9. ***se cayó***
10. ***nos divertimos***

Prueba 1-6

Comprensión del vocabulario 2

A. Quieres ayudar a Felipe con su artículo para el periódico de la escuela. Él no sabe qué palabras debe usar. Completa el artículo con la palabra apropiada.

Dos estudiantes de nuestra escuela reciben premios

El sábado pasado tres escuelas participaron en la carrera de los 5 km. La carrera **tuvo lugar** *(se dio cuenta / tuvo lugar)* en la Universidad Central. **Desafortunadamente** *(Felicitaciones / Desafortunadamente)*, poca gente fue a la carrera. En la carrera, **se inscribieron** *(se inscribieron / alcanzaron)* diez estudiantes de nuestra escuela. La escuela José Martí envió a ocho **participantes** *(certificados / participantes)* y la escuela San Lorenzo sólo tuvo cinco **representantes** *(metas / representantes)*. Fue una carrera dura, se podía ver el gran **entrenamiento** *(entrenamiento / desanimado)* que todos los estudiantes tuvieron antes de la carrera. El estudiante de la escuela San Lorenzo, Ernesto Díaz, **salió campeón** *(salió campeón / al principio)*. Cuando lo entrevistamos nos dijo que estuvo **entrenándose** *(inscribiéndose / entrenándose)* por tres meses. **Al principio** *(Al principio / Sin embargo)* de la carrera se sintió **desanimado** *(animado / desanimado)* porque veía que los otros participantes lo dejaban atrás. Entonces **se dio cuenta** *(se dio cuenta / se entrenó)* que tenía que **hacer un esfuerzo** *(incribirse / hacer un esfuerzo)*. Pensó en su papá que lo entrenó y empezó a correr más rápido. "Alcancé la **meta** *(inscripción / meta)* que quería. Estoy muy emocionado," nos dijo.

El segundo y el tercer premio lo ganaron Teresa Suárez y Tomás Delgado, estudiantes de nuestra escuela. **La entrega de premios** *(La entrega de premios / La participante)* se celebró en el estadio. Cada ganador **se emocionó** *(se emocionó / entrenó)* al obtener su **medalla** *(ceremonia / medalla)*. Todos los otros participantes recibieron un **certificado** *(certificado / entrenamiento)*. Estamos muy **orgullosos** *(desanimados / orgullosos)* de nuestros ganadores. ¡ **Felicitaciones** *(Felicitaciones / Desafortunadamente)* a todos los participantes!

B. Para saber si los lectores comprendieron el artículo, el editor del periódico publicó una serie de frases basadas en la lectura. Escribe una *C* si la frase es cierta. Escribe una *F* si la frase es falsa.

1. **C** La carrera de los 5 km y la ceremonia de la entrega de premios tuvieron lugar en la Universidad Central.
2. **C** Hubo 23 participantes en la carrera.
3. **F** Parece que fue una carrera fácil.
4. **C** Los participantes se prepararon bien.
5. **C** El primer premio lo ganó Ernesto Díaz.
6. **F** Ernesto Díaz se entrenó por 13 meses.
7. **F** Ernesto Díaz nunca se sintió desanimado.
8. **C** Ernesto Díaz pensó en su padre cuando se dio cuenta de que tenía que hacer un esfuerzo.
9. **F** Ernesto Díaz no pudo alcanzar la meta que él quería.
10. **C** Ernesto Díaz venció a Teresa Suárez y a Tomás Delgado.
11. **F** Los ganadores se sintieron desanimados en la ceremonia.
12. **C** Cada ganador recibió una medalla.
13. **F** Todos los participantes recibieron trofeos.

Prueba 1-7

Aplicación del vocabulario 2

A. Tu mamá te está haciendo preguntas sobre lo que pasó ayer en tu escuela. Contéstale según el dibujo que aparece al lado de cada pregunta.

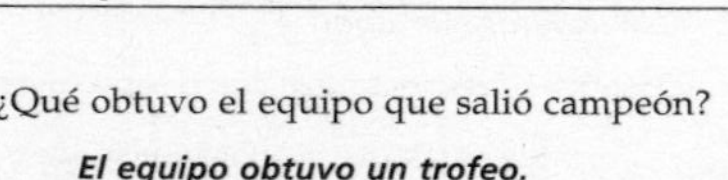

1. ¿Qué evento hubo en el estadio de la escuela ayer?
   Ayer hubo una carrera en el estadio.
2. ¿Qué obtuvo el equipo que salió campeón?
   El equipo obtuvo un trofeo.

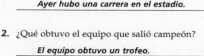

3. ¿Qué recibieron los atletas ganadores?
   Los atletas ganadores recibieron una medalla.

4. ¿Qué obtuvieron todos los participantes?
   Todos los participantes obtuvieron un certificado.

B. Tú y tu amigo Roberto siempre están de acuerdo. Escribe un sinónimo de la palabra subrayada que él dice.

ROBERTO: Fue difícil para Carlos ganar esa competencia, ¿verdad?

TÚ: Tienes razón. Fue ***duro*** para Carlos ***vencer*** en esa competencia.

ROBERTO: Qué bueno que Juanita consiguió el primer premio, ¿no?

TÚ: Sí, ella ***obtuvo*** el premio porque se preparó por mucho tiempo.

ROBERTO: Rodolfo tuvo problemas al empezar el partido.

TÚ: Sí, ***al principio*** él tuvo muchos problemas.

ROBERTO: Sacaron a nuestro equipo del campeonato porque perdimos 3 a 1.

TÚ: ¡Qué lástima! Nos ***eliminaron*** en el último juego.

C. Ana no pudo terminar esta parte del ejercicio de práctica que el / la profesor(a) les dio. Ayúdala a completar las frases con una palabra del vocabulario de este capítulo.

1. Para participar en una competencia, primero hay que completar una ***inscripción***. A veces lleva mucho tiempo porque tienes que contestar muchas preguntas.
2. Muchos atletas desean participar en las Olimpiadas. Muchas veces es una ***meta*** difícil de alcanzar.
3. Las personas que van a competir en una competencia son los ***participantes***.
4. El ***entrenamiento*** de un atleta lleva muchos meses.
5. Mi equipo ganó el campeonato. Todos estamos muy contentos y muy ***orgullosos*** de todos los jugadores que participaron.
6. La ceremonia de la ***entrega de premios*** tuvo lugar en el auditorio de la escuela.
7. ¡***Felicitaciones***, Héctor! Ganaste el campeonato.
8. Ayer jugamos ***contra*** el equipo de otra escuela y le ganamos. ¡Bravo!
9. Nuestra entrenadora ***se emocionó*** tanto ayer, que lloró cuando recibimos el primer premio.
10. Este año, ***desafortunadamente***, perdimos el campeonato. Pero el año próximo vamos a salir campeones.

Prueba 1-8

El imperfecto

Tu padre te cuenta sobre los días felices de cuando él era niño. Completa las frases siguientes usando el imperfecto de los verbos entre paréntesis.

1. Cuando mi hermano y yo **éramos** jóvenes, **íbamos** con papá todos los sábados a ver los partidos de básquetbol profesional. *(ser / ir)*
2. Mi hermano Carlos **tenía** diez años. Él **era** dos años menor que yo. *(tener / ser)*
3. El partido **empezaba** a las ocho, y como nosotros **vivíamos** muy lejos, **teníamos** que salir temprano de casa. *(empezar / vivir / tener)*
4. A mí me **gustaba** sentarme en la primera fila porque **veía** mejor el partido, pero nosotros no siempre **podíamos** encontrar buenos asientos. *(gustar / ver / poder)*
5. En el partido nosotros siempre **veíamos** a alguien que **conocíamos**. *(ver / conocer)*
6. Mi hermano **se divertía** mucho, pero yo **disfrutaba** más hablando con las chicas que **animaban** el partido. *(divertirse / disfrutar / animar)*
7. Nosotros generalmente **regresábamos** muy tarde a casa. Mi hermano siempre **se dormía** en el viaje, pero yo **hablaba** con mi padre sobre el partido. *(regresar / dormirse / hablar)*
8. Ésos **eran** días especiales que siempre voy a recordar. *(ser)*

Prueba 1-9

Usos del imperfecto

Ahora tu madre te está hablando de cuando ella era niña. Completa el párrafo con el imperfecto o el pretérito de los verbos entre paréntesis.

Cuando yo **era** *(ser)* niña, mi familia siempre **iba** *(ir)* en diciembre a esquiar a Colorado. Todos los años, nosotros **nos quedábamos** *(quedarse)* en el mismo hotel. **Era** *(Ser)* un hotel viejo, pero cómodo. A mí me **gustaba** *(gustar)* quedarme en ese hotel porque dos veces **vi** *(ver)* a deportistas famosos que **iban** *(ir)* a esquiar allí todos los años para entrenarse. Un año, cuando yo **tenía** *(tener)* diez años, mis padres **decidieron** *(decidir)* ir a Puerto Rico. En San Juan **nos quedamos** *(quedarse)* en un hotel moderno. El hotel **estaba** *(estar)* en la playa. Nosotros **llegamos** *(llegar)* al hotel un domingo al mediodía. Enseguida yo **me puse** *(ponerse)* mi traje de baño y **me fui** *(irse)* a la piscina con mis padres. Luego mi madre me **llevó** *(llevar)* a jugar a la playa. Por las mañanas nosotros **nadábamos** *(nadar)* y **tomábamos** *(tomar)* el sol, y por las tardes **íbamos** *(ir)* a visitar la ciudad. Ese año yo **me divertí** *(divertirse)* mucho.

Realidades 3 Nombre ____ Hora ____

Capítulo 1 Fecha ____ Hoja de respuestas, Examen 2

HOJA DE RESPUESTAS, EXAMEN 2

A. (___ / ___ *puntos*)

1. *el participante*
2. *se entrenan / entrenarse*
3. *el trofeo*
4. *al principio*
5. *la ceremonia*
6. *animado(a)*
7. *vencer*

B. (___ / ___ *puntos*)

1. *Felicitaciones*
2. *meta*
3. *tiene / tuvo lugar*
4. *desafortunadamente*
5. *Sin embargo*

C. (___ / ___ *puntos*)

1. *Yo iba*
2. *Yo era*
3. *Yo escribía*
4. *Yo tenía*
5. *Yo daba*
6. *Yo leía*
7. *Yo veía*
8. *Yo jugaba*

D. (___ / ___ *puntos*)

1. *me levanté*
2. *Hacía*
3. *decidí*
4. *llamé*
5. *pregunté*
6. *dijo*
7. *pasé*
8. *llegué*
9. *estaba*
10. *Eran*
11. *comenzamos*
12. *corríamos*
13. *admirábamos*
14. *cantaban*
15. *brillaba*
16. *parecía*
17. *se puso*
18. *empezó*
19. *tuvimos*
20. *llegamos*

Realidades 3 Nombre ____ Hora ____

Capítulo 1 Fecha ____ Hoja de respuestas, Examen del capítulo 1, Página 1

HOJA DE RESPUESTAS, EXAMEN DEL CAPÍTULO 1

A. Escuchar (___ / ___ *puntos*)

	MIS APUNTES (*notes*)
Carlos	
Mónica	
Juan	
Margarita	
Pepe	

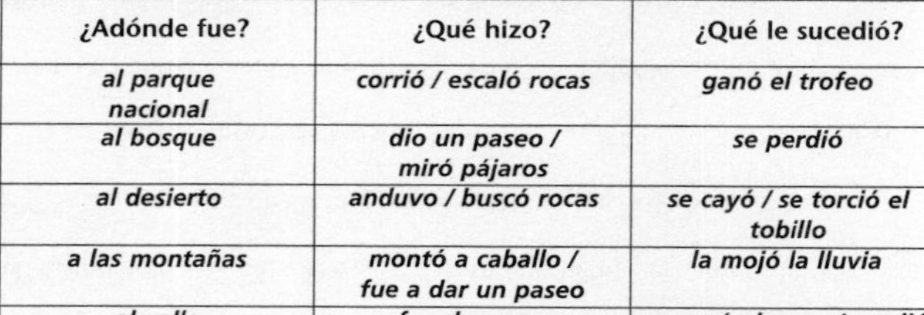

	¿Adónde fue?	¿Qué hizo?	¿Qué le sucedió?
1. Carlos	*al parque nacional*	*corrió / escaló rocas*	*ganó el trofeo*
2. Mónica	*al bosque*	*dio un paseo / miró pájaros*	*se perdió*
3. Juan	*al desierto*	*anduvo / buscó rocas*	*se cayó / se torció el tobillo*
4. Margarita	*a las montañas*	*montó a caballo / fue a dar un paseo*	*la mojó la lluvia*
5. Pepe	*al valle*	*fue de pesca*	*se cayó al agua / perdió todos los peces*

B. Leer (___ / ___ *puntos*)

Antonio ____ 

Sandra *Hernán*  

Rodolfo *Ángela* 

Prueba 2-5

Comprensión del vocabulario 2

A. La hermanita de tu amigo no entiende algunas palabras del vocabulario de este capítulo y te pregunta qué quieren decir. Explícale, escogiendo una definición de la lista a la izquierda.

1. Es una persona que escribe novelas. ***b***
2. Es lo que da el público si le gusta un espectáculo. ***d***
3. Es lo que escribe un poeta. ***a***
4. Es una parte de la música. ***f***
5. Es la descripción de un espectáculo. ***c***
6. Es una expresión que se hace usando la cara o partes del cuerpo. ***e***

a. un poema
b. un escritor
c. una reseña
d. el aplauso
e. un gesto
f. el ritmo

B. Tu amigo Gustavo está escribiendo un artículo para el periódico. Ayúdalo a escoger palabras para completar su artículo. Selecciona palabras y expresiones del recuadro.

melodías	conjunto	basadas en	tambor
interpretaciones	entusiasmo	ritmo	pasos

Ayer se celebró en el parque de la ciudad un festival de salsa. El ***conjunto*** invitado fue "Los Salseros de Hoy", que hicieron ***interpretaciones*** de sus famosas canciones.

Luis Alberto, con el sonido de percusión de su ***tambor***, hizo bailar a todos al ***ritmo*** de sus canciones de ***melodías*** alegres. Todos aprendieron a bailar los varios ***pasos*** de esta música latina con mucho ***entusiasmo***. Muchas de las canciones de Tomás Ore están ***basadas en*** las experiencias de su juventud *(youth)*.

C. Vas a escribir un artículo para el periódico de tu escuela sobre unas presentaciones que se hicieron en el teatro. Aquí tienes varias frases que vas a usar en tu artículo. Selecciona la letra que mejor completa la frase.

1. En el espéctaculo, lo que más ***a*** fue la canción de una joven puertorriqueña.
   a. se destacó **b.** se pareció **c.** se identificó
2. ***b*** donde se hicieron las presentaciones fue decorado por los profesores.
   a. El entusiasmo **b.** El escenario **c.** La reseña
3. Tuvimos que usar tres ***b*** para poder oír bien las presentaciones.
   a. interpretaciones **b.** micrófonos **c.** tambores
4. María Hernández ***a*** un poema de José Martí.
   a. interpretó **b.** destacó **c.** exageró
5. Las hermanas Molina y Rosa Urrutia ***b*** una interpretación de "La danza del fuego".
   a. sonaron **b.** realizaron **c.** se destacaron
6. Elena Martínez y Claudio Torres bailaron una danza ***a*** que les encantó a todos.
   a. clásica **b.** exagerada **c.** basada
7. Luis Bello, que ***b*** a Ricky Martin, cantó "La vida loca".
   a. suena **b.** se parece **c.** se destaca
8. Carlos Rubio, el famoso actor de nuestra escuela, ***a*** un famoso monólogo de "La vida es sueño" de Calderón de la Barca.
   a. actuó **b.** exageró **c.** se pareció
9. Al terminar las actuaciones, todo el público ***b*** y aplaudió.
   a. actuó **b.** se paró **c.** se destacó
10. ***c*** sólo costó $5.00 por persona.
    a. El compás **b.** La reseña **c.** La entrada

Prueba 2-6

Aplicación del vocabulario 2

A. En tu clase de español están jugando a las "Adivinanzas" *(riddles)* para así practicar el vocabulario estudiado en este capítulo. Tu compañero(a) te dice la definición y tú tienes que decirle lo que es. Escribe a la derecha la palabra que se describe.

1. Se usa para que el público pueda oír mejor. ***micrófono***
2. Lo que se paga para poder entrar a ver una película. ***entrada***
3. La persona que escribe poemas. ***poeta***
4. La descripción de una obra de teatro, película o libro hecha por un(a) crítico(a) de arte. ***reseña***
5. Quiere decir lo mismo que *ritmo*. ***compás***
6. Un instrumento musical de viento. ***trompeta***
7. Quiere decir lo mismo que *baile*. ***danza***
8. Un grupo de músicos que tocan instrumentos y cantan. ***conjunto***
9. Un instrumento musical de percusión. ***tambor***
10. Lo que se hace con los pies para poder bailar. ***pasos***
11. El lugar en un auditorio donde presentan una obra de teatro. ***escenario***
12. Lo que es una obra de teatro, un concierto, un ballet, etc. ***espectáculo***
13. La persona que escribe un libro, artículo o novela. ***escritor(a)***

B. En el Teatro Nacional de tu ciudad se va a presentar una nueva obra de teatro. Aquí hay una descripción que hizo un crítico que la vio antes de ser presentada al público. Completa las frases con una palabra del vocabulario estudiado en el capítulo.

Este sábado se va a presentar la nueva obra *Yo soy Dalí* del escritor Carlos Rubio. La obra está ***basada*** en la vida del famoso pintor español Salvador Dalí. Los actores que van a ***actuar*** son Gabriel Colón, como Dalí, y Micaela Dionisio, en el papel de su esposa, Gala. Los dos actores hacen una ***interpretación*** muy impresionante de estos personajes. El maquillaje que le hacen a Gabriel es tan perfecto que ***se parece*** mucho a Dalí. Es evidente que Gabriel comprende bien al famoso pintor y puede ***identificarse*** con él. Finalmente, Gabriel Colón va a ***realizar*** su sueño *(dream)* de ir a Broadway después de esta obra. Creo que la obra va a tener éxito y va a gustar. Estoy seguro de que el público la va a aceptar con mucho ***entusiasmo*** y alegría.

C. Tu amigo te hace preguntas sobre una canción que el grupo "Torpedo" cantó en el concierto. Completa las frases con una palabra del vocabulario estudiado en el capítulo.

1. —¿Quién escribió la ***letra*** de la canción?
   —La escribió Jorge Palomo.
2. —¿Él también escribió la ***melodía***? Me gusta mucho.
   —No, la escribió Roberto Pacheco. Es un conocido compositor peruano.
3. —¿Quién la ***interpretó*** o cantó?
   —Pablo Cañal. ¿Lo recuerdas? Es el cantante que hace muchos ***gestos*** exagerados con la cara.
4. —Sí, por supuesto. ¿Les gustó la canción?
   —Sí, les gustó mucho. Todo el público ***se paró*** y estuvo parado durante mucho tiempo y los ***aplausos*** se escucharon por diez minutos.

Prueba 2-7

Ser y estar

A. La reportera Sandy Regalado entrevista a la famosa cantante Julia Torres. Completa los espacios usando *ser* o *estar*.

SANDY: Buenas tardes, Julia. ¿Cómo ___***estás***___?

JULIA: ___***Estoy***___ bien, gracias.

SANDY: Primero quiero saber, ¿de dónde ___***eres***___?

JULIA: Bueno, Sandy, ___***soy***___ de muchos lugares diferentes. Nací en España. Luego viví por muchos años en Puerto Rico y en México, y ahora ___***estoy***___ viviendo en Nueva York. Mis abuelos ___***son***___ de Cuba, mis padres ___***son***___ venezolanos, pero mi corazón ___***está***___ en cada país donde tengo admiradores *(fans)*.

SANDY: Ya veo. ¿Cuándo ___***es***___ tu próximo concierto?

JULIA: ___***Estoy***___ muy entusiasmada. Va a ___***ser***___ el 25 de julio. El concierto ___***es***___ en Nueva York.

SANDY: Dicen que ya vendieron todas las entradas. ¿___***Es***___ verdad?

JULIA: No lo sé, pero espero que sí.

SANDY: Háblanos un poco sobre tu novio. ¿Cómo se llama?

JULIA: Se llama Antonio Cruz. ___***Es***___ escritor de libros para niños. ___***Es***___ alto y rubio. ___***Es***___ muy guapo. ___***Estamos***___ pensando en casarnos el año próximo. Antonio ___***está***___ en Costa Rica buscando información para un nuevo libro.

SANDY: Bueno, mil gracias por la entrevista y buena suerte en tu concierto.

Prueba 2-8

Verbos con distinto sentido en el pretérito y en el imperfecto

A. Como ya sabes, algunos verbos en español tienen significados diferentes en el pretérito y en el imperfecto. Escucha estas preguntas que una amiga le hace a otra. ¿Cuál es la respuesta correcta para cada pregunta? Escoge **A** o **B**.

1. ¿Estás estudiando danza clásica? ___***b***___
   - **a.** Sí, quise aprender a bailar ballet.
   - **b.** Sí, siempre quería aprender a bailar ballet.
2. ¿Ya conocías a Pedro, el profesor? ___***b***___
   - **a.** Sí, lo conocía en la fiesta de la escuela.
   - **b.** Sí, lo conocí en la fiesta de la escuela.
3. ¿Y los pasos? ¿Tienes que practicarlos mucho? ___***b***___
   - **a.** Bueno, debo practicar todos los días, pero ayer no podía.
   - **b.** Bueno, debo practicar todos los días, pero ayer no pude.
4. Me dicen que viste a mi prima Mariana en la clase de danza. ___***a***___
   - **a.** ¡Fue una sorpresa! No sabía que ella estudiaba con el mismo profesor.
   - **b.** ¡Fue una sorpresa! No supe que ella estudiaba con el mismo profesor.

B. Háblanos de lo que pasó ayer. Completa las frases usando el pretérito o el imperfecto de los verbos entre paréntesis.

La semana pasada ___***conocí***___ *(conocer)* a dos chicas muy bonitas que mi hermana me presentó. Ella las ___***conocía***___ *(conocer)* desde hacía unos meses. Van todas a la misma clase de teatro. Ayer, llamé a una de ellas para ver si ___***quería***___ *(querer)* ir al cine conmigo. Ella me dijo que no ___***podía***___ *(poder)* porque tenía que salir con su mamá esa noche. Entonces llamé a la otra chica. Ella tampoco ___***quiso***___ *(querer)* ir conmigo. Luego ___***supe***___ *(saber)* por mi hermana que ellas no ___***quisieron***___ *(querer)* ir conmigo al cine porque no les gusta salir con chicos menores que ellas.

HOJA DE RESPUESTAS, EXAMEN 2

A. (___ / ___ *puntos*)

1. *poeta*
2. *basados*
3. *reseñas*
4. *gestos*
5. *identificar*
6. *aplausos*

B. (___ / ___ *puntos*)

1. *espectáculo*
2. *conjunto*
3. *trompeta*
4. *tambor*
5. *letra*
6. *ritmo*
7. *danza*

C. (___ / ___ *puntos*)

1. *es*
2. *está*
3. *está*
4. *es*
5. *está*
6. *estoy*
7. *es*
8. *está*
9. *es*

D. (___ / ___ *puntos*)

1. *Supiste*
2. *sabías*
3. *podía*
4. *quería*
5. *conocimos*
6. *conocía*
7. *quise*
8. *pude*

HOJA DE RESPUESTAS, EXAMEN DEL CAPÍTULO 2

A. Escuchar (___ / ___ *puntos*)

CUADRO #1	**CUADRO #2**
Al fondo ***An artist painting (1), holding a paintbrush (1). Mirror on the wall (1). Man near a door (1).***	**Al fondo** ***There is a flower garden (1) with a fountain (1). The flowers have the faces of women (1).***
En primer plano ***Students should draw a little girl with long hair (1), standing next to a young girl (1). The little girl is wearing a dress (1). A dog is sitting in front of her (1).***	**En primer plano** ***Students should draw a woman (1) seated at a table (1). Her body is a banana (1) and her head is a flower (1).***

B. Leer (___ / ___ *puntos*)

Lee las siguientes frases. Escribe *Cierto* o *Falso* al lado de cada una.

1. "Chachis" actúa frecuentemente en los escenarios de Madrid. ***Falso***
2. Antes del concierto, había muchas entradas. ***Cierto***
3. Sólo la familia de Enrique influye en su música. ***Falso***
4. La energía de Madrid influye en la nueva canción de "Chachis". ***Cierto***
5. Un joven tocó los tambores muy bien. ***Cierto***

C. Escribir *(___ / ___ puntos)*

D. Hablar *(___ / ___ puntos)*

E. Cultura *(___ / ___ puntos)*

Dé crédito total si se mencionó al menos un artista en referencia a su trabajo y a sus aptitudes personales. Por ejemplo, el estudiante podría hablar de Emiliano Zapata de Rivera y sus preocupaciones sobre la Revolución Mexicana. Dé crédito parcial si sólo habló en un sentido general sin relacionarlo con un artista particular.

Prueba 3-1

Comprensión del vocabulario 1

A. Escribe una *B,* si el consejo que da el doctor es bueno. Escribe una *M,* si el consejo es malo.

1. ***B*** Si te duele la cabeza, debes tomar aspirinas.
2. ***B*** Para la infección de oído, puedes tomar un antibiótico.
3. ***M*** Si te duele el estómago, tienes que comer mucha comida basura.
4. ***B*** Si te duele el pecho porque tienes mucha tos, toma un jarabe.
5. ***M*** Si estás resfriado(a), lo mejor es hacer una dieta con mucha comida grasosa.
6. ***M*** Si estornudas mucho porque tienes alergia, debes tomar carbohidratos.
7. ***B*** Si tienes fiebre de 39 grados centígrados y te duele la cabeza, tienes que tomar aspirinas.
8. ***B*** Debes comer frutas, son saludables. Tienen vitaminas.
9. ***B*** Cuando estás resfriado(a), debes quedarte en cama, tomar aspirinas y beber mucho líquido.
10. ***M*** Come muchas papas fritas. Son un alimento saludable porque tienen un alto nivel de grasa.
11. ***M*** Y recuerda, siempre debes comer más cuando tu estómago está lleno.

B. Le estás explicando a tu hermanita lo que es una comida saludable. Completa la frase con una de las siguientes palabras o expresiones.

1. Las personas que quieren bajar de peso no deben comer comida con ___*b*___.
   a. fibra b. muchas grasas c. vitaminas
2. Para mantener el peso apropiado para tu edad y tu estatura debes tener una dieta ___*a*___.
   a. equilibrada b. vacía c. llena
3. No debes comer ___*a*___.
   a. comida basura b. comida con fibra c. alimentos con proteínas
4. Recuerda no comer ___*c*___.
   a. alimentos nutritivos b. alimentos apropiados para tu salud c. muchas meriendas con demasiado azúcar
5. Es buena idea ___*c*___.
   a. evitar las vitaminas b. saltar comidas c. comer alimentos que dan energía
6. Incluye en tu dieta muchas comidas con ___*b*___.
   a. mucha grasa b. fibra y proteínas c. jarabe
7. Evita tener hábitos alimenticios ___*c*___.
   a. nutritivos b. saludables c. malos
8. ¿Por qué es importante una alimentación saludable? Es importante ___*a*___.
   a. para alcanzar una estatura apropiada y tener buena salud b. para no tener energía en todo el día c. para tener siempre el estómago vacío

Prueba 3-2

Aplicación del vocabulario 1

A. Jorge está en el consultorio del Dr. Ruiz. Él le está contando sus síntomas al doctor. Completa los espacios en blanco con la palabra apropiada del vocabulario estudiado en este capítulo.

JORGE: Doctor, no me siento bien. Me duelen la cabeza y la garganta. Y me duele el ___*pecho*___ porque tengo mucha tos. Esta mañana me tomé la temperatura. Tengo una ___*fiebre*___ de 39 ___*grados centígrados*___. También ___*estornudo*___ mucho, pero no creo que tengo ___*alergia*___ ni a los animales ni a las plantas. ¿Verdad?

DR. RUIZ: Tienes razón, Jorge. Tú tienes los síntomas de la ___*gripe*___. Eres el cuarto paciente que viene a verme con estos síntomas.

JORGE: ¿Qué debo hacer, doctor?

DR. RUIZ: Bueno, también veo que tienes una infección en la garganta.

JORGE: ¿Me va a recetar un jarabe?

DR. RUIZ: No. Te voy a recetar un ___*antibiótico*___. Para el dolor de cabeza y de todo el cuerpo, toma dos ___*aspirinas*___ cada cuatro horas. Debes quedarte en cama y beber mucho líquido.

JORGE: Gracias, doctor. Espero no tener que regresar.

B. Éstas son frases que se escuchan en el consultorio del doctor, pero algunas palabras no se pueden oír. Completa los consejos del doctor con la palabra apropiada.

1. Tienes mucha tos. Te voy a recetar un ___*jarabe*___. Toma una cucharada cada cuatro horas.
2. Toma esta medicina para el ___*oído*___. Tienes una infección. Por eso te duele y no puedes oír bien.
3. Estás ___*resfriado(a)*___. Por eso estás estornudando tanto. Quédate en cama y toma mucho líquido.
4. Recuerda que siempre es muy bueno comer frutas y verduras porque tienen ___*vitaminas*___ A, B y C.
5. Trata de comer cereal y pan, que contienen más ___*fibra*___ que azúcar.
6. Aunque las espinacas no son las favoritas de los jóvenes, debes comerlas. Tienen un alto nivel de ___*hierro*___, que es necesario para la salud.
7. Tienes 10 años, ¿verdad? A tu ___*edad*___ necesitas ___*calcio*___. Es importante tener huesos ___*fuertes*___. Toma mucha leche.
8. Una alimentación ___*equilibrada*___, es decir, una dieta que incluye frutas, verduras, carnes y carbohidratos en cantidades apropiadas, es muy buena para mantener tu ___*peso*___ de 60 kilogramos.
9. Evita la ___*comida basura*___, como las papas fritas. Come alimentos ___*nutritivos*___ y saludables que son buenos para la salud.
10. Es importante no ___*saltar*___ comidas. Por ejemplo, siempre debes comer desayuno en la mañana. Come dos o tres meriendas al día para mantener la ___*energía*___ que necesitas para no sentirte cansado(a). De esa manera vas a poder tener un día activo.
11. Si te sientes con el estómago ___*vacío*___, come, pero deja de comer cuando te sientes lleno(a).

Prueba 3-3

Mandatos afirmativos con *tú*

A. Completa lo que te dice el doctor con el mandato afirmativo con *tú* del verbo apropiado.

1. Si no tienes energía, ___*come*___ *(saltar / comer)* alimentos con proteínas y ___*toma*___ *(tomar / evitar)* muchas vitaminas.
2. Si estás resfriado(a), ___*quédate*___ *(quedarse / incluir)* en cama y ___*bebe*___ *(comer / beber)* mucho líquido.
3. ___*Incluye*___ *(Evitar / Incluir)* alimentos nutritivos en tu dieta diaria.
4. Si quieres mantener tu peso, ___*evita*___ *(evitar / tener)* la comida basura.
5. Si estás aburrido(a), ___*sal*___ *(mantener / salir)* con tus amigos a pasear.
6. ___*Presta*___ *(Prestar / Poder)* atención a tu cuerpo y a lo que comes.
7. Si te sientes enfermo(a), ___*ven*___ *(venir / estornudar)* a verme.

B. Tu mamá está enojada contigo y tus hermanos porque no hicieron lo que ella les dijo. Completa la segunda parte de la frase con el mandato afirmativo del mismo verbo de la primera parte. Usa mandatos con *tú*.

Modelo Pepe, no estudiaste el vocabulario. ___*Estudia*___ el vocabulario ahora mismo.

1. María, no hiciste una dieta apropiada. ___*Haz*___ una dieta equilibrada, por favor.
2. Carlos, no tomaste el jarabe para la tos. ___*Toma*___ el jarabe inmediatamente.
3. Teresita, no dijiste la verdad. ___*Di*___ la verdad.
4. Roberto, no fuiste al mercado. ___*Ve*___ al mercado ahora mismo.
5. Carmencita, no pediste permiso para salir. La próxima vez, ___*pide*___ permiso.
6. Y tú, Tomás, no fuiste bueno con Teresita. ___*Sé*___ bueno con ella.

Prueba 3-4

Mandatos negativos con *tú*

A. Escoge uno de los verbos entre paréntesis y escribe un mandato negativo con *tú*.

1. No ***te levantes*** *(levantarse / poner)* si estás resfriado(a).
2. No ***comas*** *(evitar / comer)* comida basura.
3. No ***escojas*** *(ir / escoger)* alimentos con muchas grasas ni con mucho azúcar.
4. No ***des*** *(dar / caminar)* paseos si está lloviendo.
5. No ***saltes*** *(estar / saltar)* comidas, mantén una alimentación equilibrada.

B. A todo lo que le preguntas a tu mamá si puedes hacer, ella te contesta que no. Contesta cada pregunta con un mandato negativo con *tú*.

1. ¿Mamá, las compro? No, no ***las compres*** ahora.
2. ¿Voy al parque? No, no ***vayas*** .
3. ¿Me acuesto ahora? No, no ***te acuestes*** ahora.
4. ¿Incluyo un dulce en mi almuerzo? No, no ***lo incluyas*** .
5. ¿Practico con mi amigo? No, no ***practiques*** con él.

C. Tu padre y tu madre no están de acuerdo en lo que tú debes hacer. Tu padre te dice una cosa, pero tu madre te dice que no la hagas. Escribe un mandato negativo para cada mandato afirmativo que dice tu padre.

1. Carlos, almuerza en la cafetería. Carlos, no ***almuerces*** en la cafetería.
2. Carlos, sé paciente con Ana. Carlos, no ***seas*** paciente con Ana.
3. Carlos, ve a mi oficina a las ocho. Carlos, no ***vayas*** tan temprano.
4. Carlos, sal con Sofía. Carlos, no ***salgas*** con Sofía.
5. Carlos, dile la verdad a él. Carlos, no ***le digas*** la verdad.

Prueba 3-5

Mandatos afirmativos y negativos con *Ud.* y *Uds.*

A. Éstos son mandatos que les decimos a las personas que hacen cosas que no deben hacer. Completa los mandatos con *Ud.* o *Uds.* usando los verbos subrayados.

Modelo A unos chicos que comen mucha comida basura:
Chicos, ***coman*** comidas saludables.

1. A unos peatones que cruzan la calle con la luz roja:
   Señores, no ***crucen*** ahora.
2. A una señora que abre la boca cuando come:
   Señora, no ***abra*** la boca cuando come.
3. Al Sr. Cos, que siempre llega tarde a la oficina.
   Sr. Cos, ***llegue*** temprano.
4. A unos chicos que se pelean en clase.
   Chicos, no ***se peleen*** en clase.

B. A la Sra. Fuentes le gusta darle órdenes a todo el mundo. Completa sus mandatos, de *Ud.* o *Uds.*, usando el verbo entre paréntesis que corresponda.

1. Ana y José, ***eviten*** los dulces. ***Escojan*** comida saludable. *(evitar / escoger)*
2. Sra. García, no ***le dé*** ese jarabe a su hijo. ***Cómprele*** aspirinas en la farmacia. *(darle / comprarle)*
3. Señores, ***lleguen*** a la oficina a las ocho. ¡***Sean*** puntuales! *(llegar / ser)*
4. ***Busque*** Ud. la receta y ***tráigala*** inmediatamente. *(Buscar / Traerla)*
5. Chicos, ¡no ***se duerman*** aquí, ***despiértense***! *(dormirse / despertarse)*

Realidades 3 Nombre ______ Hora ______

Capítulo 3 Fecha ______ **Hoja de respuestas, Examen 1**

HOJA DE RESPUESTAS, EXAMEN 1

A. (___ / ___ *puntos*)

Horizontal	**Vertical**
1. *jarabe*	1. *oído*
2. *calcio*	2. *antibiótico*
3. *estornudar*	3. *hierro*
4. *saludable*	4. *alimentos*
5. *fiebre*	5. *vacío*
6. *manera*	

B. (___ / ___ *puntos*)

1. *pecho*	4. *vitaminas*
2. *grados centígrados* / *gripe*	5. *evitar* / *equilibrada*
3. *tomar*	6. *edad* / *peso*

C. (___ / ___ *puntos*)

1. *pon*	3. *sirvas*
2. *ve*	4. *te despiertes* / *Despiértate*

D. (___ / ___ *puntos*)

1. *ven* / *vayas*	4. *salgas* / *Haz*
2. *jueguen* / *Practiquen*	5. *esté* / *llegue*
3. *empiece* / *tome*	

E. (___ / ___ *puntos*)

1. *Háganla*	4. *las pidan*
2. *léalos*	5. *Tráigalos*
3. *las pongas*	

Realidades 3 Nombre ______ Hora ______

Capítulo 3 Fecha ______ **Prueba 3-6, Página 1**

Prueba 3-6

Comprensión del vocabulario 2

A. Varias personas están pidiendo consejos para resolver sus problemas. Subraya *(Underline)* el mejor consejo.

1. Siempre tengo calambres cuando corro. ¿Qué debo hacer?
   - **a.** Debes correr más.
   - **b.** Estírate y flexiona los músculos antes de correr.
   - **c.** No respires.

2. Voy a participar en una carrera en tres meses. ¿Qué me aconseja?
   - **a.** Haz cinta y escaleras.
   - **b.** Preocúpate.
   - **c.** Quéjate.

3. Estoy estresado(a). Estoy trabajando hace tres horas sin parar. No aguanto más. ¿Qué debo hacer?
   - **a.** Entonces, sigue trabajando.
   - **b.** Estás en la luna, ¿no?
   - **c.** Relájate por un rato.

4. Mi hijo estudia mucho para los exámenes, pero siempre piensa que no está preparado y que va a sacar una mala nota. ¿Qué le digo?
   - **a.** Dígale que debe aprender a tener confianza en sí mismo.
   - **b.** Dígale que debe estudiar mucho más.
   - **c.** Dígale que debe hacer abdominales.

5. Quiero estar en forma. Peso demasiado para mi estatura. ¿Qué hago?
   - **a.** Concéntrate.
   - **b.** Trata de estar de mal humor.
   - **c.** Haz abdominales y bicicleta.

B. Lee las siguientes frases que alguien dice. Si la frase es cierta, escribe una *C*. Si la frase es falsa, escribe una *F*.

1. ***F*** Si estoy de mal humor, me río mucho.
2. ***C*** Los ejercicios aeróbicos son buenos para el corazón.
3. ***C*** Si no tienes mucha fuerza es porque estás débil y necesitas más energía.
4. ***F*** Un buen consejo de salud es preocuparse por todo y estar estresado.
5. ***C*** Para desarrollar los huesos y los músculos es bueno hacer ejercicio.

C. Completa las conversaciones de tus amigos con las expresiones del recuadro.

me preocupo	entrar en calor	hago yoga	entrenador
está en la luna	te estás quejando	me caigo de sueño	

1. —Carmen, siempre te veo tan relajada. ¿Nunca estás estresada?
   —No, ***hago yoga*** en el gimnasio todos los días.
2. —Marta, ¿qué te pasa? ¿Por qué estás nerviosa?
   —Siempre ***me preocupo*** cuando tengo exámenes. Pienso que no voy a poder contestar las preguntas y que voy a sacar una mala nota.
3. —¿Qué debo hacer antes de hacer ejercicio para no tener calambres?
   —Debes ***entrar en calor***.
4. —Luis, ¿por qué dices que tu ***entrenador*** de béisbol exige mucho?
   —Él siempre dice que debo hacer escaleras, abdominales y cinta por una hora.
5. —Sabes que Carlos nunca presta atención en clase. Siempre ***está en la luna***.
6. —Son las once y media de la noche. Me voy a acostar.
   —Yo también. ***Me caigo de sueño***.
7. —Tengo tanto que estudiar. Nunca tengo tiempo libre. ¡Uf!
   —José, siempre ***te estás quejando***. Haz el trabajo y relájate.

Prueba 3-7

Aplicación del vocabulario 2

A. Tu amigo(a) te está aconsejando lo que debes hacer en algunas situaciones. Completa las frases con las palabras apropiadas del vocabulario de este capítulo.

1. Estás estresado(a). Para ***relajarte***, haz yoga.
2. Para ***desarrollar*** tus músculos, levanta pesas.
3. Para hacer más fuertes los músculos del estómago, haz ***abdominales***.
4. Debes prestar atención en clase. Para no ***estar en la luna***, concéntrate.
5. Para no ***caerte de sueño*** en clase, duerme más horas.
6. Siempre estás enojado. Para no ***estar de mal humor*** siempre, disfruta de la vida, diviértete.
7. Si te gusta caminar en el parque, debes ***hacer cinta*** en el gimnasio cuando llueve.

B. Completa la conversación entre tú y tu profesora de educación física. Usa el vocabulario de este capítulo.

—Profesora, ¿qué hago para evitar el dolor en los músculos?

—Marina, antes de empezar a correr, ***entra en calor***. Por ejemplo, flexiona y estira los músculos. Concéntrate en lo que estás haciendo. Ten ***confianza*** en ti misma. Es verdad que esas piernas son ***débiles*** ahora, pero van a ser más fuertes cada día. Siempre piensa en cuál es tu meta y de esa manera vas a tener éxito en las competencias.

—Gracias, profesora, son muy buenas ideas. Con esos ***consejos*** tan buenos no me voy a preocupar más. Ud. me inspiró.

C. Tu amigo Roberto te está contando lo que pasó en el club deportivo donde está tomando unas clases. Completa la historia con palabras apropiadas del vocabulario de este capítulo.

El mes pasado empecé una clase de ejercicios ***aeróbicos*** en mi club deportivo.

Es una clase de ejercicios de *step*. Cuando empezamos, éramos doce.

La ***entrenadora*** se llama Marta. Enseña todos los días. Es muy fuerte y nos ***exige*** mucho. Nos hace trabajar duro durante una hora. Siempre empezamos haciendo ***flexiones*** y estirando los músculos, así no tenemos ***calambres***. El primer día, descansábamos después de cada programa. En la segunda y tercera clase, comenzamos a ir más rápido. Muchos de los participantes empezaron a ***quejarse*** porque ellos no podían seguir el paso. Creían que la clase de Marta era demasiado difícil. Decían que ella exigía mucho, que hacíamos demasiados ejercicios y que nos iba a matar. Dos semanas después, sólo éramos cinco. El resto no pudo ***aguantar*** más y dejó el programa.

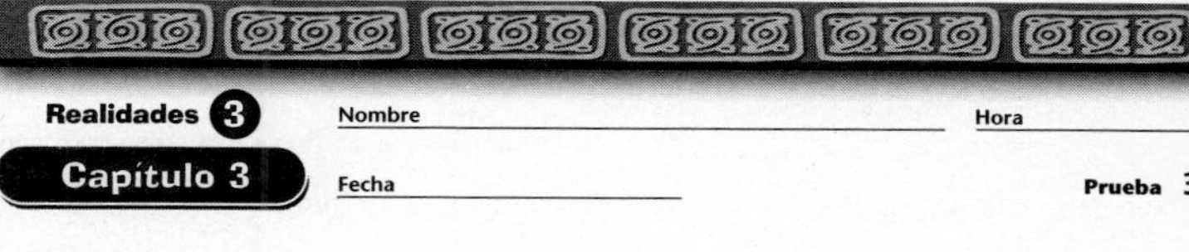

Prueba 3-8

El subjuntivo: Verbos regulares

A. Completa las frases usando verbos del recuadro en el subjuntivo para completar lo que dice la entrenadora. Sólo debes usar cinco de los siete verbos del recuadro.

concentrarse	estirar	comer	respirar	beber	hablar	saltar

1. Ella quiere que nosotros ***comamos*** alimentos nutritivos y saludables y que cuidemos nuestro corazón.
2. Dice que es necesario que yo ***estire*** los músculos antes de hacer ejercicios.
3. Le aconseja a Pepe que ***beba*** agua antes de correr.
4. Dice que es importante que tú ***te concentres*** en lo que estás haciendo.
5. Quiere que todos ***saltemos*** a la cuerda para hacer más fuertes los músculos de las piernas.

B. El entrenador de básquetbol nos está hablando el día antes del partido final del campeonato. Para saber lo que dice, completa las frases con el subjuntivo de uno de los verbos entre paréntesis.

1. La directora de la escuela quiere que yo les ***aconseje*** *(buscar / aconsejar)* a Uds. la importancia de ser atletas honestos(as).
2. Quiero que mañana Uds. ***coman*** *(beber / comer)* alimentos nutritivos y que ***eviten*** *(flexionar / evitar)* la comida basura.
3. A ti, Juan, te sugiero que ***te concentres*** *(estirar / concentrarse)* en el partido. Siempre estás en la luna.
4. Es importante que nosotros no ***nos preocupemos*** *(respirar / preocuparse)* por nada. Debemos tener confianza. Vamos a ganar, ¿no?
5. Es necesario que yo también ***me relaje***. *(levantarse / relajarse)* Estoy muy estresado, ¿verdad?

Prueba 3-9

El subjuntivo: Verbos irregulares

A. Gloria tiene problemas en la clase de educación física y su profesora le dice cómo mejorar. Usa el subjuntivo de uno de los verbos entre paréntesis para saber qué le dice.

Gloria, no es bueno que ***estés*** *(haber / estar)* siempre en la luna durante la clase. Como es necesario que yo ***dé*** *(dar / decir)* pruebas cada semana, es importante que ***entiendas*** *(entender / haber)* bien los ejercicios y que ***sepas*** *(saber / tener)* hacerlos correctamente en la clase y en las pruebas. Es importante que ***seas*** *(ser / estar)* paciente y que ***tengas*** *(poner / tener)* confianza en ti misma. También, quiero que tus padres ***vengan*** *(venir / salir)* a verme. Quiero que ellos ***oigan*** *(oír / hablar)* lo mismo que te estoy diciendo hoy. Y no quiero que tú ***vayas*** *(ir / ver)* a tu próxima clase pensando que yo te exijo demasiado. Lo que quiero es que ***seas*** *(seas / sacar)* una buena atleta al final del año escolar.

B. Tu padre quiere que todos cambien sus hábitos alimenticios y hagan más ejercicio. Completa sus consejos con el subjuntivo de uno de los verbos entre paréntesis.

1. Quiero que la familia ***comience*** *(comenzar / descansar)* a comer alimentos saludables.
2. Es necesario que todos nosotros ***demos*** *(ir / dar)* importancia a las etiquetas de la comida que vamos a comprar y ***sepamos*** *(saber / ser)* lo que contienen.
3. Alberto y Julia, quiero que Uds. ***vayan*** *(ser / ir)* al gimnasio y ***hagan*** *(dar / hacer)* ejercicio. También quiero que ***duerman*** *(dormir / hablar)* bien para que no ***se caigan*** *(practicar / caerse)* de sueño en la escuela. Es importante que ***estén*** *(aprender / estar)* en forma.
4. Tampoco quiero que su madre les ***dé*** *(dar / ir)* muchas meriendas.
5. Es necesario que ***haya*** *(haber / estar)* hábitos saludables en la familia.

Prueba 3-10

El subjuntivo: Verbos con cambio en la raíz

A. Aunque mi padre y el padre de mis primos son hermanos, piensan muy diferente sobre cómo sus hijos(as) deben hacer las cosas. Completa las frases con la forma correcta del subjuntivo del verbo entre paréntesis.

1. Mi tío quiere que mis primos ***jueguen*** básquetbol, pero mi padre prefiere que mi hermano y yo ***juguemos*** béisbol. *(jugar)*
2. Mi tío piensa que es importante que mis primos ***duerman*** diez horas cada día, pero mi padre dice que sólo es necesario que nosotros ***durmamos*** ocho. *(dormir)*
3. Por eso, mi tío exige que mis primos ***se acuesten*** a las nueve de la noche y ***se despierten*** a las siete. Mi padre permite que nosotros ***nos acostemos*** a las once y ***nos despertemos*** a las siete. *(acostarse / despertarse)*
4. Mi tío quiere que mis primos ***vuelvan*** a casa a las nueve los viernes por la noche, pero mi padre permite que nosotros ***volvamos*** a las diez. *(volver)*
5. Mi tío insiste en que mis primos ***se vistan*** con ropa elegante para ir a la escuela, pero mi padre quiere que nosotros ***nos vistamos*** con ropa cómoda. *(vestirse)*

B. Mi hermano(a) y yo estamos muy estresados(as) cuando tenemos exámenes y proyectos en la escuela. Éstos son unos consejos que nos dio una amiga de mamá. Completa las frases con el subjuntivo de uno de los verbos entre paréntesis.

Ella dice que cuando empiezas a sentir estrés, es necesario que no ***sigas*** *(pedir / seguir)* trabajando más y descanses un poco. No es bueno que uno ***se sienta*** *(sentirse / vestirse)* estresado. Ella nos sugiere que ***salgamos*** *(salir / ver)* con nuestros amigos y ***nos divirtamos*** *(preferir / divertirse)*. Ella le aconseja a mi hermana que ***se ría*** *(reírse / servir)* más y que ***se consiga*** *(perderse / conseguirse)* amigos divertidos.

HOJA DE RESPUESTAS, EXAMEN 2

A. (___ / ___ puntos)

1. *desarrollar / abdominales*
2. *calambres / estira*
3. *cinta / aeróbicos*
4. *confianza / preocuparte*

B. (___ / ___ puntos)

1. *fuertes*
2. *estresada*
3. *en la luna*
4. *mal humor*

C. (___ / ___ puntos)

1. *entiendan*
2. *se den*
3. *se acuesten*
4. *duerman*
5. *lleguen*
6. *estén*
7. *seas*
8. *hagan*
9. *practiquen*
10. *coman*
11. *se llenen*
12. *se sienten*
13. *llueva*
14. *ganen*

D. (___ / ___ puntos)

1. *lave*
2. *vaya*
3. *se quede*
4. *vuelva*
5. *empiece*
6. *caliente*
7. *sirva*
8. *pidamos*
9. *comamos*
10. *saque*
11. *corte*
12. *pongas*
13. *escribas*
14. *juguemos*

HOJA DE RESPUESTAS, EXAMEN DEL CAPÍTULO 3

A. Escuchar (/ puntos)

MIS APUNTES

Luisa		
Juan		
Marta		
Alberto		
Catrina		

	¿Qué síntomas tiene?	**¿Qué debe tomar?**	**¿Qué más le aconseja el médico?**
Luisa	*se siente cansada / se duerme durante las clases*	*vitaminas*	*seguir una dieta equilibrada / dormir más / evitar la comida basura / no saltar el desayuno*
Juan	*tiene tos / tiene fiebre / estornuda*	*aspirinas*	*descansar / tomar muchos jugos, agua y sopa*
Marta	*estornuda, le duelen la nariz y los ojos*	*una medicina para la alergia*	*evitar ir al campo*
Alberto	*tiene tos / tiene fiebre / le duele el pecho*	*antibióticos y aspirinas*	*descansar por lo menos una semana*
Catrina	*tiene estrés / está de mal humor*	*un vaso de leche caliente*	*hacer yoga / reírse más / trabajar menos / ver programas cómicos*

Students must include at least one of the answers in red in their grid to receive the one point for each square in the 15-square grid.

B. Leer (___ / ___ *puntos*)

recomienda?	¿Qué entrenador(a) necesita?	¿Qué dieta le recomienda?	¿Qué ejercicios le
	Juan	*dieta nutritiva*	*ejercicios aeróbicos, abdominales, flexiones*
	Pepe	*comida con proteína*	*ejercicios con pesas*
	María	*alimentos ricos en hierro y carbohidratos*	*ejercicios de yoga*

Pregunta: ¿Qué entrenador escoges si quieres aprender a levantar pesas o competir levantando pesas? *Pepe*

C. Escribir (___ / ___ *puntos*)

D. Hablar (___ / ___ *puntos*)

E. Cultura (___ / ___ *puntos*)

Dé crédito total si el estudiante responde a las tres preguntas. (1) El juego tenía un significado religioso: la lucha entre el Sol y el resto de los cuerpos celestiales. (2) Como los dioses veían el juego, sólo los nobles y los atletas especialmente entrenados podían participar en el juego. (3) Todo lo que se necesitaba para jugar el juego era una pelota de goma del tamaño de una pelota de baloncesto. El juego se jugaba en una cancha especial de dos paredes con un anillo de piedra en el centro de cada pared

Prueba 4-1

Comprensión del vocabulario 1

A. Completa las siguientes frases seleccionando la mejor cualidad de un(a) buen(a) amigo(a).

1. Un(a) buen(a) amigo(a) debe ser *b*.
   a. celoso(a) **b.** comprensivo(a) **c.** vanidoso(a)
2. También tiene que ser *c*.
   a. egoísta **b.** entrometido(a) **c.** honesto(a)
3. Un(a) buen(a) amigo(a) también *a*.
   a. es sincero(a) **b.** no guarda tus secretos **c.** no es cariñoso(a)
4. Debe ser una persona *b*.
   a. que siempre cambia de opinión sobre ti **b.** considerada **c.** que no te apoya en momentos tristes
5. Si es un(a) buen(a) amigo(a), debe *a*.
   a. confiar en ti **b.** desconfiar de ti **c.** sorprenderse de ti
6. El / La buen(a) amigo(a) es *c*.
   a. chismoso(a) **b.** entrometido(a) **c.** amable
7. Tú no quieres a un(a) amigo(a) que *a*.
   a. sea vanidoso(a) **b.** sea considerado(a) **c.** te salude con cariño(a)
8. Un(a) amigo(a) es alguien que *b*.
   a. no te acepta tal como eres **b.** tiene confianza en ti **c.** no te apoya nunca

B. Olivia es la mejor amiga de tu hermana Luci. Ella tiene muchas cualidades. Tu hermana escribió una composición sobre ella. Lee lo que escribió y luego lee las frases que siguen. Si la frase es cierta, escribe una C. Si es falsa, escribe una *F*.

Me alegro de tener a Olivia Sandoval de amiga. Ella es una persona que siempre me saluda con cariño cuando me ve, me comprende cuando me siento fatal y me apoya en todo momento. Las dos tenemos mucho en común y creo que por eso es mi amiga íntima. Estamos juntas mucho. Olivia me acepta tal como soy y ésa es una de sus cualidades. Cuando hago algo mal, Olivia me lo dice sin miedo, porque es muy sincera. Pero lo hace de una manera considerada, sin lastimarme. Cuando tengo éxito en algo, Olivia siempre se alegra por mí. Olivia confía en mí y por eso me cuenta todo. Ella sabe que yo sé guardar un secreto. Ojalá que siempre seamos amigas.

1. ___*C*___ Olivia es una persona cariñosa.
2. ___*C*___ Ellas son amigas íntimas.
3. ___*C*___ Luci está contenta de tener a Olivia de amiga.
4. ___*F*___ Olivia no es comprensiva.
5. ___*F*___ Las dos chicas son muy diferentes.
6. ___*F*___ A Olivia no le gustan las cualidades de Luci.
7. ___*C*___ Olivia tiene confianza en Luci, por eso le dice sus secretos.
8. ___*C*___ Olivia no teme decirle a Luci cuando hace algo mal.
9. ___*F*___ Luci se muere por decir los secretos de Olivia.
10. ___*F*___ Luci espera que algún día esta amistad entre ellas termine.
11. ___*F*___ Olivia tiene celos cuando Luci hace algo muy bien.
12. ___*F*___ Luci es una persona chismosa.
13. ___*C*___ Luci pasa mucho tiempo con Olivia.
14. ___*F*___ Cuando Luci hace algo mal, Olivia se sorprende y se enoja con ella.

Prueba 4-2

Aplicación del vocabulario 1

A. Ana María piensa en varios estudiantes de su escuela. Completa sus descripciones con las formas apropiadas de los adjetivos del vocabulario del capítulo.

1. Ramón les habla a todos sobre los otros estudiantes de la escuela. Es muy ___*chismoso*___.
2. Lola piensa que es la chica más guapa de la escuela y siempre se mira en el espejo. Es muy ___*vanidosa*___.
3. Fernando es muy simpático, muy ___*amable*___.
4. Paco siempre quiere saber lo que están haciendo y qué les está pasando a todos. Es un poco ___*entrometido*___.
5. Julia parece comprender los problemas de sus amigas. Es muy ___*comprensiva*___.
6. Isabel no quiere compartir con otros. Tampoco quiere ayudar a los demás. Es bastante ___*egoísta*___. Sin embargo, su hermana Yolanda, siempre piensa en los demás. Es mucho más ___*considerada*___.
7. Catalina siempre abraza y besa a sus amigas. Ella es bastante ___*cariñosa*___.

B. Necesitas estas palabras para terminar un crucigrama. Escribe la palabra junto a la definición.

1. Lo mismo que "yo espero". ___*ojalá*___
2. La relación entre amigos. ___*amistad*___
3. Un amigo muy bueno. ___*íntimo*___
4. No tener confianza en alguien. ___*desconfiar*___
5. La reacción que una persona tiene cuando recibe una sorpresa. ___*sorprenderse*___
6. Tener miedo. ___*temer*___
7. Estar con otra persona. Estar unidos. ___*juntos*___

C. Un joven expresa lo que piensa sobre los amigos. En cada frase, expresa la misma idea de dos maneras. Completa las frases con palabras y expresiones del vocabulario del capítulo.

1. Una persona que sabe guardar un secreto es una persona en la que yo puedo ***confiar***.
2. A mis amigos y a mí nos gustan las mismas cosas. Nosotros tenemos ***mucho en común***.
3. Mi amiga está contenta de verme feliz. Ella ***se alegra*** de verme feliz.
4. Mi amigo está conmigo cuando estoy triste. Él me ***apoya*** en los momentos difíciles.
5. No soy perfecto, pero mi amigo me ***acepta tal como*** soy. Está contento conmigo, con mis cualidades buenas y mis problemas.
6. Mi amigo no dice que va a hacer una cosa y luego hace otra cosa. Estoy contento porque mi amigo no ***cambia de opinión*** fácilmente.
7. A mi novia le molesta cuando estoy con otras chicas. Ella ***tiene celos*** cuando estoy con otras chicas.

Prueba 4-3

El subjuntivo con verbos de emoción

A. Le estás hablando a tu hermanita sobre los amigos. Completa las frases con el subjuntivo o el infinitivo de los verbos entre paréntesis.

Isabelita, me preocupa que no ***sepas*** *(saber)* escoger a un buen amigo. Es importante que yo te ***explique*** *(explicar)* las cualidades de los buenos amigos. Es bueno ***escoger*** *(escoger)* quiénes van a ser tus amigos. También es bueno que ***encuentres*** *(encontrar)* amigos con buenas cualidades. A mí me molesta ***tener*** *(tener)* amigos que sean chismosos y entrometidos. ¿A ti no te molesta que un amigo ***hable*** *(hablar)* mal de ti? También es bueno que tus amigos te ***apoyen*** *(apoyar)* en todo momento y que te ***comprendan*** *(comprender)*. Es importante ***saber*** *(saber)* que puedes contar con tus amigos y tus amigas para todo.

B. Una amiga te está hablando de los problemas que ella tiene con otros amigos. Tú le respondes con una expresión de emoción. Escribe la frase que le dices a tu amiga.

Modelo Marta no me entiende. *(sentir)*
Siento que Marta no te entienda.

1. No me llevo bien con José. *(es triste)*
   Es triste que no te lleves bien con él.
2. Tere desconfía de mí. *(es una lástima)*
   Es una lástima que ella desconfíe de ti.
3. Elena no me dice sus secretos. *(sentir)*
   Siento que ella no te diga sus secretos.
4. Ramón piensa que yo soy vanidosa. *(sorprenderse)*
   Me sorprende que él piense que eres vanidosa.

Prueba 4-4

Los usos de *por y para*

A. Ayer fuiste con tu abuelito al médico y esto fue lo que él le recomendó. Completa las siguientes frases usando *por* o *para*.

1. Sr. Benítez, *para* estar en buena forma, quiero que haga ejercicios.
2. *Por* ejemplo, camine *por* el parque *por* 30 ó 40 minutos. Hágalo *por* las mañanas, que es mejor. Y tú, Pepito, haz algo *por* tu abuelito y camina con él. Así lo puedes ayudar.
3. Antes de salir *para* el parque, beba agua o lleve el agua con Ud.
4. No se olvide de comer frutas y verduras. Coma espinacas, son buenas *para* la salud porque tienen mucho hierro.
5. Y *por* supuesto, trate de hablar con personas que sean cariñosas y consideradas con Ud. Los amigos y la familia son muy buenos *para* la salud.
6. *Para* el mes próximo se va a sentir mucho mejor.

B. Nos estás contando lo que te pasó ayer. Completa las frases con *por* o *para*.

Por lo general me gusta invitar a mis amigos a casa *para* ver algún deporte en la tele. Ayer *por* la tarde llamé a Luis *para* saber si él quería venir a ver el partido de béisbol entre Los Tigres y Los Leones. Me dijo que sí, que iba a venir. Lo estuve esperando *por* horas. Cuando terminó el partido lo llamé y me dijo: "Carlos, *por* favor, perdóname, estuve hablando con mi novia Ana *por* teléfono y se me pasó el tiempo. *Por* eso no pude ir, pero ahora salgo *para* tu casa".

"*Para* ver la tele es demasiado tarde. Si quieres, nos vemos otro día", le dije yo. No quise pelearme con él *por* un partido de béisbol. Él es un buen amigo.

HOJA DE RESPUESTAS, EXAMEN 1

A. (___ / ___ *puntos*)

1. *íntimo* 4. *confiar* 7. *egoísta*
2. *comprensivo* 5. *guardar* 8. *juntos*
3. *apoya* 6. *chismoso* 9. *acepta tal como*

B. (___ / ___ *puntos*)

1. *entrometida* 3. *celos* 5. *en común*
2. *celosa* 4. *amistad* 6. *honesta*

C. (___ / ___ *puntos*)

1. *¡Ojalá que Mariano y Julio puedan reconciliarse!*
2. *Me alegro de que tengas mucho en común con tus hermanos.*
3. *Es malo que tu novio sea muy celoso.*
4. *Me sorprende que los profesores no te acepten tal como eres.*
5. *Es bueno que tu familia siempre te apoye.*
6. *Siento que tu mejor amiga cambie de opinión a menudo.*
7. *Espero que puedas ir a la playa con tu familia este año.*
8. *Me alegro de que ahora Sandra y tú sean amigas.*
9. *¡Qué lástima que no puedas ir a la fiesta de cumpleaños de María!*
10. *Siento que José esté enojado con Juan.*
11. *Me alegro de que estés sacando buenas notas en la escuela.*

D. (___ / ___ *puntos*)

1. *para* 4. *Para* 7. *por* 10. *por* 13. *Para*
2. *por* 5. *Por* 8. *para* 11. *por* 14. *Por*
3. *Por* 6. *para* 9. *por* 12. *para*

Prueba 4-5

Comprensión del vocabulario 1

A. ¿Cuáles son las cualidades de un verdadero amigo? Lee las siguientes frases y decide si son lógicas o ilógicas.

Escribe una *L* para lógico o una *I* para ilógico.

1. ___*I*___ Un buen amigo te ignora y no te apoya en nada.
2. ___*I*___ Él sólo piensa en sí mismo y en nadie más.
3. ___*L*___ Un buen amigo trata de reconciliarse contigo si tuvieron una pelea.
4. ___*L*___ Te pide perdón si reconoce que estuvo equivocado.
5. ___*I*___ Un buen amigo siempre te critica y te molesta.
6. ___*L*___ Te puede perdonar si tú le das una explicación.
7. ___*L*___ Un buen amigo trata de ponerse de acuerdo contigo si hay un conflicto.
8. ___*I*___ Siempre te acusa a ti de tener la culpa.
9. ___*L*___ Él te hace caso cuando quieres hablar de tus problemas.

B. Tus amigos están teniendo problemas. Algunos se resuelven y otros no. Completa las frases con una de las palabras del vocabulario entre paréntesis.

1. Armando y Alberto tuvieron un ___**malentendido**___ *(armonía / malentendido)* y se pelearon, pero después ___**hicieron las paces**___ *(hicieron las paces / hicieron caso)*. Armando ___**reconoció**___ *(perdonó / reconoció)* que él tenía la culpa y le ___**pidió perdón**___ *(pidió perdón / reaccionó)* a Alberto.

2. Ayer en la cafetería, Maritza le dijo a Jorge que él ___**tuvo la culpa**___ *(tuvo la culpa / tuvo razón)* de la pelea entre Catalina y Gustavo. Jorge le dijo: "¡Qué va!, yo no fui. Fueron ellos los que tuvieron una ___**diferencia de opinión**___ *(explicación / diferencia de opinión)* y se pelearon". Maritza no le ___**hizo caso**___ *(hizo caso / hizo las paces)* y se fue.

3. Hoy traté de resolver un ___**conflicto**___ *(comportamiento / conflicto)* entre mis amigas Marta y Emilia. Quise traer ___**armonia**___ *(armonía / conflicto)* y ___**mejorar**___ *(perdonar / mejorar)* la relación de amistad entre ellas, pero no pude. Ellas trabajan juntas en el periódico de la escuela y están preparando un artículo sobre cómo tener buenas relaciones entre los miembros de la familia. Ayer, Marta ___**se atrevió**___ *(se atrevió / se reconcilió)* a acusar a Emilia de no hacer nada. Le dijo: "Anoche entrevisté a la familia Gómez y tú no ___**colaboraste**___ *(criticaste / colaboraste)* en nada." Emilia ___**reaccionó**___ *(reaccionó / ignoró)* de una manera violenta y se pelearon. Ahora no se saludan. Marta espera que Emilia le pida perdón. Creo que Marta tiene razón. No sé qué va a pasar con el artículo.

Prueba 4-6

Aplicación del vocabulario 2

A. ¿Cómo resuelves tú estas situaciones? Completa las frases con palabras del vocabulario estudiado en el capítulo.

1. Alguien te ___*acusa*___ de hacer algo que tú no hiciste.

   Le dices: "¡Qué va! ¡___*Yo no fui*___! ¡No hice nada!".
2. Te das cuenta de que hiciste algo mal.

   Pido ___*perdón*___.
3. Un día un amigo no te habla más y te ignora, y tú no sabes por qué.

   Le pido una ___*explicación*___ para saber por qué.
4. Tú y tu amigo nunca se pelean pero siempre hay ___*diferencias*___ de opinión entre Uds.

   Trato de ___*ponerme de acuerdo*___ con él.
5. Tus padres te dan un consejo y te das cuenta de que es un buen consejo.

   No los ignoro, les ___*hago caso*___.

B. Tu hermana Elsa se enojó contigo ayer por algo que le dijiste. Completa las frases con la palabra apropiada del vocabulario estudiado en el capítulo.

Esta mañana tuve una ___*pelea*___ con mi hermana Elsa. Ella me acusó de tener la ___*culpa*___ de que Rebeca no le hable más a ella. Yo me enojé y le dije que no tenía razón, que estaba ___*equivocada*___. No tuve miedo y ___*me atreví*___ a decirle que el problema era que Rebeca estaba celosa porque Elsa estaba saliendo con Rogelio, su ex-novio. Ella respondió y ___*reaccionó*___ de una manera violenta y salió furiosa de la casa. No sé si me va a ___*perdonar*___ por lo que le dije.

C. A tu amigo Pepe le gusta usar sinónimos. Completa las frases con una palabra del vocabulario del capítulo que sea similar a la palabra subrayada. Usa los mismos tiempos verbales si las palabras que vas a usar son verbos.

TÚ: Finalmente, Inés se dio cuenta de que su mejor amiga es una chismosa.

PEPE: Sí, por fin lo ___*reconoció*___.

TÚ: Me parece que la situación entre Luz y Lilia no está tan mal como antes.

PEPE: Sí, todos pensamos que el problema entre ellas va a ___*mejorar*___ pronto.

TÚ: Por fin, Sofía y Mario hicieron las paces después de tanto tiempo de estar peleados.

PEPE: ¡Qué bueno que ___*se reconciliaron*___! ¿Verdad?

TÚ: No me gusta Enrique, es muy egoísta.

PEPE: Es verdad, siempre ___*piensa en sí mismo*___ y nunca en los demás.

TÚ: Mis hermanitos se portan mal siempre que van a un lugar.

PEPE: Sí, su ___*comportamiento*___ es muy malo. Uds. tienen que hacer algo con ellos.

TÚ: Pepe, ¿estás ayudando en el escenario para la obra que estamos preparando?

PEPE: Sí, estoy ___*colaborando*___. Es lo menos que puedo hacer, ¿no?

TÚ: Ahora hay paz en mi casa. Todos nos estamos llevando bien.

PEPE: Me alegro de que ahora haya ___*armonía*___ en tu familia.

TÚ: A veces hay problemas en una amistad porque los amigos no se entienden.

PEPE: Estoy de acuerdo. Es una lástima que una amistad se rompa a causa de un ___*malentendido*___.

Prueba 4-7

Mandatos con *nosotros*

A. Tú y tu hermano Guille salieron sin pedir permiso y les mintieron a sus padres. Ahora vuelven a casa y están hablando sobre lo que les van a decir. Uds. no están de acuerdo en lo que van a decir. Completa las frases con el mandato con *nosotros* del verbo apropiado entre paréntesis.

1. —Primero, **pongámonos** *(pelearse / ponerse)* de acuerdo en lo que vamos a decir.
2. —**Digámosles** *(Alegrarse / Decirles)* la verdad. ¿Qué te parece?
3. —No, no **lo hagamos** *(hacerlo / resolverlo)*. No nos van a perdonar.
4. —Tenemos que decirles la verdad. **Pidámosles** *(Ignorarlos / Pedirles)* perdón. Yo sé que nos van a perdonar.
5. —¿Tú crees? No sé . . . No, mejor **guardemos** *(desconfiar / guardar)* el secreto.
6. —No, **seamos** *(ser / estar)* sinceros. **Contémosles** *(Contarles / Tenerles)* la verdad.

B. Sugiérele a un amigo qué hacer para hacer las paces con otro amigo con quien Uds. están peleados. Completa las sugerencias con el mandato con *nosotros* de uno de los verbos del recuadro.

divertirse	reconciliarse	prometerle	ignorar
invitarlo	empezar	criticarlo	atreverse

1. —**Reconciliémonos** con Humberto. Es hora de hacer las paces.
2. —**Ignoremos** todo lo que pasó y **empecemos** de nuevo.
3. —**Prometámosle** ser más considerados y comprensivos con él.
4. —Y después de hacer las paces, **invitémoslo** a la fiesta de Josefina y **divirtámonos** todos juntos.

Prueba 4-8

Pronombres posesivos

A. Estás comparando a tu familia con la de tu amiga Petra. Usa un pronombre posesivo que haga referencia a la palabra subrayada.

Modelo Mi madre se llama Fina. *La tuya* se llama Hortensia.

Mi familia es grande. **La tuya** es pequeña. Por eso la casa de Uds. no es muy grande, pero **la nuestra** es enorme. Nuestra casa está en el campo. Ustedes tienen **la suya** en la ciudad. Tú tienes dos hermanos que son mayores que tú. **Los míos** son menores que yo. Mi abuelo vive con nosotros; **el tuyo** vive en su casa. Como puedes ver hay varias diferencias entre tu familia y **la mía**.

B. Tu abuelita no oye bien y cuando tú le dices algo, ella necesita una explicación. Respóndele con un pronombre posesivo en lugar de la palabra subrayada.

Modelo —Mi amigo es egoísta.
—¿El amigo de quién?
—*El mío*.

1. —Los hermanos de Juan tienen la culpa.
   —¿Los hermanos tuyos?
   —No, los **suyos**.
2. —El amigo mío y de José es honesto.
   —¿El amigo de quién?
   —El **nuestro**.
3. —Mis profesoras son amables.
   —¿Las profesoras de quién?
   —Las **mías**.
4. —El abuelo de Sarita tiene razón.
   —¿Tu abuelo, dices?
   —No, el **suyo**.
5. —Los primos míos y tuyos están aquí.
   —¿Los primos de quién?
   —Los **nuestros**.
6. —Abuelita, tus hermanas me criticaron.
   —¿Las hermanas de tu madre?
   —No, las **tuyas**.

HOJA DE RESPUESTAS, EXAMEN 2

A. (___ / ___ puntos)

1. *conflictos*
2. *resolver*
3. *diferencias de opinión*
4. *colaborar*
5. *reconciliarse*
6. *peleas*
7. *acusar*
8. *comportamiento*
9. *armonía*
10. *en sí mismo*

B. (___ / ___ puntos)

1. *se atreve*
2. *equivocado(a)*
3. *ignorar*
4. *colaborar*
5. *pedir perdón*
6. *reconocer*
7. *malentendido*
8. *mejorar*
9. *Yo no fui*
10. *explicación*

C. (___ / ___ puntos)

1. *hagamos*
2. *abracémoslo* / *Seamos*
3. *Perdonemos*
4. *lo critiquemos*
5. *juguemos* / *riámonos*
6. *Confiemos*
7. *lo ignoremos*
8. *Apoyémoslo*

D. (___ / ___ puntos)

1. *tuya* / *mía*
2. *tuyas* / *mías*
3. *tuyos* / *míos*
4. *nuestros*
5. *suyo*
6. *nuestro*
7. *suyos*

HOJA DE RESPUESTAS, EXAMEN DEL CAPÍTULO 4

A. Escuchar (___ / ___ puntos)

	MIS APUNTES
Alberto	
María	
Antonio	
Susi	
Lorena	

	¿Cuál es la mejor cualidad de su amigo(a)?	¿Qué le molesta de su amigo(a)?	¿Qué tienen en común?
Alberto	*Es comprensivo.*	*Es demasiado vanidoso.*	*Son celosos.*
María	*Es cariñosa.*	*Es un poco entrometida.*	*Son un poco chismosas.*
Antonio	*Es honesto.*	*Es un poco egoísta.*	*Son atrevidos.*
Susi	*Es considerada.*	*Critica demasiado.*	*Les gusta navegar en la Red.*
Lorena	*Es cariñosa.*	*Es chismosa.*	*Les gustan los mismos colores.*

B. Leer (___ / ___ puntos)

1. *B*
2. *C*
3. *A*

C. Escribir (___ / ___ *puntos)*

D. Hablar (___ / ___ *puntos)*

E. Cultura (___ / ___ *puntos)*

Dé crédito total si el estudiante menciona al menos tres comparaciones basadas en la información de la encuesta en las páginas 166 y 176.

Prueba 5-1

Comprensión del vocabulario 1

A. Esteban y unos amigos hablan sobre lo que quieren hacer este verano. Di qué trabajo busca cada uno, encerrando en un círculo la palabra que lo describe.

1. El periódico local de nuestra ciudad busca a alguien para repartir periódicos. El único requisito es tener una bicicleta. Voy a solicitar el puesto.
   a. gerente **b.** mensajero **c.** repartidor (circled)
2. Me gusta cuidar chicos y me llevo bien con ellos. Las horas de trabajo son flexibles. Voy a llamar para pedir una entrevista.
   a. entrenadora **b.** niñera (circled) **c.** clienta
3. Me gusta estar al sol y nado muy bien. Éste es el trabajo perfecto para mí.
   a. salvavida (circled) **b.** consejero **c.** recepcionista
4. Este verano voy a trabajar en un campamento con chicos de 8 a 12 años. Tengo que trabajar con ellos y ayudarlos a hacer ejercicio y divertirse sanamente.
   a. niñero **b.** consejero (circled) **c.** gerente
5. El año pasado trabajé en una tienda donde se reparan bicicletas. Como ahora tengo mucha experiencia, este año voy a estar encargado de la tienda.
   a. gerente (circled) **b.** mensajero **c.** dueño

B. Ricardo escribió una carta para solicitar un trabajo. Completa su carta subrayando la palabra entre paréntesis que mejor complete la frase.

Estimados Sres.:

Me llamo Ricardo Gamboa. Estoy en mi último año de la escuela secundaria y estoy muy interesado en trabajar en su *(computación / compañía)*. Soy un estudiante *(dedicado / entrometido)* en la escuela. Soy *(egoísta / responsable)* con mi trabajo y siempre *(cumplo / sueldo)* con mis tareas diarias. Tengo buenos *(conocimientos / requisitos)* de matemáticas y ciencias. Mi *(beneficio / habilidad)* con las computadoras es muy buena. Busco trabajo *(a tiempo completo / a tiempo parcial)*, entre 15 y 20 horas a la semana. Puedo trabajar horas *(puntuales / flexibles)*.

Sinceramente,

Ricardo Gamboa

C. Elena le habla a su amiga sobre un trabajo que obtuvo para el verano. Completa las frases con las palabras apropiadas de cada recuadro. No todas las palabras son necesarias.

solicitud de empleo	recepcionista	dueño	presentarme
a tiempo completo	anuncios clasificados	entrevista	cumplir

Como este verano quiero trabajar ____________, 40 horas a la semana, compré el periódico para buscar un trabajo en los ____________. Encontré varios, pero uno me llamó la atención. Es de ____________ en el consultorio de un veterinario. Como tú sabes, a mí me encantan los animales. Llamé por teléfono y me dijeron que debía ____________ a las 3:30 P.M. Allí tuve que llenar una ____________ y después tuve la entrevista con el ____________, el Dr. Ruiz.

puesto	requisito	computación	salario
fecha de nacimiento	experiencia	amable	

Cuando fui a la entrevista, el Dr. Ruiz era un señor muy ____________, pero no me creía mi edad, y tuve que darle una prueba de mi ____________. Me preguntó si tenía experiencia en ____________ y le dije que sí. Para el Dr. Ruiz, saber usar la computadora era lo más importante. Era el único ____________. Me dio el ____________ y me va a pagar un ____________ de $400.00 por semana. Empiezo a trabajar a fines de junio.

¿Lo puedes creer?

Prueba 5-2

Aplicación del vocabulario 1

A. Tú y un grupo de amigos(as) están hablando sobre el trabajo que van a hacer este verano. Completa lo que dicen con la palabra que corresponda según el dibujo apropiado.

1. Me gusta atender al público y sé tratar bien a los clientes. Me encanta hablar por teléfono. Me gustaría ser ***recepcionista***.
2. Me gusta montar en bicicleta. Voy a ser ***repartidor*** de periódicos en mi barrio.
3. El año pasado fui ***consejera*** en un campamento para niñas de 9 a 12 años. Este verano quiero hacer el mismo trabajo.
4. El Sr. y la Sra. Ortiz tienen dos hijos. Uno de 7 años de edad y otro de 5. Los dos esposos trabajan. Necesitan una ***niñera*** para cuidarlos. Voy a trabajar para ellos.
5. Mi papá trabaja en una compañía que tiene dos oficinas en diferentes partes de la ciudad. Necesitan a alguien para llevar y traer papeles importantes de una oficina a la otra. Voy a ser ***mensajero*** de allí.
6. En la piscina de mi barrio necesitan a dos ***salvavidas***. Yo sé nadar muy bien. Ayer solicité ese puesto. Espero que me llamen.

B. Escribe las cualidades que debe tener un(a) buen(a) empleado(a), según lo que dice cada frase. Usa el vocabulario aprendido en este capítulo.

Modelo Alejandro siempre llega tarde al trabajo.
Alejandro debe llegar temprano, debe ser *puntual*.

1. A Patricio no le gusta hacer cosas diferentes cada día, pero en su trabajo necesitan que él haga un poco de todo. Debe ser más ***flexible***.
2. Susana siempre saluda de manera agradable y trata bien a los clientes. Susana es muy ***amable***.
3. Gabriel hace bien su trabajo, se concentra en hacer todo lo necesario y trabaja muchas horas. Es muy ***dedicado***.
4. Marisa siempre llega a la hora correcta. Es una persona ***puntual***.
5. A Sandra no le importa llegar tarde o no terminar su trabajo. Debe ser más ***responsable***.

C. Estás leyendo unos anuncios clasificados en el periódico. Completa los anuncios con una palabra apropiada del vocabulario del capítulo.

1. Se necesita secretaria(o) bilingüe, inglés-español. Ofrecemos buenos ***beneficios***, que incluyen 2 semanas de vacaciones. Llamar al 545-2525 para tener una ***entrevista*** con la gerente.
2. Se busca camarero(a) para trabajar en restaurante mexicano. Persona con experiencia. Trabajo ***a tiempo parcial***, 15 horas los fines de semana. Debe ***presentarse*** entre 6:00 y 9:00 P.M. para llenar la ***solicitud de empleo***.
3. Se busca ***gerente*** para club deportivo. Debe encargarse del club, supervisar y entrenar a ocho empleados. Trabajo ***a tiempo completo***, de lunes a sábado, 8 horas al día. Llamar al 232-5040.

Prueba 5-3

El presente perfecto

A. Jorge acaba de solicitar un puesto en una compañía. Completa sus frases usando el presente perfecto de uno de los verbos entre paréntesis.

Hoy yo ***he solicitado*** *(reparar / solicitar)* un puesto en la compañía donde mi papá ***ha trabajado*** *(trabajar / vivir)* por muchos años. Yo ***he ido*** *(ver / ir)* allí y ***he llenado*** *(llenar / atender)* una solicitud de empleo. Ellos ***me han hecho*** *(hacerme / repartirme)* muchas preguntas y ***las he contestado*** *(oírlas / contestarlas)* lo mejor que ***he podido*** *(poder / leer)*. El Sr. López, el dueño, ***me ha dicho*** *(creerme/ decirme)* que me van a llamar después de leer la solicitud para hacerme una entrevista y ***me ha pedido*** *(pedirme / abrirme)* que lleve dos referencias. ¡Ojalá que me llamen!

B. Hoy ha sido un día fatal en la oficina. Veamos por qué. Vuelve a escribir la frase, cambiando al presente perfecto los verbos que están subrayados.

Modelo Los empleados no cumplen con sus obligaciones.
Los empleados no han cumplido con sus obligaciones.

1. Nosotros no escribimos los informes.
Nosotros no hemos escrito los informes.
2. Las computadoras se rompen y nadie viene a repararlas.
Las computadoras se han roto y nadie ha venido a repararlas.
3. Unos clientes ven lo desordenada que está la oficina y se van.
Unos clientes han visto lo desordenada que está la oficina y se han ido.
4. La recepcionista no regresa del almuerzo.
La recepcionista no ha regresado del almuerzo.
5. Y tú, Carlos, no arreglas los informes que estaban desordenados.
Y tú, Carlos, no has arreglado los informes que estaban desordenados.

Prueba 5-4

El pluscuamperfecto

A. Ayer fue un día muy bueno en la oficina del gerente Amador. Para saber por qué, completa las frases con el pluscuamperfecto de uno de los verbos entre paréntesis.

Modelo Cuando salí de casa ya ***había parado*** *(parar / secar)* de llover.

Ayer tuve un día muy bueno en la oficina. Cuando llegué, ya todos los empleados ***habían llegado*** *(llegar / salir)*. Todos estaban de buen humor. Yo nunca ***los había visto*** *(creerlos / verlos)* tan contentos antes. Mi secretaria ya ***había escrito*** *(escribir / romper)* mis cartas. El Sr. Roa ***había leído*** *(morir / leer)* el informe de la compañía Piotex y le ***había gustado*** *(gustar / ser)*. La recepcionista ***había atendido*** *(atender / estar)* a tres clientes nuevos. La Sra. Calvo nos leyó un informe que escribió. Nunca ***había oído*** *(caer / oír)* un informe tan bueno. En fin, cuando el día terminó, yo estaba feliz. ¡Qué día tan bueno!

B. Unos chicos están esperando para tener una entrevista en la agencia de empleo. Todos hicieron algo antes de ir allí para prepararse. Completa las frases con el pluscuamperfecto de los verbos del recuadro. No todos los verbos son necesarios.

hacer	llenar	leer	abrir	llamar	pedir	practicar	morir

1. Hacía una semana que todos nosotros ***habíamos llamado*** a la agencia de empleo para pedir una cita.
2. Nosotros también ***habíamos llenado*** la solicitud de empleo.
3. Carlos les ***había pedido*** dos cartas de recomendación a los gerentes de las compañías donde trabajó antes.
4. Elvira y Ester ***habían leído*** el anuncio en el periódico *El Diario*.
5. Marta ***había practicado*** con su mamá lo que iba a decir en la entrevista.
6. Y tú, Sebastián, ¿qué ***habías hecho*** antes de ir a tu entrevista?

HOJA DE RESPUESTAS, EXAMEN 1

A. (___ / ___ *puntos*)

Horizontal

1. ***anuncio clasificado***
2. ***cliente(a)***
3. ***suelen***
4. ***reparar***
5. ***puesto***
6. ***flexible***
7. ***niñero(a)***
8. ***puntual***
9. ***requisito***

Vertical

1. ***fecha de nacimiento***
2. ***salario***
3. ***tiempo parcial***
4. ***entrevista***
5. ***solicitud de empleo***
6. ***salvavida***
7. ***repartir***
8. ***amable***
9. ***conocimiento***

B. (___ / ___ *puntos*)

1. ***nos ha dicho***
2. ***hemos hecho***
3. ***nos ha contestado***
4. ***me ha gritado***
5. ***he roto***
6. ***me he puesto***

C. (___ / ___ *puntos*)

1. ***habían escrito***
2. ***había llevado***
3. ***había comprado***
4. ***había leído***
5. ***habíamos pagado***
6. ***habíamos planeado***

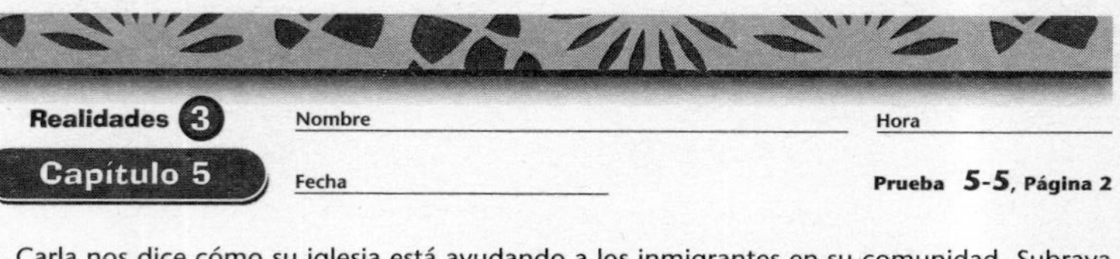

Prueba 5-5

Comprensión del vocabulario 2

A. Marina y sus amigos están hablando de sus trabajos como voluntarios. Di de qué lugar están hablando. Escribe en el espacio en blanco la letra del lugar donde hacen trabajo voluntario.

MARINA: Yo ayudo a preparar y a servir comida en el ***c*** todos los sábados. Me gusta ayudar allí.

a. centro de rehabilitación **b.** centro de la comunidad **c.** comedor de beneficencia

CARLOS: Mi abuelita tiene 80 años y vive en un ***a***. La cuidan muy bien. Yo soy voluntario allí los domingos.

a. hogar de ancianos **b.** centro de la comunidad **c.** centro recreativo

TERESITA: Mi padre es el presidente del ***b*** de nuestro barrio. Yo voy a ayudar cuando tienen una exhibición de arte, presentan una obra de teatro o hay reuniones de vecinos.

a. hogar de ancianos **b.** centro de la comunidad **c.** centro de rehabilitación

JOSÉ: En nuestra comunidad hay un ***c*** donde yo hago trabajo voluntario. Ayudo a las personas que han tenido algún accidente y necesitan hacer ejercicio.

a. comedor de beneficencia **b.** centro recreativo **c.** centro de rehabilitación

LAURA: Me encanta ayudar en el ***b*** los domingos. Como soy muy buena en básquetbol, soy entrenadora de un grupo de chicos de 8 y 9 años. La pasamos muy bien.

a. centro de rehabilitación **b.** centro recreativo **c.** comedor de beneficencia

B. Carla nos dice cómo su iglesia está ayudando a los inmigrantes en su comunidad. Subraya la palabra que mejor completa las frases.

Un grupo de jóvenes de mi iglesia va a *(beneficiar / organizar)* un baile para *(sembrar / juntar)* fondos para ayudar a los inmigrantes pobres de nuestra comunidad. No es *(justo / injusto)* que muchos en nuestra *(campaña / sociedad)* los traten mal sólo porque son inmigrantes y no hablan inglés. Tenemos que *(educar / solicitar)* a la comunidad, para que todos reconozcan que en este país todos somos iguales ante la *(responsabilidad / ley)*. Ellos tienen *(fondo / derecho)* a ganarse la vida como nosotros, aunque no sean *(ciudadanos / ciudadanías)*. No queremos que en el futuro ellos sean la *(gente sin hogar / servicio social)* de nuestra comunidad. Por eso, en nuestra iglesia también estamos dándoles clases de inglés para ayudarlos a conseguir la *(ciudadano / ciudadanía)*. ¿Te interesaría ayudar?

C. Ofelia está organizando una manifestación para parar los experimentos con animales. Completa las frases usando las palabras del recuadro. No todas las palabras son necesarias.

beneficiar	servicio social	marcha	donar
en contra	a favor	protegerlos	injusto

Estoy ***en contra*** de usar animales para hacer experimentos. Me encantan los animales y voy a tratar de ***protegerlos*** porque creo que eso está mal. Ahora estoy organizando una ***marcha*** para protestar delante del laboratorio donde hacen esos experimentos. Es ***injusto*** matar a estos animales para ***beneficiar*** a algunas compañías. Voy a ***donar*** todo mi tiempo y esfuerzo para trabajar ***a favor*** de los animales.

Prueba 5-6

Aplicación del vocabulario 2

A. Tú y tus amigos(as) hablan de hacer trabajo voluntario. Completa el diálogo según el dibujo a la derecha.

—¿Te gustaría hacer trabajo voluntario en el ***comedor de beneficencia*** los sábados?

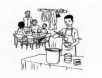

—Me encantaría. Me gusta mucho cocinar y ayudar a los pobres.

—¿Estás interesado en venir conmigo al ***hogar de ancianos*** a hacer trabajo voluntario después de las clases los lunes y los miércoles?

—Me es imposible. Los miércoles tengo práctica de béisbol.

—¿Te interesaría ayudar en el ***centro de la comunidad*** este fin de semana? Hay un concierto y necesitamos a alguien para vender las entradas.

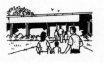

—Sí, me interesa mucho. ¿A qué hora debo estar allí?

—Alfonso, ¿has trabajado de voluntario alguna vez? ¿Quieres ayudarme los domingos en el ***centro recreativo***? Es divertido hacer artesanías con los chicos.

—Me encantaría, pero me es imposible. Los domingos ayudo en el comedor de beneficencia de mi iglesia.

—Anita, ¿te gustaría hacer trabajo voluntario en el ***centro de rehabilitación*** los jueves, después de las clases? Ayudamos a las personas que tienen problemas físicos.

—Sí, creo que me interesaría hacerlo. Yo quiero estudiar medicina.

B. Varias personas quieren ser alcalde *(mayor)* de tu ciudad. Ésto es lo que dicen. Completa sus discursos con una palabra del vocabulario estudiado en este capítulo. Usa como pista la expresión entre paréntesis.

1. Buenas tardes. Me llamo Gabriel Díaz y quiero ser su próximo alcalde. Quiero decirles que yo estoy ***a favor*** *(apoyo)* de proteger el ***medio ambiente*** *(todo lo que nos rodea)* y que estoy ***en contra*** *(no apoyo)* de la contaminación que nos está matando a todos. Quiero empezar la ***campaña*** *(el programa)*, "Más árboles para mi ciudad". Quiero ***sembrar*** *(poner nuevos)* árboles por las avenidas y los parques. Espero ganar su voto. Gracias.
2. Buenas tardes. Mi nombre es Rebeca Amador y también quiero ser su próxima alcaldesa. Yo tampoco quiero la contaminación, pero también quiero terminar con el problema de la ***gente sin hogar*** *(las personas que no tienen dónde vivir)*. Va a ser mi responsabilidad como alcaldesa crear más trabajos y ***construir*** *(hacer nuevas)* casas para esa gente. Esas personas también son ***ciudadanos*** *(personas nacidas en el país)* de este país y tienen los mismos ***derechos*** *(cosas que pueden hacer y disfrutar)* que nosotros. Voten por mí, Rebeca Amador.
3. Buenas tardes, amigos. Me llamo Ricardo Morales y deseo ser su futuro alcalde, si Uds. así lo desean. Lo que han dicho los otros candidatos está muy bien, pero ellos no han hablado del problema de nuestros niños. Los necesitamos ***educar*** *(enseñar)* bien. Quiero mejores escuelas para ellos para poderles ***garantizar*** *(asegurar)* una buena educación. También quiero hacer una organización de voluntarios para ofrecer ***servicio social*** *(servicios que se dan a las personas)* en diferentes centros infantiles. Quiero que todos los miembros de nuestra ***sociedad*** *(grupo de personas de un lugar)* ayuden a los niños, porque ellos son el futuro de nuestra ciudad. Necesito su voto el próximo martes. Gracias.

Prueba 5-7

El presente perfecto del subjuntivo

A. Rosario, la organizadora de la marcha, habla sobre los últimos detalles de este importante evento. Completa los diálogos, usando uno de los verbos entre paréntesis en el presente del subjuntivo.

Modelo Rosario espera que todo ___*haya sido*___ (*ser / decir*) preparado para la marcha.

—Lucía, espero que ___**hayas hecho**___ (*hacer / romper*) las señales para la marcha.

—No, se me olvidó, pero me alegro de que ___**me hayas recordado**___ (*verme / recordarme*) eso.

—Ojalá que Arturo ___**haya podido**___ (*poder / tener*) hablar con la gente sin hogar que va a participar en la marcha con nosotros. ¿Ya volvió?

—Yo dudo que ___**haya vuelto**___ (*volver / poner*). Salió hace una hora.

—Me alegro de que nosotros ___**hayamos juntado**___ (*juntar / sembrar*) bastantes fondos para la marcha.

—Sí, es excelente que tantas personas ___**hayan contribuido**___ (*mentir / contribuir*) con dinero y también con ropa. Creo que vamos a tener éxito el domingo.

B. La madre de Rosario, después de la manifestación, le está diciendo a su hija que está muy orgullosa de ella. Completa las frases con los verbos del recuadro en el presente perfecto del subjuntivo. No todos los verbos son necesarios.

hablar	oír	organizar	dar	sacar	ayudar

Rosario, ven acá. Quiero decirte que estoy muy orgullosa de que ___**hayas organizado**___ esta manifestación a favor de la gente sin hogar. Me alegro de que muchos estudiantes ___**hayan ayudado**___ a preparar este evento. Es una buena causa. También es importante que la directora de la escuela haya venido a apoyarlos y ___**haya dado**___ un discurso tan bueno. Espero que los políticos ___**hayan oído**___ el mensaje y ahora hagan algo por esta gente sin hogar. Ojalá que los periódicos ___**hayan sacado**___ buenas fotos y escriban algo bonito sobre la marcha. ¡Te felicito!

Prueba 5-8

Los adjetivos y los pronombres demostrativos

A. Hoy es el primer día de trabajo voluntario de Sarita y la directora del hogar de ancianos le está mostrando el piso donde va a trabajar. Completa las frases con el adjetivo o el pronombre demostrativo que está entre paréntesis.

Sarita, ___**éste**___ (*este / éste*) es tu piso. Aquí viven siete ancianas. En ___**este**___ (*éste / este*) dormitorio duermen la Sra. García y la Sra. Gómez. ___**Estas**___ (*Éstas / Estas*) señoras son muy simpáticas. En ___**ése**___ (*ése / ese*) detrás de ti, que es muy grande, duermen la Sra. Ochoa, la Sra. Díaz y la Sra Ruiz. A ___**ésas**___ (*ésas / ésos*) les gusta hablar mucho, pero son muy cómicas. En ___**aquellos**___ (*aquello / aquellos*) dormitorios del fondo, en uno duerme la Sra. Puig y en el otro la Sra. Sosa. ___**Esas**___ (*Esas / Eso*) señoras necesitan atención especial. ___**Ésta**___ (*Ésta / Estas*) es la sala de leer. ___**Este**___ (*Éste / Este*) escritorio es el tuyo y puedes usar ___**esos**___ (*ésos / esos*) libros en el estante para leerles a ellas. Oh, Sarita, ven a esta ventana. ¿Ves ___**aquel**___ (*aquello / aquel*) jardín? Por allí puedes llevarlas a pasear. Una cosa más. Necesitas tener mucha paciencia con ellas.

B. La supervisora del comedor de beneficencia te está mostrando el otro lugar donde tú puedes trabajar de voluntario(a). Completa sus frases con los adjetivos o los pronombres demostrativos del recuadro. Sólo puedes usar cada palabra una vez.

éste	éstas	eso	este	esa	esos	aquel

1. —En ___**este**___ comedor, atendemos a más personas que en el otro.
2. —___**Esos**___ señores que ves allí adelante necesitan más pan. Tráeles más, por favor.
3. —___**Esa**___ señora que está junto a ti no ha comido mucho hoy. Sin embargo, ___**éstas**___, las que están a mi lado, han comido muchísimo.
4. —___**Aquel**___ postre de manzana de allá es mejor que ___**éste**___ que estás comiendo. ¿Quieres probarlo?
5. —¿Qué es ___**eso**___ que están sirviendo allí? Parece muy bueno. Probémoslo.

HOJA DE RESPUESTAS, EXAMEN 2

A. (___ / ___ *puntos*)

1. *hogar de ancianos*
2. *centro recreativo*
3. *ciudadanía*
4. *comedor de beneficencia*
5. *sembrar*
6. *medio ambiente*
7. *manifestación*
8. *construir*
9. *gente sin hogar*

B. (___ / ___ *puntos*)

1. *ciudadano*
2. *leyes*
3. *injustas*
4. *responsabilidad*
5. *derecho*
6. *a favor*
7. *en contra*
8. *educar*

C. (/ *puntos*)

1. *haya podido*
2. *hayamos mejorado*
3. *hayan encontrado*
4. *haya muerto*
5. *haya visto*
6. *hayamos colaborado*

D. (/ *puntos*)

1. *aquellos*
2. *estos*
3. *esas*
4. *aquélla*
5. *estas*
6. *esta*
7. *eso*

HOJA DE RESPUESTAS, EXAMEN DEL CAPÍTULO 5

A. Escuchar (___ / ___ *puntos*)

	MIS APUNTES *(notes)*
1. Teresa	
2. Luis	
3. Carmen	
4. Enrique	
5. Dolores	

	¿Es a tiempo completo o a tiempo parcial?	¿Cuál es el salario?	Responsabilidades
1. Teresa	a tiempo parcial (underlined) / a tiempo completo	*$10 por hora*	*cuidar a los niños / prepararles la cena*
2. Luis	a tiempo parcial / a tiempo completo (underlined)	*$1,000 al mes*	*responsable de que la gente siga las reglas*
3. Carmen	a tiempo parcial / a tiempo completo (underlined)	*$15 por hora*	*saber computación / planear viajes / atender bien a los clientes*
4. Enrique	a tiempo parcial (underlined) / a tiempo completo	*$6 por hora*	*ayudar a los niños mientras realizan sus actividades / servirles el almuerzo*
5. Dolores	a tiempo parcial (underlined) / a tiempo completo	*$250 a la semana*	*contestar el teléfono / ayudar a los pacientes*

B. Leer (___ / ___ *puntos*)

1. Receptionista: *Mercedes*
2. Mensajero(a): *Pepe*
3. Niñero(a): *María*

C. Escribir *(___ / ___ puntos)*

D. Hablar *(___ / ___ puntos)*

E. Cultura *(___ / ___ puntos)*

Dé crédito total si los estudiantes pueden describir las contribuciones de al menos dos portavoces españoles de la cultura estadounidense Y pueden describir la influencia estadounidense en otros países.

Prueba 6-1

Comprensión del vocabulario 1

A. Un grupo de estudiantes está hablando con su consejero sobre sus planes para el futuro. Escribe en el espacio en blanco la letra de la profesión de la que habla el consejero.

1. —Bien Catalina, tú eres bilingüe. Hablas muy bien el inglés y el español y ya me has traducido algunas cartas. Puedes ser *a*. ¿Te interesa esa profesión?
   a. traductora **b.** programadora **c.** cocinera
2. —Alfonso, a ti te gusta trabajar con dinero, sabes ahorrarlo, eres eficiente y honesto. ¿Quieres estudiar para ser *b*?
   a. científico **b.** banquero **c.** diseñador
3. —¿Y tú, Roberto? Te encanta saber sobre las leyes, te importan los derechos humanos y siempre estás discutiendo. Tu profesión perfecta es la de *b*.
   a. cocinero **b.** abogado **c.** contador
4. —Y para ti, Martín, creo que la profesión perfecta es la de *a* porque eres excelente con las computadoras.
   a. programador **b.** peluquero **c.** arquitecto
5. —Carmen, tú te haces la ropa, ¿no? Te interesa la moda y tienes talento artístico. Por lo tanto, ser *c* es una buena profesión para ti.
   a. ingeniera **b.** cocinera **c.** diseñadora
6. —Olivia, ¿has pensado en ser *b*? Tú eres muy buena con los números y eres muy cuidadosa. Tienes muy buenas notas en matemáticas.
   a. juez **b.** contadora **c.** traductora
7. —Mateo, escribes bien y puedes hacer correciones en las composiciones que escriben otros estudiantes. Yo creo que debes hacerte *b*.
   a. diseñador **b.** redactor **c.** ingeniero

B. Tu amiga Josefa te está hablando sobre su futuro. Subraya la palabra apropiada que está entre paréntesis para completar las frases que dice Josefa.

No sé qué voy a hacer después de terminar la escuela secundaria. Antes de ir a una universidad quiero *(ahorrar / averiguar)* las posibilidades en el campo de las *(finanzas / capaz)*. *(Así que / Además de)* interesarme ser banquera, me gustaría ser *(jueza / mujer de negocios)* porque soy emprendedora y sé usar el dinero bien. No voy a *(tomar decisiones / mudarme)* hasta estar segura de lo que quiero. No quiero *(dedicarme a / desempeñar un cargo)* algo que después no me guste. Creo que soy *(ambiciosa / próxima)* y quiero *(diseñar / lograr)* lo mejor para mí. Algún día espero ser dueña de mi negocio, no tener *(jefes / redactores)* y hacer lo que me dé la gana. *(Próximo / Así que)* por ahora, voy a disfrutar de mis vacaciones.

C. Unos amigos están hablando sobre diferentes cosas. Completa sus diálogos usando palabras del recuadro. No todas las palabras son necesarias.

arquitecto(a)	peluquero(a)	carrera	lograr
capaz	soltero(a)	cocinero(a)	próximo(a)

1. —Carlos, tu padre es ***arquitecto***, ¿verdad?
   —Sí, él diseña edificios. Trabaja para una empresa extranjera.
2. —Lili, ¿quién es tu ***peluquera***? Te corta el pelo muy bien.
   —Se llama Lupe y trabaja en el salón de belleza "Ultra".
3. —Jorge, ¿ya sabes qué ***carrera*** vas a seguir después de graduarte?
   —No lo sé. Quizás me dedique a la mecánica.
4. —El ***cocinero*** de este restaurante prepara platos deliciosos.
   —Sí, él es ***capaz*** de preparar toda clase de comida.
5. Tu hermano es ***soltero***, ¿no? ¿No se ha casado todavía?
   No, pero él y su novia van a casarse el verano ***próximo***.

Prueba 6-2

Aplicación del vocabulario 1

A. ¿A quiénes buscan estas personas? Según la descripción que se da, escribe el trabajo o la profesión de la persona que necesitan.

1. La Sra. Aguirre quiere que le corten y le arreglen el pelo. ***peluquero(a)***
2. La ciudad de Guadalajara quiere construir puentes. ***ingeniero(a)***
3. El restaurante "El buen sabor" quiere a alguien que sepa preparar comida mexicana. ***cocinero(a)***
4. Una empresa de moda quiere crear nuevos estilos de ropa para hombre este verano. ***diseñador(a)***
5. Un periódico necesita a alguien que escriba y lea el trabajo de otros y haga correcciones. ***redactor(a)***
6. La Organización de Estados Americanos (OEA) busca a alguien para pasar documentos del inglés al español y del español al inglés. ***traductor(a)***
7. La compañía Benítez y Benítez quiere construir un edificio de oficinas. Desean un diseño super moderno. ***arquitecto(a)***
8. Los laboratorios Sultán buscan a una persona para hacer investigaciones en un laboratorio y estudios especiales sobre el cáncer. ***científico(a)***
9. Mis vecinos necesitan a una persona que defienda sus derechos y le explique todo al juez. ***abogado(a)***
10. La hermana de José quiere ahorrar dinero, pero a ella no le interesan las finanzas. ***banquero(a)***

B. Varias personas hablan sobre diferentes temas. Completa lo que dicen con una palabra apropiada del vocabulario estudiado en este capítulo.

1. —Sr. López, creo que usted no tiene esposa. ¿Usted es ***soltero***, verdad?
   —No, soy ***casado***. Me casé hace un mes. Todavía vivimos en la casa de mis padres. Mi esposa y yo tenemos que ***averiguar*** dónde vamos a vivir en el futuro.
2. —Nacho, ¿tu mamá sigue practicando la profesión de abogada?
   —No, ahora es ***jueza***. Trabaja en una corte federal. Tiene que escuchar y ***tomar*** decisiones muy importantes.
3. —¿Qué va a hacer Toni el año ***próximo***, después de ***graduarse*** de la escuela secundaria?
   —Va a asistir a la universidad de Madrid. Como a su papá le ofrecieron un puesto allí, tienen que ***mudarse*** de ciudad.
4. —Olivia sólo tiene 17 años, pero es una chica muy ***madura***, piensa como una mujer de 25 años.
   —Sí, y es muy ***capaz***, es decir, puede hacer muchas cosas diferentes muy bien y es eficiente, también.
5. —Eduardo, ¿tu hermana mayor es contadora? Yo recuerdo que ella siempre era muy buena con los detalles, muy ***cuidadosa***.
   —No, es ***banquera***. Trabaja en un banco en el centro de la ciudad. Y, ***además de*** tener cuidado en todo lo que hace, le encanta el mundo de ***las finanzas***. Por eso esta profesión es perfecta para ella.
6. A Lorenzo le gusta resolver problemas y buscar soluciones, ¿no?
   Sí, él es muy ***emprendedor***. Todos decimos que debe seguir ***una carrera*** trabajando con computadoras o en los negocios.

Prueba 6-3

El futuro

A. Gustavo ya decidió lo que quiere hacer en el futuro y le habla a su abuelo. Escribe en el futuro el verbo entre paréntesis para saber lo que va a hacer Gustavo.

Finalmente he decidido lo que quiero hacer en el futuro. Como soy muy bueno en ciencias y me gusta hacer experimentos, ***estudiaré*** *(estudiar)* para ser científico. Unos amigos míos y yo ***iremos*** *(ir)* a la universidad de Monterrey y estoy seguro de que yo ***me graduaré*** *(graduarse)* con honores. Mis padres ***se sentirán*** *(sentirse)* muy orgullosos de mí. ***Buscaré*** *(Buscar)* trabajo en algún laboratorio muy conocido y allí nosotros ***haremos*** *(hacer)* experimentos, ***averiguaremos*** *(averiguar)* más sobre el cáncer y ***encontraremos*** *(encontrar)* una medicina para curarlo. Algún día, yo ***seré*** *(ser)* famoso y (ellos) ***pondrán*** *(poner)* mi foto en los periódicos y revistas. ¿Qué te parece, abuelo?

B. Los estudiantes del último año todavía no han decidido lo que van a hacer. Completa sus frases, usando el verbo que está subrayado en el futuro.

1. Hoy quiero ser abogado. El mes próximo ***querré*** ser programador.
2. Esta semana, María dice que va a una universidad local. La semana próxima, ***dirá*** que va a una universidad en otro estado.
3. Hoy, sabemos lo que queremos hacer. Mañana no ***sabremos*** qué hacer.
4. Esteban y Luis piensan que pueden ir a una universidad de cuatro años, pero después de ver sus notas, dicen que no ***podrán***.
5. Hoy, tú dices que no tienes miedo de ir a una universidad grande. En tres días, vas a decir que sí ***tendrás*** mucho miedo.
6. Hoy, Alberto sabe lo que quiere hacer con su vida, pero si le preguntas mañana, no lo ***sabrá***.

Prueba 6-4

El futuro de probabilidad

A. Contesta las siguientes preguntas que varias personas te hacen, usando uno de los verbos entre paréntesis en el futuro.

1. —¿Qué hace José ahora?
   —No sé. ***Traducirá*** las frases al español. *(Educar / Traducir)*
2. —¿Cuántas personas crees que van a estar en la graduación?
   —No estoy seguro(a). ***Vendrán*** *(Salir / Venir)* 20 ó 25 personas.
3. —¿Por qué el tráfico no se mueve? ¿Qué pasará?
   —***Habrá*** un accidente. *(Hacer / Haber)*
4. —¿A qué hora terminan Uds. el trabajo hoy?
   —¡Quién sabe! Hay mucho que hacer hoy. ***Saldremos*** a las ocho o a las nueve. *(Salir / Comer)*
5. —¿Quién es la chica que acompaña a Beto?
   —No sé. ***Será*** su prima. *(Ser / Hacer)*
6. —¿Dónde está mi calculadora?
   —Kiko la ***tendrá***. *(ver / tener)* Me dijo que tenía que terminar su tarea de álgebra.
7. —¿Dónde ***estarán*** *(ir / estar)* mis llaves?
   —No sé. ¿Las has buscado en tu mochila?
8. —¿Por qué tiene Juan tantos libros?
   —***Querrá*** estudiar y sacar buenas notas. *(Querer / Haber)*
9. —Mis padres quieren que busque trabajo para el verano.
   —Con tan poco tiempo, ¿lo ***lograrás***? *(saber / lograr)*

HOJA DE RESPUESTAS

A. (___ / ___ *puntos)*

1. ***redactor***
2. ***abogada***
3. ***arquitecto(a)***
4. ***diseñadora***
5. ***ingeniera***
6. ***cocinero***
7. ***peluquera***
8. ***programadora***

B. (___ / ___ *puntos)*

1. ***casada***
2. ***ahorrar***
3. ***ambicioso***
4. ***próximo***

C. (___ / ___ *puntos)*

1. ***me graduaré***
2. ***tendremos***
3. ***será***
4. ***preparará***
5. ***habrá***
6. ***comeremos***
7. ***dirá***
8. ***bailaremos***
9. ***saldrán***
10. ***podrás***

D. (___ / ___ *puntos)*

1. ***trabajarán***
2. ***Ganará***
3. ***pondrán***
4. ***hará***
5. ***querrán***
6. ***vendrá***
7. ***traducirá***

Prueba 6-5

Comprensión del vocabulario 2

A. Es el año 2015 y nuevos inventos han salido al mercado y se están usando en todas partes. Escribe la letra de la palabra o expresión que complete mejor cada frase.

1. Me encanta este nuevo robot que puede pasar la aspiradora. En muchas __*b*__ lo están usando.
   a. enfermedades **b.** viviendas **c.** hospitalidades
2. El sol, una de nuestras principales __*a*__ se está usando ahora para calentar los coches. Es fascinante, ¿no?
   a. fuentes de energía **b.** fábricas **c.** servicios
3. Los automóviles ya están usando la nueva gasolina que no __*a*__ el medio ambiente. ¡Otro invento fantástico!
   a. contamina **b.** aumenta **c.** reduce
4. Hay también robots que trabajan en las __*c*__ haciendo el trabajo que antes hacían las personas. Eso me da miedo.
   a. aparatos **b.** servicios **c.** fábricas
5. Sin duda, con todos estos nuevos inventos vamos a tener más tiempo para descansar y dedicarnos al __*a*__.
   a. ocio **b.** gen **c.** desarrollo
6. Sin embargo, tendremos que tener cuidado con lo que hacemos. Habrá una gran __*c*__ de fuentes de energía.
   a. sorpresa **b.** estrategia **c.** demanda
7. Yo creo que me dedicaré al __*c*__ de nuevas y mejores fuentes de energía.
   a. producto **b.** aparato **c.** desarrollo
8. Tienes razón. Tenemos que estudiar mucho para __*b*__ de lo que puede pasar en el futuro.
   a. reemplazamos **b.** enterarnos **c.** inventamos

B. Los jóvenes hablan del futuro. Cada uno tiene algo que decir o que quiere hacer. Subraya la palabra que mejor completa la frase.

1. Quiero buscar trabajo en la *(máquina / industria)* de la hospitalidad. Me encanta viajar y así podré *(enterarme / comunicarme)* con la gente de otros países.
2. Pues a mí me interesan las ciencias. Quiero experimentar más con la *(genética / estrategia)*, para *(predecir / descubrir)* nuevas medicinas, *(inventar / curar)* el cáncer y hacer *(desaparecer / reemplazar)* otras de las *(informáticas / enfermedades)* que están matando a tanta gente.
3. Yo quiero trabajar en el *(campo / invento)* del *(mercadeo / ocio)*. Me interesaría trabajar en el *(desarrollo / servicio)* de estrategias para vender *(productos / genéticas)* usando la tele como *(medio de comunicación / genes)*.
4. Todos los días vemos nuevos *(mercadeos / inventos)* que a veces me dan miedo. Me asusta que las *(vías satélites / máquinas)* puedan *(reemplazar / reducir)* a las personas. Eso hará un mundo menos humano. ¿No creen?

C. Los chicos siguen hablando del futuro. Es el tema del momento. Completa los diálogos con las expresiones apropiadas del recuadro.

aparato	enterarse	aumentar	vía satélite	servicio	reducir

1. —¿Crees que los científicos podrán __*reducir*__ la contaminación del aire para que sea más puro?
   —No. Desafortunadamente en nuestra ciudad el peligro de la contaminación va a __*aumentar*__ a causa de las fábricas que siguen apareciendo y los coches.
2. —En tu opinión, ¿qué __*aparatos*__ que han inventado los científicos nos ha ayudado a comunicarnos mejor?
   —Pues, la televisión __*vía satélite*__. Con ella es posible __*enterarse*__ inmediatamente de lo que pasa en otros países.

Prueba 6-6

Aplicación del vocabulario 2

A. Aquí tienes un crucigrama que tu profesora de español le dio a la clase para repasar el vocabulario de este capítulo. Escribe tu respuesta en el espacio a la derecha.

Horizontal

1. tiempo libre *ocio*
2. averiguar *enterarse*
3. la mayor parte de un grupo de personas o cosas, la . . . *mayoría*
4. hacer algo más largo, extender *prolongar*
5. crear algo nuevo *inventar*
6. ayudar a un enfermo *curar*
7. estrategia para vender productos *mercadeo*
8. la gripe, el cáncer, por ejemplo *enfermedad*
9. el sol, la electricidad, por ejemplo *fuente de energía*

Vertical

1. lugares donde vive la gente, casas *viviendas*
2. anunciar el futuro, decir algo antes de que suceda *predecir*
3. lugar donde los trabajadores hacen o construyen cosas *fábrica*
4. hablar y poder entenderse *comunicarse*
5. hacer algo más pequeño *reducir*
6. hacer algo más grande *aumentar*
7. empezando hoy *de hoy en adelante*
8. la televisión, la radio, el teléfono son . . . *medios de comunicación*
9. tecnología que te permite vivir una experiencia como si fuera verdadera *la realidad virtual*

B. Mirta habla con su profesora, la Sra. Soriano, sobre su futuro. Completa las frases con una palabra apropiada del vocabulario estudiado.

SRA. SORIANO: Mirta, ¿qué has decidido hacer con tu futuro?

MIRTA: Quiero estudiar *genética*. Me encanta investigar por qué los hijos son como sus padres. En una de mis clases de ciencias, hemos estudiado cómo los padres pasan sus *genes* a sus hijos. Todavía quedan muchas cosas nuevas por *descubrir* sobre el misterio de la vida.

SRA. SORIANO: Yo pensaba que tú querías trabajar en la industria de la *hospitalidad*, en hoteles y empresas turísticas.

MIRTA: Yo quería hacer eso el año pasado, pero los avances y el *desarrollo* de la tecnología y de la ciencia me hicieron pensar.

SRA. SORIANO: Bueno, Mirta, te deseo mucha suerte y éxito.

C. Virginia nos habla de lo que le compraron sus padres para comunicarse con la familia. Completa las frases con una palabra del vocabulario estudiado en este capítulo.

Ayer, mis padres me compraron otro teléfono celular para *reemplazar* el que ya no funciona. Me gusta el teléfono nuevo porque es un *aparato* más pequeño y más práctico. Vamos a buscar un lugar dónde reciclar el viejo teléfono porque no queremos *contaminar* la Tierra con las cosas que ya no usamos. Echar a la basura *las máquinas* viejas, como los televisores, computadoras y los teléfonos que ya no necesitamos, sigue siendo un problema para nuestra sociedad.

Estoy contenta con mi nuevo teléfono porque la compañía que lo vende nos da un buen *servicio* todos los meses. El primer teléfono fue un *invento* de Alejandro Graham Bell. ¡Qué bueno que lo inventó! Como mucha gente usa los teléfonos celulares todo el tiempo, creo que los teléfonos que no son celulares van a *desaparecer* algún día.

Prueba 6-7

El futuro perfecto

A. ¿Qué habrá pasado en tu vida y en la de tus amigos en 15 años? Completa las frases con el futuro perfecto del verbo entre paréntesis.

1. Yo ***me habré casado*** *(predecir /casarse)* con Rosario.
2. Mirta ya ***habrá escrito*** *(inventar / escribir)* un libro sobre la genética.
3. Jorge y Pablo ***habrán descubierto*** *(curar / descubrir)* una nueva medicina.
4. Nosotros ***habremos visto*** *(ver / contaminar)* muchos inventos nuevos.
5. Julián será arquitecto y ***habrá diseñado*** *(prolongar / diseñar)* un edificio moderno de oficinas.
6. Y tú, ¿qué ***habrás hecho*** *(hacer / comer)* dentro de 15 años?

B. ¿Qué habrá pasado? Explica lo que les podrá haber pasado a estas personas o cosas, usando el futuro perfecto de los verbos del recuadro.

aumentar	decir	darse cuenta	tener	contaminar	tener en cuenta

1. —¿Por qué Carmencita no terminó sus estudios de genética?
   — ***Se habrá dado cuenta*** de que era una profesión muy difícil.
2. —¿Por qué no permiten nadar en ese río?
   —Las fábricas ***habrán contaminado*** el agua.
3. —¿Por qué Carlota no se comunicó con nosotros?
   —No ***habrá tenido*** un teléfono celular.
4. —¿Por qué nadie compra esos productos ahora?
   —Los precios ***habrán aumentado***.
5. —¿Por qué Carolina está enojada?
   —Sus padres le ***habrán dicho*** que se van a mudar a otro estado.

Prueba 6-8

Uso de los complementos directos e indirectos

A. Lorena tiene dudas sobre algunas cosas que han sucedido. Completa lo que dice con los pronombres de complemento directo e indirecto subrayando los complementos apropiados que están entre paréntesis.

1. La semana pasada, el gerente nos explicó algunas estrategias de mercadeo, pero no sé si *(se las / <u>nos las</u> / se los)* explicó muy bien, porque nadie las entendió.
2. Anoche le presté mi teléfono celular a Carlos. Creo que no *(te lo / <u>me lo</u> / se lo)* devolvió.
3. Carmen, ayer te compré unos discos digitales. No estoy segura si *(<u>te los</u> / se los / me los)* di.
4. Le acabo de comprar a Lola un producto nuevo para la cara. No sé si *(<u>se lo</u> / se la / me lo)* voy a dar ahora o el día de su cumpleaños.
5. Escribí una carta a mis abuelos. No creo que *(me la / nos la / <u>se la</u>)* haya enviado.

B. Tu mamá te pregunta si hiciste unas cosas que te pidió. Tú no las has hecho todavía. Contéstale las preguntas usando la forma *ir a* + infinitivo del verbo subrayado y los pronombres de complemento directo e indirecto.

Modelo — Rogelio, ¿le <u>diste</u> la medicina a tu abuela?
— No, ***voy a dársela*** ahora.

1. —Rogelio, ¿le <u>llevaste</u> el periódico a tu padre?
   —No, mamá. ***Voy a llevárselo*** inmediatamente.
2. —Hijo, ¿me <u>compraste</u> las frutas?
   —Lo siento, mamá; no las compré. Ahora mismo ***voy a comprártelas***.
3. —Rogelio, ¿le <u>explicaste</u> el problema de matemáticas a tu hermanita?
   —No, mamá. No tuve tiempo. En cinco minutos ***voy a explicárselo***.
4. —Hijo, ¿nos <u>trajiste</u> los discos digitales de la tienda?
   —No pude, pero ***voy a traérselos*** esta noche.

HOJA DE RESPUESTAS

A. (___ / ___ *puntos*)

1. *comunicarse*
2. *vivienda*
3. *fuente de energía*
4. *enfermedad*
5. *descubrir*
6. *curar*
7. *vía satélite*
8. *informática*

B. (___ / ___ *puntos*)

1. *realidad virtual*
2. *como si fuera*
3. *máquinas*
4. *fábricas*
5. *reemplazar*
6. *genética*
7. *reducir*
8. *demanda*

C. (___ / ___ *puntos*)

1. *me habré graduado*
2. *me habré ido*
3. *se habrá casado*
4. *habrán tenido*
5. *habrán comprado*
6. *se habrán mudado*
7. *habrás hecho*

D. (___ / ___ *puntos*)

1. *Arréglaselo*
2. *Llévaselos*
3. *Dímela*
4. *Explícasela*
5. *Muéstraselo*
6. *Tráenoslo*
7. *Córtaselas*

HOJA DE RESPUESTAS, EXAMEN DEL CAPÍTULO 6

A. Escribir (___ / ___ *puntos*)

MIS APUNTES

Teresa	
Berto	
Margarita	
Juan	
Pepe	

	¿Según el examen, cuál es uno de sus intereses o habilidades?	¿Qué hará después de graduarse o qué le gustaría hacer en su futura carrera?
Teresa	*las ciencias y las matemáticas*	*Será la mejor científica del mundo y ganará un Premio Nobel.*
Berto	*las finanzas*	*Se casará con su novia.*
Margarita	*los medios de comunicación*	*Trabajará en un restaurante para ahorrar dinero.*
Juan	*inventar cosas y trabajar con máquinas*	*Será ingeniero mecánico.*
Pepe	*la informática y la realidad virtual*	*Inventará los mejores videojuegos del universo y ganará mucho dinero.*

B. Leer (___ / ___ *puntos*)

1. *C* Arturo cree que habrá terminado los cursos de cuatro años en dos años.
2. *F* Arturo cree que habrá salido en la televisión antes de graduarse.
3. *F* Arturo no tiene dinero, pero le habrán dado dinero con su diploma.
4. *C* Arturo no tiene recetas de helados y pasteles, pero sus abuelas se las darán.
5. *C* Arturo tiene muchos sueños para el futuro, cree que todo es posible.

C. Escribir *(___ / ___ puntos)*

D. Hablar *(___ / ___ puntos)*

E. Cultura *(___ / ___ puntos)*

Dé crédito total si los estudiantes incluyen la información de la página 257 Fondo cultural Y lo comparan con su propia opinión.

Prueba 7-1

Comprensión del vocabulario 1

A. En la clase de historia el profesor les habla sobre los mayas. Escoge la mejor palabra para completar sus frases.

1. Los toltecas, los zapotecas y los mayas fueron ___*a*___ antiguos que vivieron en México.
   a. pueblos **b.** diseños **c.** misterios
2. Una de las ___*b*___ más impresionantes de las Américas fue la maya.
   a. centímetros **b.** civilizaciones **c.** arqueólogos
3. Por ejemplo, si Uds. visitan la ciudad maya de Chichén Itzá, podrán ver allí una ___*a*___ que se llama El Castillo.
   a. pirámide **b.** arqueóloga **c.** nave espacial
4. En las paredes de El Castillo se pueden observar ___*b*___ geométricos muy interesantes.
   a. mitos **b.** diseños **c.** pueblos
5. En Chichén Itzá también hay un ___*c*___ donde los mayas estudiaban los movimientos del sol y de la luna.
   a. geométrico **b.** misterio **c.** observatorio
6. Y hay estatuas de piedra que pesan varias ___*c*___.
   a. estructuras **b.** ruinas **c.** toneladas
7. Todavía hoy, en muchos lugares de México donde vivieron los mayas, los arqueólogos siguen ___*a*___ y encontrando objetos de esa civilización.
   a. excavando **b.** dudando **c.** cubriendo
8. Los ___*b*___ estudian los objetos y descubren nuevas cosas sobre los mayas.
   a. pirámides **b.** arqueólogos **c.** fenómenos
9. Nadie sabe por qué desapareció esta fantástica civilización. Es un ___*a*___.
   a. misterio **b.** diseño **c.** diámetro

B. En la clase de matemáticas están aprendiendo las diferentes formas geométricas. Escoge el dibujo que corresponda a cada frase.

a. b. c.

d. e.

1. Un triángulo tiene tres lados. ___*c*___
2. Esta figura redonda es un círculo. ___*d*___
3. Y esto es un óvalo. Es diferente al círculo. ___*e*___
4. Un rectángulo tiene cuatro lados. ___*a*___
5. Esta línea que pasa por el centro del círculo es el diámetro. ___*b*___

C. José nos habla de su visita a la ciudad maya de Uxmal. Para saber qué pasó, subraya la palabra entre paréntesis que mejor complete la frase.

El año pasado visité Uxmal, unas (*distancias* / *ruinas*) mayas en Yucatán, con mi clase de español. Allí visitamos el Templo de las Tortugas, un edificio con una (*estructura* / *evidencia*) muy interesante. Medimos el templo. El (*círculo* / *largo*) es de unos 60 pies y el (*centímetro* / *ancho*) es de 33 pies.

Es un edificio de cinco cuartos. Nadie sabe cuál era la (*inexplicable* / *función*) de estos cuartos, pero cuando entré en uno de ellos, algo muy (*misterioso* / *misterio*) me pasó, algo (*probable* / *inexplicable*). Me pareció ver una cara maya que gritaba de dolor. Yo no dije nada, pero cuando el guía terminó de hablar del edificio, nos dijo que allí habían matado a un jefe maya de una manera horrible. ¡Qué fenómeno más (*extraño* / *redondo*)! ¿No?

Prueba 7-2

Aplicación del vocabulario

A. Fernando y César están hablando sobre un artículo que leyeron en el periódico sobre unas piedras mayas que encontraron. Completa el diálogo usando una palabra apropiada del vocabulario estudiado.

—César, ¿qué te parece la enorme piedra maya que encontraron la famosa ___*arqueóloga*___ María Guisado y sus ayudantes en Tikal? Como ella ha estudiado tanto la ___*civilización*___ maya, ella sabía en qué lugar sus ayudantes debían ___*excavar*___ y buscar para encontrarla.

—Es una piedra bastante grande. Ella piensa que debe ___*pesar*___ más de una tonelada. Los diseños ___*geométricos*___ que tiene de triángulos y rectángulos son impresionantes.

—También es interesante la otra piedra pequeña que encontraron al lado de la grande. ¿Cuánto ___*mide*___ de largo?

—Unos 15 ___*centímetros*___, así, un poco menos que el largo de mi mano. La Dra. Guisado no sabe para qué las usaban. ¿Cuáles eran las ___*funciones*___ de estas piedras? Todo esto es un ___*misterio*___ difícil de resolver, pero ella espera resolverlo algún día.

—Es casi seguro, o ___*probable*___, que sigan encontrando otros objetos y piedras, ¿verdad?

—Sí, la doctora dice que espera seguir encontrando más cosas.

B. Ernestina está escuchando un programa en la radio sobre los extraterrestres. Completa las frases con una palabra apropiada del vocabulario estudiado para saber qué dice el locutor.

¿Creen Uds. en los extraterrestres? ¿Hay información real, o ***evidencia***, de que esta gente pueda ***existir***, vivir como nosotros y entre nosotros? Hay fotos, pero nadie puede explicarlas bien porque no son reales. Por ejemplo, ayer leí un artículo de un señor que vio una ***nave espacial*** en el desierto de Nuevo México. Él cree que los extraterrestres llegaron en ella.

Dice que no era muy grande y que era ***redonda***, en forma de círculo y no en forma de ***óvalo***, como un huevo, como muchas otras que se han visto antes. El señor dice que puede hablar de ella porque sólo estaba a una ***distancia*** de 20 metros.

También dice que la ***estructura*** era de metal y que no era estrecha; piensa que el ***ancho*** era de unos cinco metros. Era más o menos baja. Cree que medía unos cuatro metros de ***alto***, más del doble de la altura de una persona. Finalmente, dice que no vio a nadie y que no pudo sacar fotos porque su cámara no funcionaba en ese momento. Todo esto es muy extraño y ***misterioso***. ¿No creen Uds.?

C. Te encantan los crucigramas. Sólo necesitas siete palabras más para terminarlo. A ver si puedes resolverlo. Escribe la(s) palabra(s) según la definición que se da. Son palabras que estudiaste en este capítulo.

1. Si queremos medir una estructura tenemos que hacer eso con el largo, el alto y el ancho. Lo hacemos en matemáticas con números. ***calcular***
2. Dibujar una línea. ***trazar***
3. No creer. ***dudar***
4. Porque. ***ya que***
5. Lugar donde se estudian las estrellas y el espacio. ***observatorio***
6. Algo que observamos, pero que es extraño o inexplicable. ***misterio***
7. Poner algo sobre otra cosa. ***cubrir***

Prueba 7-3

El presente y el presente perfecto del subjuntivo con expresiones de duda

A. Luis y Antonio hablan de las naves espaciales y los extraterrestres después de ver un documental en la televisión. Completa el diálogo usando el presente del indicativo o el presente del subjuntivo del verbo entre paréntesis.

—Luis, sabes, es posible que las naves espaciales nos ***visiten*** (*visitar*) a menudo.

—Es improbable que ***existan*** (*existir*) esas naves.

—Pero mira las fotos. Es evidente que ***son*** (*ser*) reales.

—No puedes creer en esas fotos. No es posible que esas naves ***puedan*** (*poder*) andar por el cielo tan fácilmente.

—Yo pienso de manera diferente. Creo que los extraterrestres ***viven*** (*vivir*) entre nosotros, y es imposible que nosotros ***sepamos*** (*saber*) exactamente quiénes son extraterrestres y quiénes no lo son.

—¿Qué dices? Es imposible que ***haya*** (*haber*) extraterrestres viviendo aquí.

—Es posible que tú no ***entiendas*** (*entender*) de estas cosas.

—Tal vez. Pero también es posible que tú ***estés*** (*estar*) muy loco.

B. Un grupo de estudiantes de la clase de historia de Latinoamérica habla sobre los misterios de las líneas de Nazca. Completa sus frases usando el presente perfecto del indicativo o el presente perfecto del subjuntivo del verbo en paréntesis.

—Yo dudo que los extraterrestres ***hayan trazado*** (*trazar*) las líneas de Nazca.

—Pues yo creo que ***han sido*** (*ser*) los indios de Nazca. Ellos tenían una civilización bastante avanzada.

—Es posible que los extraterrestres y los indios ***se hayan comunicado*** (*comunicarse*) en algún momento en el pasado.

—No creo que eso ***haya ocurrido*** (*ocurrir*). ¿Cómo?

—Bueno, los dibujos sólo se ven desde un avión. Entonces no es imposible pensar que ellos los ***hayan trazado*** (*trazar*) para aterrizar (*to land*) sus naves espaciales.

—No sabemos quiénes las ***han construido*** (*construir*), pero sí es evidente que esas personas ***han tenido*** (*tener*) grandes conocimientos artísticos.

HOJA DE RESPUESTAS, EXAMEN 1

A. (___ / ___ *puntos*)

1. ***círculo***
2. ***óvalo***
3. ***triángulo***
4. ***rectángulo***
5. ***diámetro***

B. (___ / ___ *puntos*)

1. ***civilización***
2. ***existió***
3. ***misteriosa***
4. ***pueblo***
5. ***observatorios***
6. ***fenómenos***
7. ***pirámides***
8. ***diseños***
9. ***medir***
10. ***toneladas***
11. ***ruinas***
12. ***ya que***

C. (___ / ___ *puntos*)

1. ***vamos***
2. ***encontremos***
3. ***es***
4. ***tenga***
5. ***sepa***
6. ***estás***
7. ***pueda***
8. ***sigue***

D. (___ / ___ *puntos*)

1. ***hayan tenido***
2. ***hayan construido***
3. ***hayan usado***
4. ***hayan trazado***
5. ***han resuelto***

Prueba 7-4

Comprensión del vocabulario 2

A. En la clase de historia de Latinoamérica el profesor Díaz les hace preguntas a sus estudiantes sobre los aztecas. Subraya la palabra entre paréntesis que mejor complete cada frase.

—Pepe, ¿qué era la ciudad de Teotihuacán para los aztecas?

—Era la ciudad *(mito / sagrada)* de los dioses.

—Bien. Carlos, según una leyenda azteca, ¿por qué la luna tiene *(creencias / sombras)*?

—Porque le *(arrojaron / brillaron)* un *(conejo / símbolo)* para cubrir su luz que *(pesaba / brillaba)* más que la luz del sol.

—Muy bien. Teresa, según otra leyenda azteca, ¿quiénes querían ser el centro del mundo y *(convertirse / brillar)* en el sol?

—Los dioses, profesor.

—Bien. Sabemos que los dioses compitieron para ser el sol, pero durante uno de los *(intentos / orígenes)*, ¿qué destruyeron, Ramón?

—Destruyeron a los *(astrónomos / habitantes)* de *(los eclipses / la Tierra)*.

—Muy bien. Ahora, dime Josefina, ¿en qué se basaba la *(escritura / origen)* de los aztecas?

—Ellos mezclaban dibujos y *(sombras / símbolos)*.

—Claro. Inés, ¿por qué tenían observatorios los aztecas?

— Eran como los mayas. Porque ellos *(al igual que / cualquier)* los mayas, eran muy buenos *(conejos / astrónomos)*. Podían observar no sólo los movimientos del sol, *(sino / o sea que)* también los de la luna.

—¡Muy bien! Estoy muy orgulloso de Uds. Bueno, también sabemos que los aztecas tenían muchas *(creencias / sagradas)* interesantes para explicar las cosas. Hoy hablaremos cómo explicaban ellos el *(habitante / origen)* del ser humano.

B. Hortensia está leyendo un párrafo en su libro sobre las civilizaciones antiguas. Usando las palabras del recuadro, completa las frases del párrafo.

mitos	símbolos	cualquier	teorías
eclipses	leyendas	dioses	universo

Los científicos de hoy día usan ***teorías*** para explicar ***cualquier*** fenómeno natural. Las antiguas civilizaciones usaban las ***leyendas*** y los ***mitos*** para explicar los misterios del ***universo***. Por ejemplo, los mayas no sabían como ocurrían los ***eclipses***, por eso le decían a su gente que cuando el sol estaba oscuro era porque los ***dioses*** estaban enojados.

C. Escribe la palabra según la definición que se da. Son palabras que estudiaste en este capítulo.

1. Lo que el sol hace para que sea de noche. ***ponerse***
2. Ayudar o darle cosas a alguien. ***contribuir***
3. Incluyendo la Tierra, hay nueve. ***planetas***
4. Es decir. ***o sea que***
5. Dibujos que se usan para escribir. ***símbolos***

Prueba 7-5

Aplicación del vocabulario 2

A. En la clase de español están practicando el vocabulario estudiado. Escribe un sinónimo de la(s) palabra(s) subrayada(s).

1. El sol, la luna, los planetas y las estrellas están llenos de misterios, ¿verdad? ***universo***
2. Los aztecas nos explican el comienzo del día y la noche en forma de cuento. ***origen***
3. Los aztecas veían en la luna la figura de un animal que come zanahorias. ***conejo***
4. Los aztecas, como los mayas, sabían mucho sobre el sol, la luna y Venus. ***al igual que***
5. Cuando el sol desaparece, empieza a caer la noche. ***se pone***
6. ¿Quiénes le tiraron un conejo a la luna? ***arrojaron***
7. El sol da mucha luz durante el día. ***brilla***
8. El sol se escondió detrás de las nubes, pero luego salió y pudimos verlo otra vez. ***apareció***
9. Los mayas y los aztecas dieron mucho a la civilización mundial. Por ejemplo, los mayas tenían el concepto del cero. ***contribuyeron***
10. Muchas vecas desarrollamos ideas científicas para explicar los fenómenos naturales. ***teorías***

B. Estás escribiendo un informe sobre los aztecas y los mayas para tu clase de historia. Usa palabras del vocabulario estudiado para completar parte de tu informe.

La vida de los aztecas y los mayas estaba llena de ***creencias*** religiosas que explicaban con ***leyendas*** exageradas y ***mitos*** fantásticos. Los aztecas creían en muchos ***dioses***, siendo Quetzalcóatl uno de los más importantes. Pensaban que la ciudad de Teotihuacán era donde ellos vivían, por lo tanto era una ciudad ***sagrada*** con mucha importancia religiosa.

Los aztecas eran grandes ***astrónomos*** que estudiaban no sólo el sol, sino también la luna y el ***planeta*** Venus.

Los mayas, aunque también sabían mucho de astronomía, no sabían por qué ocurrían algunos fenómenos naturales como los ***eclipses***. Para explicarles ese fenómeno a todos los ***habitantes*** de sus ciudades, les decían que cuando el sol estaba oscuro era porque los dioses se enojaban.

Otra cosa interesante de los aztecas era su ***escritura***. Escribían con dibujos y también usaban símbolos que a veces representaban ideas abstractas y complicadas.

Prueba 7-6

Pero y sino

La profesora de historia les está hablando a sus estudiantes de los mayas y los aztecas. Completa las frases usando *pero, sino* o *sino que.*

1. Los mayas no creían en un solo dios, ***sino*** en muchos.
2. Los aztecas, al igual que los mayas, tenían muchos dioses, ***pero*** Huitzilopochtli era el más importante.
3. Es interesante que Huitzilopochtli no era sólo el dios de la guerra, ***sino*** también el dios del sol.
4. Los mayas sabían mucho de astronomía, ***pero*** no sabían cómo ocurrían los eclipses.
5. El calendario azteca y maya no sólo mostraba los días, ***sino que*** mostraba cómo se movían el sol, la luna y el planeta Venus.
6. Ellos, también, tenían dos calendarios. Uno, el ritual, era de 265 días, ***pero*** el otro, el solar, tenía 365 días.
7. Los mayas, como los aztecas, no sólo construyeron templos, ***sino*** también pirámides.
8. El arte religioso azteca y maya no sólo se ve en la escultura de piedra, ***sino que*** también aparece en la arquitectura, la pintura mural y la cerámica.
9. Entre los siglos XIII y XV, los mayas tomaron posesión del norte de Yucatán y crearon una gran civilización, ***pero*** las guerras entre ellos y otros grupos trajeron su destrucción.
10. Los aztecas también tuvieron una gran civilización, ***pero*** ésta no terminó por guerras entre ellos, ***sino*** por la destrucción hecha por los conquistadores.

Prueba 7-7

El subjuntivo en cláusulas adjetivas

A. Gabriel está buscando un programa de verano en una universidad, pero parece no tener mucha suerte. Completa las frases con el presente del indicativo o el presente del subjuntivo del verbo entre paréntesis.

Estoy buscando una universidad con algún programa de estudios mayas en México o Guatemala. Me interesa un programa que ***ofrezca*** *(ofrecer)* vivienda con una familia mexicana, que ***incluya*** *(incluir)* excavaciones en un lugar que ***esté*** *(estar)* cerca de algunas ruinas y que no ***sea*** *(ser)* muy caro.

La universidad de mi estado ofrece uno que ***incluye*** *(incluir)* excavaciones, que ***está*** *(estar)* cerca de unas ruinas y que ***es*** *(ser)* bastante barato, pero es en Perú, para estudiar la civilización inca.

¿Saben Uds. de alguna universidad que ***tenga*** *(tener)* un programa de estudios mayas como el que describí?

B. El Sr. Trejo está en una agencia de viajes planeando un viaje a México porque quiere visitar unas ruinas mayas. Completa el diálogo usando el presente del indicativo o el presente del subjuntivo.

—Mire, señorita, estoy interesado en visitar unas ruinas mayas que ***muestren*** *(mostrar)* buenos ejemplos de su arquitectura. Me gustaría ir a un lugar en el que ***haya*** *(haber)* un hotel cerca y . . .

—Las ruinas de Uxmal en Yucatán tienen ruinas que ***son*** *(ser)* impresionantes.

—Bien. Pero también quería decirle que busco unas ruinas que ***tengan*** *(tener)* un observatorio. Yo soy astrónomo, como lo eran los mayas.

—Bueno, éstas ruinas no ***tienen*** *(tener)* un observatorio, pero las de Chichén Itzá sí lo tienen. También hay un hotel que yo siempre ***recomiendo*** *(recomendar)*. El hotel "Mi Tierra Maya" es excelente.

—Entonces hágame la reservación para el próximo fin de semana, por favor.

HOJA DE RESPUESTAS, EXAMEN 2

A. *(___ / ___ puntos)*

1. *aparecer*
2. *ponerse*
3. *sagrado*
4. *mitos*
5. *leyendas*
6. *habitantes*
7. *conejo*
8. *arrojar*
9. *brillar*

B. *(___ / ___ puntos)*

1. *universo*
2. *teorías*
3. *astrónomos*
4. *planetas*
5. *eclipse*
6. *sombra*

C. *(___ / ___ puntos)*

1. *sino que*
2. *pero*
3. *sino*
4. *sino*
5. *pero*

D. *(___ / ___ puntos)*

1. *haya*
2. *sea*
3. *guste*
4. *es*
5. *estudia*
6. *sepa*
7. *tenga*
8. *pueda*
9. *trabaja*
10. *se gradúa*

HOJA DE RESPUESTAS, EXAMEN DEL CAPÍTULO 7

A. Escuchar *(___ / ___ puntos)*

MIS APUNTES

1. Dr. Cruz		
2. Dra. Gutiérrez		
3. Dr. Martínez		
4. Dra. Maldonado		
5. Dra. Hernández		

	¿Qué civilización estudió?	¿Qué excavó o qué encontró?	¿Qué uso tenía?
1. Dr. Cruz	*azteca*	*un observatorio*	<u>científico</u> sagrado
2. Dra. Gutiérrez	*maya*	*una pirámide*	científico <u>sagrado</u>
3. Dr. Martínez	*inca*	*una estatua*	científico <u>sagrado</u>
4. Dra. Maldonado	*inca*	*una pared*	científico <u>sagrado</u>
5. Dra. Hernández	*azteca*	*una piedra redonda*	<u>científico</u> sagrado

B. Leer *(___ / ___ puntos)*

De cómo se hizo árbol la semilla

1. ¿Cómo jugaban la semilla y el sol?
   a. La semilla se escondía y el sol la buscaba.
   (b.) El sol se escondía y la semilla lo buscaba.
   c. Jugaban cuando estaban aburridos.

2. ¿Por qué cuidaron los incas ese árbol?
   a. Para tener protección del sol.
   b. Para divertir a la semilla.
   (c.) Para darle compañía al sol.

Los lagos Chungará y Cota-Cotani

3. ¿Por qué no podían casarse el príncipe y la princesa?
   a. Porque el príncipe mató a la princesa.
   b. Porque los animales aullaban.
   (c.) Porque sus tribus estaban en guerra.

4. ¿Cómo murieron el príncipe y la princesa?
   a. Se cayeron de una gran roca.
   (b.) Fueron sacrificados por los sacerdotes.
   c. Los mataron en una batalla.

5. Los lagos Chungará y Cota-Cotani se crearon porque . . .
   a. había dos tribus enemigas.
   b. los sacerdotes eran amigos de las tribus.
   (c.) las nubes y la luna lloraron durante días y noches.

C. Escribir *(___ / ___ puntos)*

D. Hablar *(___ / ___ puntos)*

E. Cultura *(___ / ___ puntos)*

Los estudiantes deberían relacionar la necesidad de poder explicar lo inexplicable como una necesidad humana. Sin estudios científicos, era reconfortante pensar que la luna se creó por una pelea "inexplicable" entre los dioses.

Prueba 8-1

Comprensión del vocabulario 1

A. En la clase de historia del arte, el profesor habla de la arquitectura que se ve hoy día en España. Escoge el dibujo que corresponda a cada frase.

a. b. c.

d. e. f.

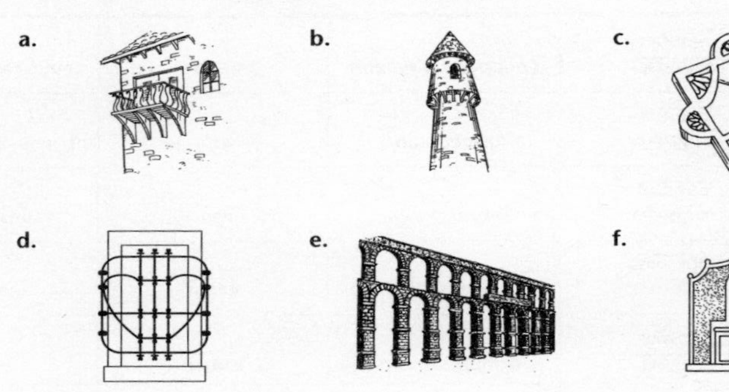

1. Los romanos y los árabes contribuyeron mucho en la arquitectura española con los arcos que se ven en puentes y edificios. *f*
2. Los romanos también trajeron a España el acueducto para traer agua a las ciudades. *e*
3. Para decorar sus patios, los árabes no sólo usaban fuentes, sino también azulejos. *c*
4. Los árabes también decoraban sus ventanas y puertas con rejas. *d*
5. Otra influencia árabe en la arquitectura española son los balcones. *a*
6. También se ve la influencia árabe en las torres de muchos edificios. *b*

B. En tu libro de historia estás leyendo un párrafo sobre la influencia árabe en España. Subraya la palabra que mejor completa cada frase.

La cultura árabe ha influido mucho en España. Los árabes (*invadieron* / *expulsaron*) la península en el año 711, la (*invadieron* / *conquistaron*) en poco tiempo y la (*reconquistaron* / *ocuparon*) por casi ocho siglos.

Hicieron de Córdoba su capital, ciudad que (*maravilla* / *anteriormente*) había sido romana. Allí, además de construir la Mezquita, que es una (*población* / *maravilla*), (*fundaron* / *gobernaron*) una universidad muy famosa. Fue durante este tiempo que muchos grupos (*únicos* / *étnicos*) pudieron (*conquistar* / *integrarse*) a la nueva cultura fácilmente. La (*conquista* / *población*) judía y la (*étnica* / *cristiana*) (*asimilaron* / *expulsaron*) el arte árabe y lo mezclaron con sus propias decoraciones. Aunque Toledo es el mejor ejemplo, no es la (*idioma* / *única*) ciudad donde encontramos (*maravillosos* / *judíos*) ejemplos de la mezcla de estas tres culturas.

C. Estás escribiendo un informe sobre los romanos en España. Este párrafo es parte de tu informe. Completa las frases usando las palabras del recuadro. No todas las palabras son necesarias.

unidad	dominaron	idioma	construcción
época	dejaron huellas	maravilla	influencias

España es un país que ha tenido ***influencias*** de muchas culturas. Por ejemplo, los romanos llegaron en el siglo III a.C. y ***dominaron*** la región hasta el siglo V d.C. Ellos ***dejaron huellas*** diferentes por todas partes de la península. Durante esta ***época***, los romanos trajeron el orden con la ***unidad*** política y la ***construcción*** de puentes y acueductos. También contribuyeron al ***idioma*** español al traer el latín.

Prueba 8-2

Aplicación del vocabulario 1

A. Gloria tiene que escribir un informe sobre las influencias que dejaron algunas culturas en España. Ayúdala a terminar el informe completando las frases con la mejor palabra del vocabulario estudiado en este capítulo.

España es un país donde han vivido muchas culturas o grupos ___***étnicos***___ y cada uno ha podido ___***integrarse***___, pero también dejar huellas que todavía son visibles por toda España.

La influencia de los romanos empezó en el siglo III a.C. cuando ellos llegaron a la península. En este tiempo, o ___***época***___, los romanos construyeron ___***acueductos***___ para traer agua a las ciudades, calles y puentes. También contribuyeron al ___***idioma***___ español porque ellos hablaban el latín que es la base del español. Como ___***anteriormente***___ a que ellos llegaran había mucho desorden político y social, la ___***unidad***___ política fue necesaria. Con ellos también entró a la península la religión cristiana.

Otro grupo que dejó huellas en España fueron los árabes, que llegaron de África. Ellos trajeron la religión ___***musulmana***___ y, al construir sus mezquitas, también construyeron sus hermosos y ___***maravillosos***___ arcos, decorados con ___***azulejos***___ de muchos colores. Hoy en día vemos la ___***influencia***___ de los árabes en la ___***arquitectura***___ de los edificios, especialmente en Andalucía. El uso de ___***arcos***___, o medios círculos, en las ventanas y las puertas, y de ___***azulejos***___ para dar color y un diseño geométrico es típico de los árabes. También, se ven en las casas y los edificios de apartamentos los ___***balcones***___ que permiten a las personas salir al aire libre y las ___***rejas***___ de hierro que protegen las ventanas. En las catedrales como la de Sevilla, todavía se ve una parte de la mezquita árabe original. Es una ___***torre***___ alta, que se llama La Giralda.

B. El profesor de historia está haciendo preguntas a la clase. Usa los verbos que has estudiando en este capítulo para completar las preguntas y las respuestas. Escribe los verbos en pretérito.

—A ver, en 711 hubo una invasión. ¿Quién puede decirme algo de ella?

—Yo puedo. Los árabes ___***invadieron***___ a España, entrando desde el sur, de África, y ___***conquistaron***___ una gran parte de la parte de la península. La ___***única***___ parte del país que no dominaron fue la parte más al norte de la península.

—Así es. ¿Y durante cuánto tiempo ___***ocuparon***___ y dominaron los árabes España?

—Casi ocho siglos.

—Es cierto. ¿Los árabes ___***se integraron***___ a la cultura de los judíos y los cristianos o se quedaron separados?

—Al principio, la ___***población***___ que vivía allí, principalmente los cristianos y judíos, aceptaron y ___***asimilaron***___ a los árabes a su cultura. Por ejemplo, tomaron elementos del arte árabe y los combinaron con sus propias decoraciones. Y en este período en Toledo ___***se fundó***___ una escuela de traductores muy famosa de personas que traducían libros al latín.

—¿Qué pasó después de esos ocho siglos?

—Los cristianos comenzaron a tomar otra vez las ciudades y regiones, o sea que ellos ___***reconquistaron***___ España.

—Bien. Y después de este tiempo, ¿quiénes tuvieron el control del país, o sea, quiénes ___***gobernaron***___ España?

—Los Reyes Católicos, Fernando e Isabel.

—¿Qué les hicieron los cristianos a los musulmanes que no se convirtieron al cristianismo en 1492?

—Hicieron que se fueran; los ___***expulsaron***___ de España.

Prueba 8-3

El condicional

A. Después de vivir en Sevilla por un año, Mercedes le dice a Lidia cómo quiere que sea su casa. Completa las frases usando el condicional de uno de los verbos entre paréntesis.

—Mercedes, ¿dónde ***construirías*** *(decir / construir)* tu casa?

—Creo que ***preferiría*** *(preferir / estar)* construirla en California.

—¿Qué ***pondrías*** *(poner / venir)* delante de la casa?

—Balcones. Y todas las ventanas ***tendrían*** *(haber/ tener)* rejas.

—¿***Querrías*** *(Salir / Querer)* tener un jardín, también?

—Por supuesto. ***Estaría*** *(Estar / Ser)* en el centro de la casa, con fuentes y flores. Me ***gustaría*** *(gustar / dar)* tener todas las habitaciones de la casa alrededor del patio.

—¿Qué ***harías*** *(dominar/ hacer)* dentro de la casa?

—La ***decoraría*** *(decorar / venir)* con azulejos de estilo árabe.

—Tu casa ***sería*** *(expulsar / ser)* una maravilla.

B. Este año Daniel estudió la civilización árabe en España. Ahora está planeando el viaje que va a hacer a Andalucía con sus padres. Completa el párrafo con el condicional de los verbos del recuadro. No todos los verbos son necesarios.

visitar	encantar	ir mostrar	estar	entrar	dar	poder	pasar

Me gustaría empezar en Córdoba. Allí yo ***visitaría*** la famosa Mezquita y les ***podría*** mostrar a mis padres los maravillosos arcos árabes. Les ***encantarían***. También nosotros ***entraríamos*** a ver los hermosos patios de algunas casas. Luego nosotros ***pasaríamos*** por Sevilla. Allí yo les ***mostraría*** a mis padres el Alcázar, la Catedral y la torre de La Giralda. Luego nosotros ***daríamos*** un paseo por la ciudad. Por último, todos ***iríamos*** a Granada para visitar La Alhambra, una de las grandes maravillas del mundo.

HOJA DE RESPUESTAS, EXAMEN 1

A. (___ / ___ *puntos*)

1. ***romanos***
2. ***acueductos***
3. ***étnicos***
4. ***cristianos***
5. ***se integraron***
6. ***asimilaron***
7. ***torre***
8. ***arquitectura***
9. ***expulsaron***

B. (___ / ___ *puntos*)

1. ***idioma***
2. ***conquistar***
3. ***invadir***
4. ***maravilla***
5. ***época***
6. ***fundar***

C. (___ / ___ *puntos*)

1. ***preferiría***
2. ***recomendaría***
3. ***sembraría***
4. ***pondría***
5. ***dejaría***
6. ***Costaría***
7. ***Podría***

D. (___ / ___ *puntos*)

1. ***saldría***
2. ***llegaríamos***
3. ***podríamos***
4. ***iría***
5. ***querrían***
6. ***aconsejaría***
7. ***sería***
8. ***pasaría***
9. ***compraríamos***

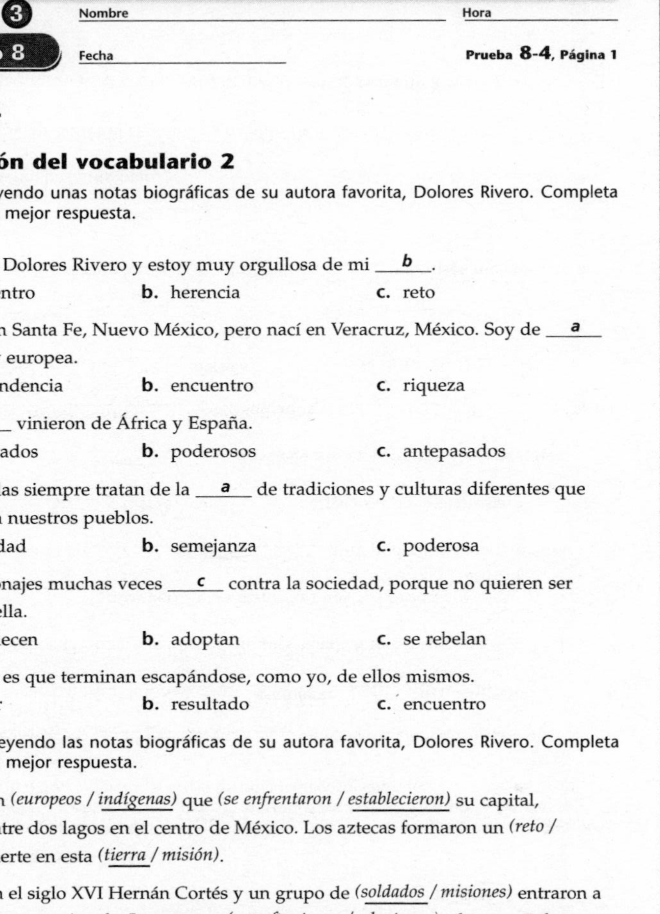

Realidades 3 Nombre ______ Hora ______

Capítulo 8 Fecha ______ **Prueba 8-4, Página 1**

Prueba 8-4

Comprensión del vocabulario 2

A. Silvia está leyendo unas notas biográficas de su autora favorita, Dolores Rivero. Completa sus frases con la mejor respuesta.

1. Me llamo Dolores Rivero y estoy muy orgullosa de mi ___*b*___.
   a. encuentro **b.** herencia **c.** reto
2. Yo vivo en Santa Fe, Nuevo México, pero nací en Veracruz, México. Soy de ___*a*___ africana y europea.
   a. descendencia **b.** encuentro **c.** riqueza
3. Mis ___*c*___ vinieron de África y España.
   a. resultados **b.** poderosos **c.** antepasados
4. Mis novelas siempre tratan de la ___*a*___ de tradiciones y culturas diferentes que existen en nuestros pueblos.
   a. variedad **b.** semejanza **c.** poderosa
5. Mis personajes muchas veces ___*c*___ contra la sociedad, porque no quieren ser parte de ella.
   a. establecen **b.** adoptan **c.** se rebelan
6. El ___*b*___ es que terminan escapándose, como yo, de ellos mismos.
   a. poder **b.** resultado **c.** encuentro

B. Silvia sigue leyendo las notas biográficas de su autora favorita, Dolores Rivero. Completa sus frases con la mejor respuesta.

Los aztecas eran *(europeos / indígenas)* que *(se enfrentaron / establecieron)* su capital, Tenochtitlán, entre dos lagos en el centro de México. Los aztecas formaron un *(reto / imperio)* muy fuerte en esta *(tierra / misión)*.

Sin embargo, en el siglo XVI Hernán Cortés y un grupo de *(soldados / misiones)* entraron a Tenochtitlán para conquistarla. Los aztecas *(se enfrentaron / adoptaron)* a los españoles y *(adoptaron / lucharon)* valientemente, pero después de varias *(herencias / batallas)* perdieron, y los españoles se apoderaron de *(took posession of)* todas sus *(riquezas / variedades)*. Así llegó a su fin este *(poderoso / desconocido)* imperio indígena. Fue un *(tierra / encuentro)* fatal.

Realidades 3 Nombre ______ Hora ______

Capítulo 8 Fecha ______ **Prueba 8-4, Página 2**

C. Le estás haciendo preguntas a tu profesor de historia sobre lo que pasó después de la conquista. Usa las palabras de cada recuadro para terminar las frases.

europeos	colonia	reto	misioneros	intercambio	desconocidos	mercancías

—Después de la conquista, ¿qué pasó?

—Bueno, los españoles establecieron una ___*colonia*___ y pronto España empezó un ___*intercambio*___ de nuevos productos o ___*mercancías*___ entre Europa y el Nuevo Mundo. Productos como el maíz y el chocolate, antes eran ___*desconocidos*___ para los ___*europeos*___.

—¿Quiénes llegaron después de la conquista a enseñar su religión a los indígenas?

—Llegaron muchos ___*misioneros*___.

variedades	mezcla	semejanzas	lengua	al llegar	adoptaron	misiones

—¿Y qué hicieron ___*al llegar*___?

—Cuando los primeros llegaron, fundaron muchas ___*misiones*___. Ellos querían enseñarles su ___*lengua*___, el español, y su religión, la católica.

—¿Las aceptaron los indígenas?

—No fue fácil porque las dos culturas eran muy diferentes; tenían pocas ___*semejanzas*___. Al principio los indígenas no se integraron fácilmente, pero más tarde ___*adoptaron*___ mucho de la cultura española y la mezclaron con sus creencias. Y hoy día existe una ___*mezcla*___ de culturas muy interesante.

Prueba 8-5

Aplicación del vocabulario 2

A. Han pasado varios años después de la conquista y uno de los indígenas aztecas que peleó contra los españoles es entrevistado por un periodista español. Completa las frases de la entrevista con una palabra del vocabulario estudiado en este capítulo.

—Dígame, amigo, sus ***antepasados***, sus padres y abuelos, ¿por qué escogieron este lugar para fundar, o ***establecer***, Tenochtitlán?

—Porque nuestro dios Huitzilopochtli nos dio una señal. Además era una ***tierra*** muy fértil para sembrar nuestros productos.

—Uds. habían formado un ***imperio*** muy poderoso, tenían mucho ***poder*** y fuerza, ¿cómo es que Cortés los pudo conquistar?

—Porque tenía ***armas*** de fuego muy poderosas. Pero nosotros decidimos ***enfrentarnos*** a sus soldados y ***luchar*** hasta perder la última pelea, una ***batalla*** muy dura, en 1521.

—¿Qué hace Ud. ahora?

—Estoy en esta misión donde los ***misioneros*** religiosos me enseñan su idioma, o ***lengua***.

—Ud. habla español bastante bien.

—Gracias, aunque aprender el español no ha sido fácil, o sea que ha sido un ***reto*** para mí porque mi idioma no tiene ninguna ***semejanza*** con el español; los dos idiomas son muy diferentes.

—Bueno, muchas gracias por la entrevista.

B. El mismo periodista español entrevista ahora a Hernán Cortés. Completa las frases de la entrevista con la palabra del vocabulario estudiado.

—Don Hernán, ¿qué pasó cuando Ud. y Moctezuma se vieron por primera vez?

—Moctezuma y yo nos encontramos en Tenochtitlán y allí tuvimos un ***intercambio*** de regalos.

—¿Cómo empezó la ***guerra***, esa lucha entre los ***indígenas*** aztecas y sus hombres?

—Bueno, después de morir Moctezuma, sus hombres decidieron luchar y dejar de hacernos caso, o sea ***rebelarse*** contra mis ***soldados***, que eran un grupo de unos 300 hombres.

—¿Qué pasó después?

—Una lucha horrible comenzó, pero tuvimos que salir de Tenochtitlán e ir por lugares que no conocíamos, totalmente ***desconocidos*** para nosotros. Esa noche yo lloré. Pero después, nos preparamos para luchar mejor y el ***resultado*** de esa preparación fue que ganamos en 1521.

—¿Qué pasó después de la conquista?

—Bueno, entonces llegaron más españoles y religiosos y fundaron iglesias y misiones. Muchos indios han dejado sus creencias y quieren ***adoptar*** nuestra religión católica.

—Gracias, Don Hernán por esta entrevista tan interesante.

C. Ahora un periodista español de nuestra época entrevista a Elena Castillo y hablan de su familia. Completa las frases del diálogo con palabras estudiadas en este capítulo. Usa como guía las palabras entre paréntesis, que quieren decir lo mismo.

—Srta. Castillo, ¿me puede hablar de su herencia?

—Por supuesto. Mi herencia ***se compone*** *(está hecha)* de elementos de varias culturas. De mi madre recibí mi herencia ***africana*** *(que viene de África)*, y de mi padre la herencia española. Como ve, soy una ***mezcla*** *(unión de varias cosas o razas)* de estas dos culturas.

—En mi opinión es una herencia hermosa y rica.

—Tiene razón. Esta diferencia o ***variedad*** *(varias cosas diferentes)* de culturas es lo maravilloso de nuestros países.

Prueba 8-6

El imperfecto del subjuntivo

A. Uno de los soldados que entró con Cortés a Tenochtitlán nos dice cómo era la ciudad. Completa las frases con el imperfecto del subjuntivo de uno de los verbos entre paréntesis.

1. Cuando entramos a Tenochtitlán me impresionó que la ciudad ___**tuviera**___ *(ser / tener)* canales llenos de agua para navegar.
2. No podíamos creer que la ciudad ___**fuera**___ *(ser / estar)* esa maravilla.
3. Por un momento me sorprendió ver que Tenochtitlán ___**se pareciera**___ *(componerse / parecerse)* a la ciudad de Venecia en Italia.
4. Parecía imposible que los aztecas ___**pudieran**___ *(poder/ poner)* construir cosas tan hermosas.
5. Era increíble que en la ciudad ___**hubiera**___ *(ser / haber)* pirámides tan grandes.
6. Nos pareció horrible que ellos ___**hicieran**___ *(hacer / estar)* tantos sacrificios a sus dioses.
7. Luego me pareció imposible que nosotros todavía ___**estuviéramos**___ *(estar / decir)* vivos.

B. Gabriel vive en Miami y es hijo de padre cubano y madre estadounidense. Él nos dice cómo él y sus hermanas pudieron mantener su herencia cubana. Completa las frases con el imperfecto del subjuntivo de los verbos del recuadro. No todos los verbos son necesarios.

ir	hablar	pensar	aprender	comer	interesar	olvidar	saber

1. Mi padre siempre quería que nosotros ___**habláramos**___ español en casa.
2. Mi madre exigía que nosotros también ___**aprendiéramos**___ a hablar inglés.
3. Para ellos era importante que cada uno de nosotros ___**supiera**___ quién era.
4. A mi madre no le gustaba que mis hermanas ___**comieran**___ comida basura y no la comida cubana.
5. A mi padre le encantaba que yo ___**fuera**___ con él a escuchar música cubana.
6. Mi padre también nos enseñaba sobre la historia de Cuba y le gustaba que a nosotros nos ___**interesara**___ tanto.
7. Él no quería que nosotros ___**olvidáramos**___ nuestras raíces cubanas.

Prueba 8-7

El imperfecto del subjuntivo con *si*

A. Hace tres meses que Cristina y su familia viven en Chicago, pero ellos son de San Juan, Puerto Rico. Cristina está pensando en los cambios que la familia ha tenido al venir a los Estados Unidos. Usa el imperfecto del subjuntivo de uno de los verbos entre paréntesis.

1. Si nosotros ___**estuviéramos**___ *(estar / ser)* en San Juan, mi padre vendría a almorzar a casa todos los días.
2. Si nosotros ___**viviéramos**___ *(adoptar / vivir)* en Puerto Rico, mi madre no tendría que trabajar aquí.
3. Si yo ___**fuera**___ *(poder / ir)* a mi escuela en San Juan, estudiaría la cultura de mi país.
4. Si mis abuelos ___**supieran**___ *(saber / tener)* hablar inglés, estarían más contentos.
5. Si yo ___**pudiera**___ *(poder / haber)*, me iría hoy mismo para mi San Juan.
6. Si yo se lo ___**pidiera**___ *(sentir / pedir)* a mis padres, ¿creen Uds. que ellos me dejarían volver?

B. Un soldado de Cortés nos describe la última batalla. Completa las frases con el imperfecto del subjuntivo de los verbos del recuadro.

ser	tener	haber	luchar	rebelarse	querer	componerse

1. Al principio no se oía nada, como si allí no ___**hubiera**___ nadie más que nosotros.
2. Luego se escucharon muchas armas de fuego como si ___**fueran**___ truenos.
3. De pronto yo me sentí como si no ___**quisiera**___ estar allí.
4. Algunos soldados actuaron como si ___**se rebelaran**___ contra Cortés.
5. Cortés tenía mucha energía. No creo que ningún soldado ___**luchara**___ como él.
6. Y los aztecas se enfrentaban a nosotros como si no ___**tuvieran**___ nada de miedo.

HOJA DE RESPUESTAS, EXAMEN 2

A. (___ / ___ *puntos*)

Horizontal

1. *indígenas*
2. *componerse*
3. *soldados*
4. *desconocido*
5. *rebelarse*
6. *poderoso*
7. *misión*
8. *establecer*
9. *africano*

Vertical

1. *europeo*
2. *riqueza*
3. *herencia*
4. *luchar*
5. *guerra*
6. *antepasados*
7. *mercancías*
8. *descendencia*
9. *expulsar*

B. (___ / ___ *puntos*)

1. *hubiera*
2. *vinieran*
3. *tuvieran*
4. *hablaran*
5. *fuéramos*
6. *siguiera*
7. *llevara*
8. *prohibieran*
9. *hicieran*
10. *creyeran*
11. *supieran*

C. (___ / ___ *puntos*)

1. *pudiera*
2. *visitara*
3. *encontrara*
4. *fueras*
5. *sintiera*
6. *estuvieran*
7. *volvieran*
8. *oyeran*
9. *vieran*
10. *llegaran*
11. *regresaran*

HOJA DE RESPUESTAS, EXAMEN DEL CAPÍTULO 8

A. Escuchar (___ / ___ *puntos*)

MIS APUNTES

María		
Javier		
Teresa		
Joaquín		
Margarita		

	¿Qué ciudad visitó?	¿Por qué es famosa esa ciudad?	¿Qué le sugirió el guía?
María	*Sevilla*	*por su celebración de Semana Santa*	*que visitara el Alcázar*
Javier	*Granada*	*porque fue la última ciudad árabe*	*que aprendiera la historia del palacio*
Teresa	*Toledo*	*por su catedral*	*que viviera en Toledo*
Joaquín	*Barcelona*	*por la influencia francesa*	*que aprendiera catalán*
Margarita	*Córdoba*	*por la mezquita Aljama*	*que comprara un libro*

B. Leer (___ / ___ *puntos*)

Cierto o falso

1. La capital del imperio azteca fue Chichén-Itzá, pero el rey vivía en otra ciudad. *F*
2. Los españoles construyeron la catedral de Sevilla. *C*
3. Los aztecas ganaron la guerra contra los españoles y crearon el imperio más poderoso de América. *F*
4. Las misiones les daban comida a los viajeros en California. *C*
5. Toledo fue una ciudad muy importante en España porque había muchas culturas diferentes. *C*

C. Escribir *(___ / ___ puntos)*

D. Hablar *(___ / ___ puntos)*

E. Cultura *(___ / ___ puntos)*

Los estudiantes deberían mencionar un intercambio religioso, musical y culinario. Dé crédito total si proveen una razón de apoyo para su opinión.

Prueba 9-1

Comprensión del vocabulario 1

A. Debemos proteger el medio ambiente. Lee las siguientes frases. Si la frase es una buena idea para proteger el medio ambiente, escribe una *B*. Si es una mala idea, escribe una *M*.

1. ***B*** Debemos colocar los recipientes plásticos y de vidrio en el depósito de reciclaje.
2. ***M*** Debemos depender de los recursos naturales que tenemos ahora porque van a ser suficientes para el futuro.
3. ***M*** Las pilas se pueden tirar con la otra basura.
4. ***B*** Debemos conservar energía cada vez que sea posible.
5. ***B*** Es importante fomentar la idea de reducir la contaminación del medio ambiente.
6. ***M*** No importa si desperdiciamos o usamos mucho papel. Hay muchos árboles en este planeta.
7. ***B*** Todos debemos limitar el uso de productos que contaminan el medio ambiente.

B. Laura le está escribiendo una carta al redactor de su periódico. Completa su carta, subrayando la palabra entre paréntesis que mejor complete sus frases.

Estimado redactor:

Estoy cansada de ver cómo estamos destruyendo nuestro medio ambiente y el *(recipiente / gobierno)* no está haciendo nada. Nuestro bello planeta cada día está más y más *(contaminado / conservado)* y necesita *(desperdicios / protección)*. Las fábricas que hacen *(pesticidas / medidas)* y otros productos *(graves / químicos)* muchas veces *(medidas / echan)* en nuestros ríos y mares sus *(desperdicios / recursos)* y son *(petróleos / venenos)* para el medio ambiente. La gente no recicla y no *(se deshace / depende)* de la basura como debe hacerlo. *(Debido a / En cuanto)* esto estamos *(fomentando / dañando)* el planeta Tierra. Hay que tomar *(medidas / venenos)* fuertes. Debemos educar al pueblo. Hay que *(promover / amenazar)* la idea de reciclar y enseñar a las personas que es importante obedecer las leyes de reciclaje y hay que *(agotar / castigar)* con multas a quienes las ignoren. ¡Salvemos nuestro planeta!

Atentamente,

Laura Ramírez

C. Tu profesor de ecología te está haciendo algunas preguntas sobre el medio ambiente. Completa las preguntas y las respuestas usando las palabras del recuadro.

agotar	grave	petróleo	en cuanto	creciendo
conservar	a cargo de	gobierno	limitando	

—¿Qué es una amenaza para el medio ambiente?

—Una amenaza muy ***grave*** es la contaminación del aire y del agua.

—¿Cuál es un recurso natural importante que se usa para obtener energía y para hacer funcionar los coches?

—El ***petróleo*** es uno de los recursos naturales importantes.

—¿Por qué nos amenaza la escasez de recursos naturales?

—Porque la población está ***creciendo*** cada día más.

—Si seguimos usando demasiado nuestros recursos naturales, ¿qué puede ocurrir?

—Se pueden ***agotar*** y entonces vamos a tener problemas serios. Hay que ***conservar*** los recursos que tenemos.

—¿Quién debe estar ***a cargo de*** hacer leyes para proteger el medio ambiente?

—El ***gobierno***.

—¿Qué les recomiendan Uds. a los otros ciudadanos de nuestra sociedad?

—Les recomendamos que busquen más información sobre cómo apoyar las campañas para proteger el medio ambiente ***en cuanto*** puedan.

Prueba 9-2

Aplicación del vocabulario 1

A. El Sr. Gonzaga, un miembro de una organización ambiental, vino a tu escuela a hablarles sobre los problemas del medio ambiente y cómo todos pueden ayudar. Para cada palabra que él dice que está subrayada, escribe una palabra del vocabulario de este capítulo que quiere decir lo mismo.

1. Como Uds. saben, la contaminación es un problema muy serio. ***grave***
2. Hay que fomentar que se hagan programas educativos sobre el reciclaje. ***promover***
3. La gente no sabe que si seguimos desperdiciando nuestras riquezas naturales muy pronto no habrá bastante de ellas en el futuro. ***suficiente***
4. Uds. tienen que hablar con los oficiales del gobierno que se encargan de hacer las leyes, y decirles que tomen medidas más fuertes para la protección del medio ambiente. ***están a cargo***
5. La gente no debe seguir tirando la basura por todas partes. Hay que ponerles multas a los que hacen esas cosas. ***echando***
6. Uds. deben usar papel reciclado. Primero, porque es más barato y segundo, porque así ayudan al medio ambiente. ***económico***
7. Y también, ayuden a ahorrar electricidad. En cuanto terminen lo que están haciendo en una habitación, antes de salir, apaguen las luces. ***Tan pronto como***
8. A causa de las prácticas de muchas personas, la contaminación del aire sigue siendo un problema. ***debido a***
9. En muchas ciudades hay compañías industriales que arrojan basura a los ríos. ***desperdicios***

B. Sandra y Eva, después de escuchar al Sr. Gonzaga, han decido ayudar a salvar el medio ambiente. Ahora están hablando de cómo pueden ayudar. Completa sus frases con una palabra apropiada del vocabulario estudiado.

—Yo, de hoy en adelante, voy a ahorrar ***electricidad***. Si no necesito tener la luz encendida, no la voy a usar.

—Eso es una buena idea. También, debemos reducir o ***limitar*** el uso de productos que contaminan el medio ambiente. No los voy a usar tanto.

—En casa yo voy a ***colocar*** las botellas y otros ***recipientes*** plásticos y de vidrio en depósitos de reciclaje. No voy a tirarlos a la basura.

—Porque hay poca agua en el mundo, no la voy a ***desperdiciar***. La voy a ***conservar*** lo más posible.

—Claro. Otra cosa que voy a hacer es, cuando me deshaga de las ***pilas*** de mi radio que ya no funcionen, no las voy a mezclar con el resto de la basura.

—Oye, Eva, ¿por qué no empezamos un club de reciclaje en nuestra escuela?

C. El Dr. Mejorambiente, en su programa de televisión, nos da buenos consejos para proteger nuestro planeta. Completa sus frases con una palabra apropiada del vocabulario estudiado.

1. Hay que tener cuidado con los ***pesticidas*** que usamos para matar insectos. Éstos no sólo son malos porque causan ***contaminación***, sino también pueden ser un ***veneno*** fatal para los niños. Pueden morir si lo beben.
2. Escriban a los oficiales del ***gobierno*** para ver si se pueden hacer leyes más fuertes contra los dueños de fábricas que echan sus productos ***químicos*** en los ríos y mares. No podemos seguir teniendo aguas ***contaminadas*** que matan a los peces. Debemos parar estas prácticas y ***castigar*** duro, con multas muy altas, si es necesario.
3. Como Uds. saben, la población ***crece*** y cada día hay más gente en nuestro planeta. Tenemos que mantener y cuidar nuestros ***recursos naturales*** como los árboles y el petróleo. Si no lo hacemos, cada vez habrá menos, tendremos cada vez más ***escasez*** de recursos naturales y un día pueden llegar a ***agotarse***, y ya no tendremos más.
4. En nuestro país nosotros ***dependemos*** mucho del petróleo. Debemos de tratar de usar otras fuentes de energía más eficientes.
5. Y finalmente, ¡no se olviden de reciclar! Es la mejor manera de limitar la ***amenaza*** de la contaminación al medio ambiente.

Prueba 9-3

Conjunciones que se usan con el subjuntivo y el indicativo

A. Los jóvenes de hoy están preocupados por los problemas de la contaminación y del futuro que les espera. Completa sus frases usando la forma correcta del verbo entre paréntesis.

—Si la gente sigue desperdiciando nuestros recursos naturales, antes de que nosotros (*cumplimos / cumplir / cumplamos*) los 35 años habrá una gran escasez de todo en nuestro planeta.

—Por eso es necesario que el gobierno tome medidas muy fuertes ahora. No deben esperar hasta que (*empiece / empieza / empezar*) la escasez.

—Las aguas seguirán contaminadas mientras las fábricas (*seguir / siguen / sigan*) echando sus desperdicios en los ríos. Eso me preocupa.

—Tampoco nadie conserva el agua ni la electricidad. En casa, siempre cuando (*haber / hay / haya*) escasez de agua, no la usamos para el césped ni lavamos el coche.

—Pues yo siempre estoy peleando con mi hermana porque nunca apaga la luz cuando (*termine / terminar / termina*) de bañarse o de ponerse el maquillaje.

—Yo siempre la apago tan pronto como (*salgo / salga / salir*) del baño o de mi cuarto. Hay que conservar la electricidad lo más posible.

B. Los jóvenes siguen hablando de los problemas de la contaminación y de sugerencias para detenerla. Completa sus frases usando el presente del indicativo, el presente del subjuntivo o el infinitivo del verbo entre paréntesis.

—En nuestra escuela a muchos chicos nada les preocupa. Muchas veces les digo algo en cuanto ***veo*** (*ver*) a algunos que no recogen su basura y la dejan en los pasillos o en las mesas de la cafetería.

—Yo, después de ***ver*** (*ver*) en los parques cómo la gente deja basura por todas partes, me he dado cuenta que hay que educar al pueblo antes de que ***sea*** (*ser*) demasiado tarde.

—Hagamos algo. Podemos organizar un club de reciclaje. Creo que en cuanto nuestros compañeros nos ***oigan*** (*oír*) hablar del tema y ***sepan*** (*saber*) del peligro en que estamos, van a colaborar. Debemos trabajar juntos para ***eliminar*** (*eliminar*) la contaminación en nuestro planeta.

Prueba 9-4

Los pronombres relativos *que, quien* y *lo que*

A. El profesor le ha pedido a los estudiantes que busquen en los periódicos frases que hablen de la contaminación y que tengan pronombres relativos. Completa las frases con *que, quien(es)* o *lo que.*

1. "El delfín", el barco ___*que*___ traía petróleo a nuestro país, tuvo un accidente ayer y todo el petróleo terminó en el mar.
2. El Sr. Alberto Ruiz, a ___*quien*___ acusaron el mes pasado de echar desperdicios de su fábrica al río, tuvo que pagar una multa de $20,000.00.
3. ___*Lo que*___ más le preocupa ahora al gobierno local es el problema de la contaminación del agua en nuestra ciudad.
4. El Dr. Mejorambiente, ___*que*___ tiene un programa de televisión sobre el medio ambiente, dará una presentación este sábado en nuestra universidad a las 10:00 de la mañana. Hablará sobre el peligro de los venenos ___*que*___ tienen algunos pesticidas.
5. Los políticos, con ___*quienes*___ se reunió el presidente ayer, están a cargo de escribir nuevas leyes para la protección del medio ambiente. Las leyes ___*que*___ existen ahora no han resuelto el problema de la contaminación.

B. Cecilia habla con Lucrecia sobre un nuevo problema ecológico que ha ocurrido en la ciudad donde ellas viven. Completa sus frases usando *que, quien(es)* o *lo que.*

—Lucrecia, ¿qué piensas de ___*lo que*___ está pasando? Ayer aparecieron más peces muertos en el río.

—La fábrica "Pestsol", ___*que*___ hace pesticidas, está creando todo este problema.

—La gente ___*que*___ está investigando piensa lo mismo.

—Las aguas del río estarán contaminadas y eso es ___*lo que*___ me preocupa.

—Los amigos de papá, con ___*quienes*___ él va de pesca, están furiosos.

—Hay que cerrar esa fábrica.

—El dueño de la fábrica, a ___*quien*___ le pusieron una multa el mes pasado, no la quiere cerrar. Dice que todo en su fábrica está en orden.

—El problema ___*que*___ tenemos es grave.

HOJA DE RESPUESTAS, EXAMEN 1

A. *(___ / ___ puntos)*

1. *electricidad*
2. *pronto*
3. *recipientes*
4. *limitar*
5. *depender*
6. *fomentar*
7. *pesticidas*
8. *dañan*
9. *graves*
10. *pilas*

B. *(___ / ___ puntos)*

1. *amenaza*
2. *creciendo*
3. *suficientes*
4. *escasez*
5. *conservar*
6. *petróleo*
7. *químicos*
8. *gobierno*
9. *protección*

C. *(___ / ___ puntos)*

1. *empiece*
2. *terminar*
3. *traigamos*
4. *tengamos*
5. *puedan*
6. *ven*
7. *observar*
8. *entiendan*
9. *se entera*
10. *sea*

D. *(___ / ___ puntos)*

1. *que*
2. *que*
3. *que*
4. *que*
5. *quienes*
6. *que*
7. *que*
8. *lo que*
9. *que*
10. *quien*
11. *lo que*

Prueba 9-5

Comprensión del vocabulario 2

A. En la clase de biología los estudiantes están dando opiniones sobre problemas de contaminación del ambiente debido a algunas actividades humanas. Algunos estudiantes no tienen información correcta, pero otros sí. Escribe una *F*, si la información es falsa. Escribe una *C*, si la información es cierta.

1. __*C*__ El efecto invernadero se produce cuando el CO_2 atrapa el calor del sol en la atmósfera.
2. __*F*__ Un derrame de petróleo no les hace daño a los peces ni a las aves.
3. __*C*__ Los cambios en el clima han puesto muchos animales salvajes en peligro de extinción.
4. __*F*__ El recalentamiento global es cuando bajan las temperaturas en todo el planeta.
5. __*C*__ Muchos animales que están en peligro de extinción podrán vivir con tal de que apoyemos los esfuerzos de los grupos ecológicos que trabajan para salvarles.
6. __*C*__ La capa de ozono tiene agujeros porque usamos muchos productos, como los aerosoles, que la destruyen.
7. __*C*__ Las especies que viven en las selvas tropicales han disminuido porque allí se han cortado muchos árboles.
8. __*F*__ No es importante tomar conciencia de los problemas ambientales, ya que afectan nuestra vida diaria.

B. En la misma clase de biología los estudiantes siguen hablando sobre el problema de la extinción de algunos animales y de desastres ecológicos en el mar. Lee las frases y escoge la mejor respuesta.

1. El águila calva es un __*a*__ que está en peligro de extinción.
   a. ave **b.** foca **c.** hielo
2. También, la __*c*__, el animal enorme que vive en el mar, está en peligro de extinción.
   a. atmósfera **b.** caza **c.** ballena
3. Uno de los peores accidentes que puede ocurrir en el mar y causar muchísimo daño en la vida de los peces y animales marinos es un __*a*__.
   a. derrame de petróleo **b.** recalentamiento global **c.** efecto invernadero
4. Cuando eso ocurre, limpiarles las __*b*__ a las aves marinas es un trabajo muy difícil.
   a. pieles **b.** plumas **c.** capa de ozono
5. También, toma mucho tiempo el __*c*__ de los animales marinos.
   a. clima **b.** agujero **c.** rescate
6. Otras causas de la extinción de algunos animales salvajes son la __*b*__ y la pesca excesivas.
   a. especie **b.** caza **c.** falta
7. Muchos animales desaparecerán __*c*__ se disminuyan algunas de estas actividades.
   a. salvaje **b.** preservación **c.** a menos que
8. Por eso es muy importante que todos nosotros hagamos un esfuerzo por la __*a*__ de todas las especies.
   a. preservación **b.** limpieza **c.** amenaza
9. Y es necesario que el gobierno siga creando más __*c*__ que sirvan de refugio para animales y plantas.
   a. rescates **b.** especies **c.** reservas naturales

C. Tu amigo te ha pedido que le ayudes a resolver las últimas siete palabras que le quedan del crucigrama que está haciendo. Lee las definiciones y escoge la palabra correcta. Escribe la letra correspondiente en el espacio en blanco.

1. Lo que cubre el cuerpo de una foca __*c*__	**a.** detener
2. Lo que le pasa al hielo cuando se convierte en agua __*h*__	**b.** la limpieza
3. La acción de limpiar __*b*__	**c.** la piel
4. Hacer un producto o causar algo __*g*__	**d.** la falta
5. Parar __*a*__	**e.** la amenaza
6. El peligro __*e*__	**f.** afectar
7. Cuando no hay algo __*d*__	**g.** producir
	h. derretir

Prueba 9-6

Aplicación del vocabulario 2

A. Eugenio y Federico están hablando sobre los cambios de temperatura y por qué están ocurriendo. Completa sus frases usando una de las palabras o expresiones estudiadas en este capítulo.

—No puedo creer que estemos en invierno y haga tanto calor hoy.

—Sí, es extraño. Muchos científicos dicen que esto ocurre a causa del ***recalentamiento global***, o sea, el aumento de las temperaturas en todo el mundo.

—Pero, ¿por qué aumentan las temperaturas?

—Por el ***efecto invernadero***.

—¿Y qué es eso?

—Es lo que ocurre cuando algunos gases, por ejemplo los que producen los automóviles, ***atrapan***, es decir que no permiten escapar, el calor del sol en la ***atmósfera***.

—Ese aumento de temperatura también puede ***derretir*** la nieve y el ***hielo*** de los polos y las montañas y crear más problemas, ¿no?

—Claro que sí. También, la ***capa de ozono***, que es un gas que nos protege de los rayos ultravioleta del sol, está dañada. Tiene un ***agujero*** causado por el uso excesivo de los ***aerosoles*** y otros productos químicos.

—Pues, eso es un peligro enorme, una ***amenaza*** para nuestro medio ambiente.

—Por supuesto. Es importante darse cuenta, o sea, ***tomar conciencia*** de este problema porque nos daña e influye en la vida de todos, nos ***afecta*** a todos.

B. Estás leyendo un artículo que habla de los accidentes en nuestros océanos. Completa las frases usando una de las palabras estudiadas en este capítulo.

Un ***derrame de petróleo*** causa un daño enorme en nuestros océanos. Esto produce contaminación de las aguas y muchos pájaros y otros animales marinos mueren a causa de este líquido negro en sus cuerpos. Aunque todas las ***aves*** no se mueren, es muy difícil limpiar las ***plumas*** de los pájaros. También es un trabajo difícil limpiar la ***piel*** de algunos animales como las ***focas*** y de mamíferos marinos más grandes como las ***ballenas***. Tampoco es fácil la ***limpieza*** de las playas sucias y el ***rescate*** de los animales.Tratar de salvar a estos animales y mantener las playas limpias es mucho trabajo y cuesta mucho dinero. Ahora muchos países están haciendo lo que pueden para parar aquellos barcos que no sean seguros, o sea ***detener*** los barcos antes de que puedan causar estos terribles accidentes.

C. Un experto en la preservación de la flora y fauna de los Estados Unidos ha venido de invitado a tu clase de biología. Los estudiantes le hacen preguntas sobre algunos animales que han desaparecido y por qué ocurre. Completa las frases con palabras apropiadas de este capítulo.

—¿Por qué algunos de los animales ***salvajes*** que viven en los bosques están en ***peligro de extinción***?

—La desaparición de algunos de estos animales, como casi ocurre con el ***águila calva***, el símbolo de nuestro país, se debe a que las ciudades crecen mucho. Se destruyen bosques para construir casas, como ha pasado con la ***selva*** tropical. Los animales que viven en estos lugares no tienen adonde ir, tienen escasez de alimentos y sobre todo, la ***falta*** de agua es un problema muy grave. Tenemos que dejar de ***explotar*** sin control estos lugares y permitir que los animales vivan en paz en su ***tierra***.

—¿Es ésa la única razón?

—Por supuesto que no. Otra causa son los cambios de temperatura, cambios en el ***clima*** que estamos viendo por todo el planeta. También, las actividades humanas como la pesca y la ***caza*** de animales son ***excesivas***, o sea que se hacen demasiado, y ponen a muchos animales en peligro de extinción.

—¿Qué podemos hacer para ayudar con la ***preservación*** de estos animales?

—Creo que todos debemos hacer un esfuerzo por aumentar, en vez de ***disminuir***, las ***especies*** del mundo animal.

Prueba 9-7

Conjunciones que se usan con el subjuntivo y el indicativo

Juan y Ricardo han ido de voluntarios a limpiar un área donde hubo un derrame de petróleo. Una de las organizadoras les dice lo que deben hacer. Completa las frases usando la forma correcta del verbo entre paréntesis.

—Gracias por venir a ayudar hoy. Primero necesitan ponerse esta ropa para que *(protegerse / se protejan / se protegen)* del petróleo.

—Creo que podemos hacer un buen trabajo aquí con tal de que todos nosotros *(trabajemos / trabajamos / trabajar)* juntos.

—Aunque este trabajo *(sea / es / ser)* muy difícil, vamos a terminarlo. Tenemos que salvar los animales y limpiar esta playa.

—Todo esto es una tragedia enorme y para que estos accidentes no *(siguen / seguir / sigan)* destruyendo nuestro medio ambiente, el gobierno debe tomar medidas más fuertes. Juan y Ricardo, vengan aquí.

—Usen este producto para *(limpie / limpia / limpiar)* las plumas de las aves. Límpienles la cabeza con cuidado sin que el producto les *(caer / caiga / cae)* en los ojos.

—No les toquen la piel a estas focas a menos que *(usan / usar / usen)* estos guantes especiales.

—Sé que es muy difícil, pero tenemos que quitarles el petróleo del cuerpo a los animales sin *(les hace / hacerles / les haga)* daño.

—Ha empezado a llover, pero aunque *(estuvo / estará / está)* lloviendo, vamos a seguir trabajando a menos que *(haya / hay / haber)* truenos y relámpagos.

HOJA DE RESPUESTAS, EXAMEN 2

A. *(___ / ___ puntos)*

1. *clima*
2. *atrapa*
3. *atmósfera*
4. *efecto invernadero*
5. *derrames de petróleo*
6. *ballenas*
7. *caza*
8. *extinción*
9. *salvajes*
10. *águila calva*
11. *agujeros*
12. *conciencia*
13. *preservación*
14. *especies*

B. *(___ / ___ puntos)*

1. *piel*
2. *recalentamiento global*
3. *rescate*
4. *falta*
5. *amenaza*
6. *hielo*
7. *derretir*
8. *reserva natural*

C. *(___ / ___ puntos)*

1. *disminuyan*
2. *dañen*
3. *evitar*
4. *saben*
5. *dé*
6. *hacer*
7. *produzcamos*
8. *parar*

HOJA DE RESPUESTAS, EXAMEN DEL CAPÍTULO 9

A. Escuchar *(___ / ___ puntos)*

MIS APUNTES

Beto		
Elena		
Antonio		
Carmen		
Raúl		

	PROBLEMA	SOLUCIÓN
Beto	*la contaminación de los ríos*	*dejar de echar productos químicos*
Elena	*el petróleo se va a agotar*	*usar coches eléctricos*
Antonio	*caza de animales en peligro de extinción*	*proteger los animales con nuevas leyes y multas*
Carmen	*el recalentamiento global*	*disminuir el uso de aerosoles*
Raúl	*un derrame de petróleo*	*hacer una rápida limpieza del área afectada*

B. Leer *(___ / ___ puntos)*

Escoge la respuesta correcta:

1. Ningún artículo habla __*c*__.
   a. del daño hecho por los productos químicos
   b. del rescate de aves afectadas por el petróleo
   c. de los refugios naturales
2. __*b*__ son responsables de la contaminación de los ríos.
   a. Las ballenas azules
   b. Las fábricas de productos químicos
   c. El calentamiento global
3. Los gobiernos temen el efecto que los derrames de petróleo tengan __*a*__.
   a. en la economía y el turismo
   b. en las selvas tropicales
   c. sobre el efecto invernadero

4. La práctica de __*b*__ protege los recursos naturales del mundo.
   a. echar desperdicios en los ríos
   b. disminuir el uso de aerosoles
   c. usar barcos petroleros demasiado viejos
5. Los gobiernos deben __*c*__ a las personas que contaminan el medio ambiente.
   a. fomentar
   b. proteger
   c. castigar

C. Escribir *(___ / ___ puntos)*

D. Hablar *(___ / ___ puntos)*

E. Cultura *(___ / ___ puntos)*

Dé crédito total si los estudiantes describen un problema en otro país, como el derrame de petróleo, y cómo lo resolvió el país. Los estudiantes deben también comparar los problemas medioambientales entre Estados Unidos y el otro país.

Realidades 3 Nombre ____ Hora ____

Capítulo 10 Fecha ____ Prueba 10-1, Página 1

Prueba 10-1

Comprensión del vocabulario 1

A. Es el primer día de clases y el director de la escuela les habla a los estudiantes sobre las reglas de la escuela y sobre sus derechos y responsabilidades como estudiantes. Escoge la respuesta que mejor completa cada frase.

1. Nuestro distrito escolar ha decidido tener nuevas reglas para este año escolar. Primero, en cuanto a la ropa, hay un nuevo __*c*__ para los estudiantes.
a. maltrato **b.** apoyo **c.** código de vestimenta

2. Los estudiantes deben usar ropa __*a*__ para cada estación del año sin que llame mucho la atención.
a. adecuada **b.** gratuita **c.** de ese modo

3. __*a*__ los armarios de estudiantes, los directores de cada edificio tienen el derecho de registrarlos.
a. En cuanto a **b.** De ese modo **c.** Ambos

4. Los estudiantes no sólo deben respetar lo que dicen sus maestros, sino también la __*b*__ de expresión de sus compañeros.
a. discriminación **b.** libertad **c.** injusticia

5. Todos deben __*c*__ del derecho de expresar sus ideas y sentimientos sin ofender a nadie.
a. dañar **b.** maltratar **c.** gozar

6. En esta escuela no se permite __*a*__ a ninguna persona.
a. discriminar **b.** sufrir **c.** votar

7. Los estudiantes y los profesores deben tratarse con __*b*__ y tolerancia.
a. asunto **b.** respeto **c.** abuso

8. Cada estudiante tiene el derecho de __*a*__ por sus representantes estudiantiles en las elecciones anuales.
a. votar **b.** sufrir **c.** aplicar

9. Y por favor, recuerden que todos Uds. reciben una educación __*c*__. Úsenla bien. Gracias.
a. de ese modo **b.** discriminada **c.** gratuita

Realidades 3 Nombre ____ Hora ____

Capítulo 10 Fecha ____ Prueba 10-1, Página 2

B. En tu libro de gobierno estás leyendo un párrafo sobre los derechos del individuo. Subraya la mejor de las palabras que están entre paréntesis para completar cada frase.

El gobierno de nuestro país garantiza la *(injusticia / **enseñanza**)* de todos nuestros niños. También, el *(**estado** / apoyo)* es responsable de *(**aplicar** / sufrir)* las leyes que protegen a la *(tolerancia / **niñez**)*. Nuestra Constitución garantiza *(**la felicidad** / el abuso)* de los ciudadanos y que lleven una vida en *(maltrato / **paz**)*. Ningún joven debe sufrir *(**abusos** / igualdad)* ni *(apoyo / **maltratos**)* de quienes los cuidan. Los adultos que cuidan a los jóvenes y no los tratan bien están *(pensamientos / **sujetos**)* a ser castigados por las autoridades. Nuestro gobierno también da apoyo a aquellos que *(**sufren** / aplican)* de mucha *(razón / **pobreza**)* y no permite *(**discriminar** / gozar)* por *(**razones** / libertades)* de raza, nacionalidad o sexo. Es muy importante que se reconozca la *(enseñanza / **igualdad**)* de todos ante la ley.

C. Estás leyendo un artículo que escribió una consejera familiar sobre algunos problemas que tienen los jóvenes y sus padres. Completa las frases usando las palabras del recuadro. No todas la palabras son necesarias.

autoridad	enseñanza	adolescentes	tratan
deberes	satisfactorios	injusticia	respeto

En muchas familias hoy día los __*adolescentes*__ muchas veces se quejan de sus padres. Ellos dicen que les dan muchas obligaciones y __*deberes*__ como si ellos fueran adultos, pero los __*tratan*__ como niños. Por eso piensan que es una __*injusticia*__. Los padres también se quejan de que sus hijos no les hablan con __*respeto*__ y que parece que ellos ya no tuvieran la __*autoridad*__ que deberían tener. En mi opinión, cuando estas situaciones ocurren, lo mejor es hablar sobre el problema y tal vez escribir una lista de derechos que sean __*satisfactorios*__ para ambos, los hijos y los padres.

Prueba 10-2

Aplicación del vocabulario 1

A. Ernestina viene a hablar con su consejera porque otra vez tiene problemas con sus padres. Completa las frases con una palabra del vocabulario estudiado en este capítulo.

—No aguanto más, Sra. Gutiérrez.

—Tus padres otra vez, ¿verdad?

—Sí, ellos me tratan como una niña, no se dan cuenta que soy una **adolescente**, tengo 16 años. No tengo **libertad** para decidir lo que quiero hacer.

—Ésa no es razón o **motivo** para estar tan enojada. Tú sólo tienes 16 años y vives en su casa. Ellos tienen la **autoridad** y la responsabilidad de decidir por ti.

—Siempre dice que me quieren ver feliz, que se preocupan por mi **felicidad**, pero nunca es así.

—¿Cómo te tratan? ¿Te **maltratan** o te tratan con **respeto** y cariño?

—No, ellos me escuchan y los dos, **ambos**, mamá y papá me dejan tener libertad de expresión y **pensamiento**, pero siempre quieren que yo haga cosas que no me gustan, me **obligan** a hacer lo que ellos quieren. Parece que tengo más **deberes** que derechos en mi casa.

—Pero todo eso es por tu bien. ¿Te ayudan, te dan **apoyo** cuando tratas de resolver tus problemas personales?

—Sí, pero . . .

—Ernestina, tú también debes ser tolerante con tus padres. Trata de hablar con ellos y entender por qué te ponen ciertas reglas. Y quizás ellos te den más libertad en cosas que no son peligrosas para ti, pero lo que sea por tu bien, debes aceptarlo.

B. María Teresa está escribiendo una composición sobre la diferencia entre el hombre y la mujer en el trabajo. Completa las frases usando una de las palabras del vocabulario estudiado.

No creo que la **igualdad** entre el hombre y la mujer exista totalmente en nuestra sociedad. Todavía se ve una manera diferente de tratar a las personas, o **desigualdad**, especialmente en el mundo del trabajo.

Es en el trabajo donde las mujeres están **sujetas** a ser **discriminadas** en cuanto a los puestos y salarios. Ellas no disfrutan, no **gozan** de las mismas oportunidades que los hombres. También, son víctimas del **abuso** de autoridad por parte de algunos jefes. Todo esto no es justo, es una gran **injusticia** que la mujer tiene y **sufre** todavía en el mundo de hoy.

C. Tu amigo está buscando en el diccionario las definiciones de algunas palabras que estudiaron en la clase de español. Tu objetivo es decirle cuál es la palabra que él describe. Escribe la palabra en el espacio en blanco.

1. opuesto de riqueza **pobreza**
2. educación **enseñanza**
3. tema **asunto**
4. de esa manera **de ese modo**
5. primera época de la vida humana **niñez**
6. apropiado **adecuado**
7. Tratar diferente, sea por raza, nacionalidad o sexo. **discriminar**
8. Algo que no se paga. **gratuito**
9. el respeto hacia las maneras de pensar y de sentir de los demás **tolerancia**
10. Lo que hacen los ciudadanos de un país para decidir quién va a ser su presidente. **votar**
11. gobierno **estado**
12. Regla de un lugar que dice qué clase de ropa se debe usar. **código de vestimenta**
13. opuesto de guerra **paz**

Realidades 3 Nombre ______ Hora ______

Capítulo 10 Fecha ______ Prueba 10-3

Prueba 10-3

La voz pasiva: *ser* + participio pasado

Cuando llegas a la escuela este año encuentras muchas sorpresas. Tú le preguntas a tus compañeros quiénes son los responsables. Usa la voz pasiva de los verbos subrayados para contestar las preguntas.

Modelo — ¿Quiénes escogieron al nuevo director?

— El nuevo director ***fue escogido*** por los padres y los profesores.

—¿Quiénes hicieron todos estos cambios?
—Todos estos cambios ***fueron hechos*** por el director, los profesores y los padres.

—¿Quiénes escribieron el código de vestimenta?
—El código de vestimenta ***fue escrito*** por el director y los profesores.

—¿Quién prohibió las salidas a almorzar?
—Las salidas a almorzar ***fueron prohibidas*** por el director.

—¿Quiénes pidieron tareas para los fines de semana?
—Las tareas ***fueron pedidas*** por los padres.

—¿Quiénes pusieron la reja a la entrada de la escuela?
—La reja ***fue puesta*** por los trabajadores del distrito escolar.

—¿Quiénes cambiaron el horario de clases?
—El horario de clases ***fue cambiado*** por los profesores.

—¿Quiénes promovieron el uso de computadoras en las clases?
—El uso de computadoras en las clases ***fue promovido*** por los estudiantes.

—¿Quiénes le dieron permiso a la administración para registrar los armarios?
—El permiso ***fue dado*** por las autoridades escolares.

Realidades 3 Nombre ______ Hora ______

Capítulo 10 Fecha ______ Prueba 10-4

Prueba 10-4

El presente y el imperfecto del subjuntivo

Victoria habla con su abuelita y se queja de lo que sus padres la obligan a hacer. La abuelita le contesta con lo que sus padres la obligaban a hacer a ella. Usa el presente o el imperfecto del subjuntivo del verbo entre paréntesis.

VICTORIA: Mis padres insisten en que yo les ***diga*** *(decir)* siempre adónde voy.

ABUELITA: Pues, mis padres no me dejaban salir sin que yo les ***dijera*** *(decir)* adónde iba.

VICTORIA: Es increíble que mis padres no ***permitan*** *(permitir)* que yo ***salga*** *(salir)* sola y ***vuelva*** *(volver)* a casa después de las once.

ABUELITA: En mis tiempos yo no podía salir a menos que ***fuera*** *(ser)* con mi hermana o una amiga. Y siempre querían que ***regresara*** *(regresar)* a las nueve de la noche.

¿Sabes que en mi casa era necesario que yo ***tuviera*** *(tener)* mi cuarto ordenado y limpio?

VICTORIA: También en la nuestra. Mamá insiste en que yo ***mantenga*** *(mantener)* mi cuarto ordenado y limpio.
Papá no quiere que yo ***trabaje*** *(trabajar)* hasta que se ***terminen*** *(terminar)* las clases.

ABUELITA: Mi papá no permitía que yo ***hiciera*** *(hacer)* ningún trabajo durante el año escolar.

Para mis padres era importante que yo ***estudiara*** *(estudiar)* una profesión que ***fuera*** *(ser)* honorable en aquellos tiempos, como la de maestra. Y eso estudié.

VICTORIA: Pues, Mamá espera que yo ***sea*** *(ser)* enfermera como ella. Pero yo quiero ser artista.
Es interesante que las cosas no ***hayan*** *(haber)* cambiado mucho entre mi tiempo y tu época, abuelita.

ABUELITA: Tienes razón, hija. Yo dudaba que la vida de mis nietos ***pudiera*** *(poder)* ser tan similar a la mía, pero así es.

HOJA DE RESPUESTAS

A. (___ / ___ *puntos)*

1. *gozar*
2. *felicidad*
3. *paz*
4. *sujeto*
5. *discriminado*
6. *razones*
7. *enseñanza*
8. *gratuita*
9. *maltrato*
10. *abuso*
11. *libertad*
12. *pensamiento*
13. *injusticia*
14. *autoridades*
15. *estado*
16. *aplicar*
17. *deber*
18. *votar*
19. *pobreza*
20. *tolerancia*
21. *igualdad*

B. (___ / ___ *puntos)*

1. *fue castigada*
2. *fueron puestas*
3. *fue destruida*
4. *fueron vistos*
5. *fue maltratado*

C. (___ / ___ *puntos)*

1. *entienda*
2. *fuera*
3. *haga*
4. *quiera*
5. *saliera*
6. *obliguen*
7. *pudiera*
8. *fuera*
9. *me vistiera*
10. *estén*
11. *sea*
12. *empiecen*
13. *quisieran*
14. *tenga*

Prueba 10-5

Comprensión del vocabulario 2

A. En la clase de gobierno el profesor habla de la Constitución de los Estados Unidos. Escoge la mejor respuesta para completar las frases que él dice.

1. La libertad de expresión es la base de una sociedad ___*b*___.
   a. inocente **b.** democrática **c.** pacífica
2. Y como se nos garantiza esta libertad, somos ___*b*___ de decir lo que queremos.
   a. culpables **b.** libres **c.** mundiales
3. La Constitución de los Estados Unidos no sólo garantiza la libertad de expresión, sino también la libertad de ___*c*___.
   a. motivo **b.** desempleo **c.** prensa
4. Otra ___*a*___ que da la Constitución es el derecho de cada ciudadano a reunirse con otros.
   a. garantía **b.** justicia **c.** tolerancia
5. La Declaración de Derechos de la Constitución también le da derechos a un sospechoso. La policía no puede ___*a*___ a una persona sin acusarla de un crimen específico.
   a. detener **b.** asegurarlo **c.** proponerlo
6. Tampoco su casa puede ser registrada sin un documento que diga que esa persona es sospechosa de haber ___*b*___ la ley.
   a. opinado **b.** violado **c.** intercambiado
7. Otra cosa, el acusado debe ser juzgado por un ___*c*___ imparcial.
   a. estado **b.** testigo **c.** jurado
8. Y recuerden en este país, que un acusado es ___*b*___ hasta que se demuestre con pruebas que es culpable.
   a. culpable **b.** inocente **c.** democrático
9. Los Estados Unidos es un país que garantiza libertad y ___*a*___ para todos sus ciudadanos.
   a. justicia **b.** juicio **c.** aspiración

Realidades 3 Nombre ______ Hora ______

Capítulo 10 Fecha ______ Prueba **10-5**, Página 2

B. Ésto es parte de un artículo que tu amiga Cecilia escribió para el periódico de la escuela. Ella te pidió que lo leyeras y le ayudaras a escoger las mejores palabras. Completa las frases subrayando la palabra que mejor completa la frase.

Los adolescentes de hoy sabemos que nuestras opiniones cuentan y tienen un gran *(castigo / valor)* en el mundo. Por eso participamos en reuniones de organizaciones internacionales, como la Red de Jóvenes y Estudiantes, *(de modo que / en lugar de)* podamos escuchar los *(fines / puntos de vista)* y las *(aspiraciones / garantías)* de otros jóvenes. El *(pacífico / fin)* de algunas de estas organizaciones es *(asegurar / juzgar)* que ningún joven sufra de una *(falta de / ante)* educación y entrenamiento. En muchas de estas reuniones, nosotros *(violamos / proponemos)* diferentes *(modos / juicios)* de resolver no sólo nuestros problemas, sino también los problemas de otros adolescentes. Al mismo tiempo, *(intercambiamos / detenemos)* ideas y hacemos *(propuestas / fundamentales)* para solucionar algunos conflictos *(inocentes / mundiales)* y nacionales como son el *(desempleo / castigo)* y las *(aspiraciones / desigualdades)* sociales, económicas y políticas.

C. Éstas son algunas frases que escuchamos en una corte. Completa las frases usando las palabras del recuadro.

juzgar	a medida que	castigo	en lugar de
testigo	culpable	violaron	jueza

1. El acusado no es ***culpable*** del crimen del que Uds. lo acusan.
2. Registraron la casa de mi cliente sin un documento oficial. ***Violaron*** sus derechos civiles.
3. ***A medida que*** este juicio se vaya desarrollando, el jurado se dará cuenta de que mi cliente es inocente.
4. Hoy vamos a escuchar a un ***testigo*** que dice que vio al señor Fernández esa noche en otro lugar.
5. Señores del jurado, sólo pueden ***juzgar*** al acusado en base a las pruebas que aquí se muestran.
6. Mi cliente ha recibido un ***castigo*** injusto. Seguiré luchando por su libertad.

Realidades 3 Nombre ______ Hora ______

Capítulo 10 Fecha ______ Prueba **10-6**, Página 1

Prueba 10-6

Aplicación del vocabulario 2

A. Tu padre te está haciendo preguntas sobre diferentes temas. Contéstale con palabras del vocabulario que quieren decir lo mismo que la(s) palabra(s) subrayada(s).

—Esteban, ¿cuál es tu opinión sobre la discriminación?

—Mi ***punto de vista*** es como el tuyo, papá. Es muy injusta.

—Entonces, ¿qué propones?

—Mi ***propuesta*** es aplicar las leyes que existen y castigar con multas altas a aquéllos que la practican.

—¿Qué harías para resolver el problema de aquéllos que no tienen oportunidades de educación y entrenamiento?

—Creo que para aquellas personas que sufren ***la falta de*** oportunidades de estudio y entrenamiento, el estado debería ayudar más; que no quede un ciudadano sin educación.

—¿Qué opinas de la libertad que tienen los periódicos de escribir lo que quieran?

—La libertad de ***prensa*** es un derecho básico que todos tenemos, aunque muchas veces en los periódicos se escriben cosas que no son noticias sino opiniones del redactor.

—¿Crees que alguien al que acusan de un crimen horrible debe tener los mismos derechos que la víctima?

—¿Por qué no? El ***acusado*** ante la ley es inocente hasta que se muestre de otra manera.

—Hijo, en vez de querer ser médico, deberías ser abogado. Serías muy bueno.

—No, papá, ***en lugar de*** ser abogado, quiero ser presidente de este país.

—Para nosotros es muy importante la libertad de palabra, ¿verdad?

—Sí, la libertad de palabra es un derecho y un ***valor*** fundamental de una sociedad libre.

—¿Cómo se le llama a un país en el cual todos los ciudadanos pueden votar para elegir a su gobierno?

—Es un país ***democrático***, como el nuestro.

B. Tu amigo quiere que le ayudes a terminar este crucigrama de palabras del vocabulario. Escribe la palabra apropiada en el espacio en blanco junto a cada definición.

Horizontal

1. persona que se cree que pudo haber cometido un crimen ***sospechoso***
2. alguien que vio un crimen ***testigo***
3. maneras ***modos***
4. decidir si alguien es culpable o inocente ***juzgar***
5. arrestar ***detener***
6. lo que recibe alguien que hizo algo malo ***castigo***
7. el / la que tiene libertad ***libre***
8. lo contrario a igualdad ***desigualdad***
9. En una sociedad justa hay ____ para todos. ***justicia***
10. derechos que la Constitución nos garantiza ***garantías***

Vertical

1. no obedecer la ley ***violar***
2. alguien que no es inocente ***culpable***
3. que actúa o sucede en paz ***pacífico***
4. proceso para decidir si alguien es inocente o no ***juicio***
5. del mundo ***mundial***
6. cuando no hay trabajo ***desempleo***
7. lo que se desea ***aspiración***
8. los que deciden en un juicio si el acusado es inocente o no ***jurado***
9. hacer que las personas estén seguras de algo ***asegurar***
10. frente a ***ante***

Prueba 10-7

El pluscuamperfecto del subjuntivo

A. En el juicio del Sr. Torres hubo sorpresas y alegrías para todos. Completa las frases usando el pluscuamperfecto del subjuntivo de uno de los verbos en paréntesis.

1. El abogado de la defensa no podía creer que la policía ***hubiera violado*** *(violar / intercambiar)* los derechos de su cliente.
2. El acusado estaba sorprendido de que su mejor amigo lo ***hubiera juzgado*** *(aplicar / juzgar)* como lo hizo.
3. Una testigo se sorprendió de que el abogado le ***hubiera dicho*** *(decir / sufrir)* que ella estaba mintiendo.
4. A todos les pareció extraño que los padres del acusado ***hubieran salido*** *(detener / salido)* riéndose.
5. La jueza se sorprendió de que el jurado ***hubiera tomado*** *(tomar / discriminar)* una decisión tan rápida.
6. Al final del juicio, el acusado se alegró muchísimo de que el jurado ***hubiera decidido*** *(obligar / decidir)* que él era inocente.

B. José está escribiendo un artículo para el periódico de su escuela sobre la reunión a la que él asistió. Completa las frases de este artículo usando los verbos del recuadro en el pluscuamperfecto del subjuntivo.

poder	resolver	abrir	venir	llevarse	ser

El fin de semana pasado se celebró en Nueva York la reunión anual de Estudiantes Internacionales. Más de 300 estudiantes de todas partes del mundo participaron. El presidente de la organización dijo que se alegraba mucho de ver que tantos estudiantes ***hubieran venido***, pero también dijo que era una lástima que sólo cinco estudiantes de países del tercer mundo ***hubieran podido*** asistir. En la reunión expresamos diferentes puntos de vista y presentamos propuestas. Yo no podía creer que al final nosotros ***hubiéramos resuelto*** todas las propuestas y que ***nos hubiéramos llevado*** tan bien. Cada representante habló como si ***hubiera sido*** un experto en política.

Prueba 10-8

El condicional perfecto

A. Tu amigo Paco a veces tiene opiniones diferentes a las tuyas. Tú le estás diciendo lo que hiciste en la última reunión de Estudiantes Internacionales, pero él siempre habría hecho algo diferente. Usa el condicional perfecto para expresar su opinión.

Modelo —Yo fui a la reunión con Luisa.
—Yo no *habría ido* con ella.

—Yo hice una propuesta sobre la discriminación sexual.
—Yo la ***habría hecho*** sobre el desempleo.

—Propuse ayudar a los jóvenes sin hogar.
—Yo nunca ***habría propuesto*** eso.

—Yo no hablé de la contaminación ambiental.
—Pues, yo sí ***habría hablado*** de la contaminación.

—Yo rompí con la tradición de esperar hasta el fin de la reunión para salir.
—Hiciste muy mal. Yo no ***habría roto*** con esa tradición.

B. Estás hablando de cómo sería tu vida si hubieras nacido en otro país. Completa las frases usando los verbos del recuadro en el condicional perfecto. No todos los verbos son necesarios.

poder	vivir	sufrir	permitir	saber	intercambiar	tener	detener

Si mi familia y yo hubiéramos nacido en un país sin libertades, ***habríamos sufrido*** mucho porque no ***habríamos tenido*** los derechos que tenemos en los Estados Unidos. A mi papá las autoridades del gobierno no le ***habrían permitido*** escribir sus críticas y hablar de sus puntos de vista o opiniones libremente en el periódico. Lo ***habrían detenido*** inmediatamente. Mi mamá, como reportera que es, no ***habría podido*** tener la libertad de expresión tampoco. Y yo no ***habría sabido*** lo que es vivir en una sociedad libre y con justicia para todos. Creo que nosotros ***habríamos vivido*** una vida muy triste en un país sin libertad.

HOJA DE RESPUESTAS

A. (___ / ___ *puntos*)

1. ***juicio***
2. ***acusada***
3. ***inocente***
4. ***culpable***
5. ***sospechosa***
6. ***jurado***
7. ***juzgada***
8. ***garantías***
9. ***testigos***
10. ***detuvo***

B. (___ / ___ *puntos*)

1. ***intercambiar***
2. ***proponer***
3. ***mundial***
4. ***pacífico(a)***
5. ***fin***
6. ***puntos de vista***
7. ***desigualdad***
8. ***desempleo***

C. (___ / ___ *puntos*)

1. ***hubiera violado***
2. ***hubiera sido***
3. ***hubieran encontrado***
4. ***hubiera robado***
5. ***hubiera pedido***
6. ***hubiéramos visto***

D. (___ / ___ *puntos*)

1. ***habría estado***
2. ***habría llamado***
3. ***se habrían muerto***
4. ***habríamos recordado***
5. ***habría escrito***
6. ***habrías hecho***

HOJA DE RESPUESTAS, EXAMEN DEL CAPÍTULO 10

A. Escuchar *(___ / ___ puntos)*

MIS APUNTES

Ana		
Ramón		
Diana		
Daniel		
Lorena		

	PROBLEMA	SOLUCIÓN
Ana	<u>derecho</u> deber	*recibir respeto / ser respetada*
Ramón	<u>derecho</u> deber	*tener un juicio rápido e imparcial*
Diana	derecho <u>deber</u>	*ayudar con los quehaceres del hogar / seguir las reglas de la casa*
Daniel	<u>derecho</u> deber	*a protestar / a reunirse con fines pacíficos*
Lorena	derecho <u>deber</u>	*dar educación / enseñanza a los niños*

B. Leer *(___ / ___ puntos)*

Lee cada frase y escribe *C* si es cierta o *F* si es falsa.

1. El veterinario cree que los animales sufren porque no jugamos con ellos. *F*
2. Más que dinero, es mejor que les demos educación a los pobres. *C*
3. La profesora piensa que los padres deberían ser llamados "Los profesores del año". *C*
4. Es seguro que estos tres personajes famosos piensan que el gobierno debe resolver todos los problemas. *F*
5. Todos recibieron un premio por sus esfuerzos en la comunidad. *F*

C. Escribir *(___ / ___ puntos)*

D. Hablar *(___ / ___ puntos)*

E. Cultura *(___ / ___ puntos)*

Dé crédito total si los estudiantes pueden volver a contar algunas partes de la historia que describen las condiciones de Domitila en la escuela y/o casa. Una breve descripción de una persona de las noticias o de la literatura estadounidense se podría usar como una comparación.

HOJA DE RESPUESTAS, EXAMEN ACUMULATIVO I

PARTE I. Vocabulario y gramática

A. (/ puntos)

1. *de pie*
2. *autorretrato*
3. *linterna*
4. *brújula*
5. *jarabe*
6. *equilibrada*
7. *confianza*
8. *cariñosa*
9. *temer*
10. *ojalá*
11. *saludable*
12. *parcial*
13. *gente sin hogar*
14. *salvavida*

B. (/ puntos)

1. *no escale*
2. *las rocas*
3. *recojan*
4. *taller*
5. *hagamos*
6. *abdominales*
7. *traigan*
8. *comida basura*

C. (/ puntos)

1. *para*
2. *para*
3. *para*
4. *por*
5. *por*
6. *para*
7. *para*
8. *para*

D. (___ / ___ puntos)

1. *tenga*
2. *nada*
3. *gane*
4. *se lleven*
5. *sea*
6. *hagan*
7. *me entreviste*
8. *puedo*
9. *recibe*
10. *sea*

E. (___ / ___ puntos)

1. *caminaban*
2. *se perdió*
3. *estaban*
4. *entró*
5. *estaba*
6. *fue*
7. *entró*
8. *gritó*
9. *se veían*
10. *encontraron*

PARTE II. Comunicación

A. Escuchar (/ puntos)

Persona: *4* andar *X* perderse	Persona: *3* *X* perder el equilibrio nadar	Persona: *1* pescar *X* relajarse
Persona: *2* *X* hacer cámping ver animales	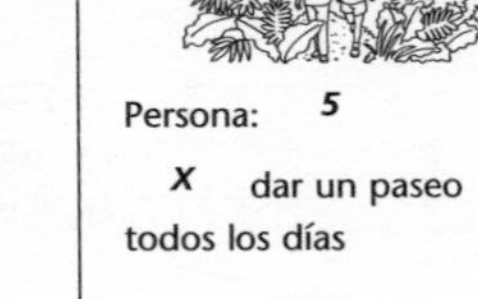 Persona: *5* *X* dar un paseo todos los días educar	Persona: entrenarse caerse

B. Escuchar (___ / ___ puntos)

Conversación	Conclusión
1.	*X* Tienen mucho en común. ___ No tienen mucho en común.
2.	*X* Cambió de opinión. ___ No cambió de opinión.
3.	*X* Se reconciliaron. ___ No se reconciliaron.
4.	___ Resolvieron el conflicto. *X* No resolvieron el conflicto.

C. Leer *(/   puntos)*

1. Este anuncio les explica a los estudiantes la variedad de actividades extracurriculares. *C*
2. No menciona actividades para los estudiantes interesados en viajar. *C*
3. No hay ninguna actividad para los deportistas. *F*
4. La escuela tiene un club para los estudiantes que tienen interés en actuar. *C*
5. No hay una actividad en la que se usen las computadoras. *F*

D. Escribir *(/   puntos)*

E. Hablar *(/   puntos)*

HOJA DE RESPUESTAS, EXAMEN ACUMULATIVO II

PARTE I. Vocabulario y gramática

A. *(___ / ___ puntos)*

1. *valle*
2. *desconocido*
3. *escasez*
4. *injustas*
5. *en contra*
6. *desperdiciar*
7. *comida basura*
8. *sombra*
9. *débiles*
10. *culpable*

B. *(___ / ___ puntos)*

1. *recepcionista*
2. *salvavida*
3. *arqueólogo*
4. *jueza*
5. *sean*
6. *sepa*
7. *lleguen*
8. *te mantengas*

C. *(___ / ___ puntos)*

1. *pinceles*
2. *me los*
3. *tienda de acampar*
4. *nos la*
5. *azulejos*
6. *se los*
7. *entradas*
8. *te las*

D. *(___ / ___ puntos)*

1. *donemos*
2. *ayudan*
3. *partícipes*
4. *vuelvas*
5. *gusta*
6. *tenemos*

E. *(___ / ___ puntos)*

1. *organizó*
2. *creía*
3. *era*
4. *murió*
5. *sirvió*
6. *creó*
7. *pensaba*
8. *solían*

F. *(___ / ___ puntos)*

1. *vayan*
2. *se diviertan*
3. *se queden*
4. *asistieran*
5. *conocieran*
6. *visiten*

G. *(___ / ___ puntos)*

1. *el gobierno hubiera encontrado una solución para la pobreza.*
2. *mi maestro nos hubiera enseñado cómo evitar la discriminación.*
3. *habría interesado mucho la libertad de prensa y de pensamiento.*
4. *la gente habría vivido de manera satisfactoria.*

PARTE II. Comunicación

A. Escuchar *(___ / ___ puntos)*

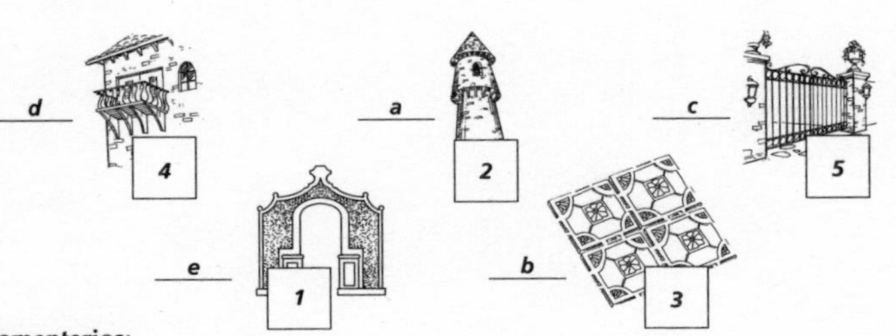

d 4 — a 2 — c 5 — e 1 — b 3

Comentarios:

a. Se integra al castillo perfectamente.
b. Brillan al sol.
c. Domina el frente del castillo.
d. Muestra la influencia romana.
e. Mide diez metros de alto.

B. Escuchar *(___ / ___ puntos)*

Persona: 1 X organizar ___ construir	Persona: 3 X descubrir ___ predecir	Persona: ___ ___ observar ___ entrenar
Persona: 4 X castigar ___ fomentar	Persona: 2 X proteger ___ limpiar	Persona: 5 ___ limitar X educar

C. Leer *(___ / ___ puntos)*

1. Los padres de Benito Juárez no eran españoles sino c
   a. africanos.
   b. europeos.
   c. indios.
2. Cuando Benito llego a Oaxaca, ya su hermana María Josefa estaba b
   a. casada con el señor Maza.
   b. establecida como cocinera en la casa Maza.
   c. trabajando como abogada.
3. Benito empezó sus estudios mientras trabajaba a
   a. en el taller del padre Salanueva.
   b. como ayudante de su hermana María Josefa.
   c. como pastor.
4. Después de graduarse de abogado, Benito Juárez b
   a. se fue a vivir a los Estados Unidos.
   b. empezó a realizar su sueño de asegurar la justicia para todos.
   c. trabajó como hombre de negocios.
5. Benito Juárez sirvió a su patria como b
   a. líder de los revolucionarios.
   b. presidente de su gran país.
   c. cocinero del presidente.

D. Escribir *(___ / ___ puntos)*

E. Hablar *(___ / ___ puntos)*

Examen de nivel

EXAMEN DE NIVEL

A. Escuchar

Vas a escuchar a cinco estudiantes comentar sobre varios planes y experiencias de su vida. Mira las dos conclusiones breves sobre los comentarios de cada estudiante. Mientras escuchas, marca con una ***X*** la frase que ofrezca la mejor conclusión sobre los comentarios. Vas a oír cada comentario dos veces.

B. Leer

Estás pensando en pasar unos meses en España este verano y deseas conocer más de las varias regiones y participar en sus fiestas. Encontraste este interesante artículo en una revista. Después de leerlo, indica con *C* las oraciones correctas y con *F* las oraciones incorrectas.

¡A todo el mundo le encantan las fiestas! Se celebran fiestas por todas partes de España y para muchos eventos. Hay fiestas religiosas como la impresionante Semana Santa en Sevilla o las fiestas y desfiles que cada pueblo organiza en honor de su Santo Patrón – por ejemplo, La fiesta de San Pedro en Alsasua o Las Fallas de Valencia que se celebra a mediados de marzo en honor de San José. Las fallas son gigantescas estatuas de papel maché, cartón o madera que representan políticos y otros personajes y que se queman de noche durante el mes de marzo. También hay miles de personas que asisten y participan en otras fiestas. Estas fiestas ofrecen todo tipo de diversión como paseos, comida típica de la región y alegre música y bailes folclóricos. Se puede mencionar la Feria de la Primavera en Sevilla, el Festival del Vino en Jerez de la Frontera, los "Encierros" de Pamplona en julio y La Tomatina en Buñol entre otras.

C. Leer

En el periódico *Nuestros días* el Sr. Silvestre contesta preguntas sobre lo que ofrece su comunidad. Lee los comentarios y luego escribe el número de cada una al lado del consejo apropiado que da el Sr. Silvestre.

1. Estamos pensando en producir un video para informar a todos los ciudadanos de nuestra causa. La mayoría de la gente no entiende lo importante que es ahorrar energía y proteger el medio ambiente en nuestra comunidad. Hay escasez de recursos naturales como el petróleo. En muchas partes hay fábricas de pesticidas y otros productos químicos que arrojan los desperdicios al río. Tenemos las ideas. Lo que necesitamos ahora son los fondos para realizarlas.

2. Somos un grupo de jóvenes que practica el básquetbol todas las tardes después de la escuela en el parque del barrio. Creemos que hacer deporte es una manera excelente de mantener la buena salud y ocupar el tiempo libre. Nuestro problema es que hace mucho frío aquí en el invierno y no hay un lugar donde podamos jugar. No conocemos a nadie que pueda proveernos de un gimnasio ni ayudarnos a organizar competencias. Buscamos a una persona o un grupo que nos apoye. ¿Qué nos recomienda?

3. Como recién llegados a los Estado Unidos, a mis padres les interesa mucho ser parte de la comunidad y hacerse ciudadanos. Su problema es que no hablan muy bien el inglés. Yo los ayudo después de la escuela con sus estudios para el examen de ciudadanía, pero, Sr. Silvestre, yo tengo que estudiar también. Y . . . ¡hay tantos papeles y documentos! No entiendo mucho de las leyes y las reglas del gobierno. ¿Hay algunas clases para inmigrantes como mis padres? Sr. Silvestre, ayúdeme, por favor.

4. Mi familia y yo acabamos de mudarnos a esta ciudad. Estudié pintura y bailo. Mi tía Juana fue mi mayor fuente de inspiración y quisiera que otros aprendieran a expresarse por medio del arte como lo hice yo. Además, me encantan los niños. No sé mucho de las organizaciones de esta ciudad ¿Me podría recomendar alguna organización o centro de servicio social donde podría yo trabajar como voluntaria? Espero su respuesta.

5. ¡Es una injusticia! ¡En nuestra escuela no tenemos ningún derecho! Por ejemplo, hay un código de vestimenta ridículo – no nos permiten llevar pantalones flojos ni sandalias. ¡Todo el mundo sabe que están muy de moda! También nos prohiben que nos pintemos el pelo de cualquier color. Entendemos que debemos cumplir y respetar las reglas, pero esto no es justo. ¿Hay una organización que vea por nuestros derechos?

D. Escribir

Una tienda que vende aparatos electrónicos y técnicos anuncia un concurso para sus clientes. Para ganar el premio, hay que escribir un artículo sobre la casa del futuro. Tú has decidido participar en el concurso. No olvides mencionar los distintos cuartos que habrá y para qué servirán; cómo se limpiará la casa y se preparará la comida; y los nuevos y diferentes medios de comunicación y las diversiones que habrá.

Para evaluar tu escrito, se considerará:

- la cantidad de información que provees.
- el uso correcto del vocabulario.
- el uso correcto de la gramática.

E. Hablar

Estás en el programa del Bachillerato Internacional de tu escuela. Para recibir el diploma se requiere que cada participante haga actividades de estas tres categorías: creatividad, actividad física, y servicio. Habla con tu maestro(a) de la importancia de estas actividades en la vida estudiantil y descríbele cómo vas a cumplir con estos requisitos conocidos como CAS.

Para evaluar tu presentación, se considerará:

- la cantidad de información que provees sobre las actividades y tu participación en ellas.
- el uso correcto de la gramática.
- su comprensión y organización.

HOJA DE RESPUESTAS, EXAMEN DE NIVEL

A. Escuchar *(___ / ___ puntos)*

Estudiante	¿Cuál es la mejor conclusión?
1. Eduardo: trabajar de voluntario	______ Ya lo hizo. ______ Va a hacerlo.
2. Gerardo: mejorar el medio ambiente	______ Cree que es posible. ______ No cree que sea posible.
3. Sonia: ver unas ruinas mayas	______ Irá el próximo año. ______ Irá dentro de dos años.
4. Linda: solicitar un puesto	______ Está solicitándolo. ______ Ya lo solicitó.
5. Pilar: hacer yoga	______ Duda que pueda. ______ Sabe que puede.

B. Leer *(___ / ___ puntos)*

Cierto o Falso

1. En España sólo se celebran dos fiestas cada año en honor de los Santos Patrones. ______
2. La Semana Santa tiene lugar en Sevilla. ______
3. Las fallas son enormes edificios que forman un gran incendio en el centro de Valencia. ______
4. Las otras fiestas no religiosas se celebran sólo durante la primavera. ______
5. Típicamente se celebran estos festivales con comida y danzas regionales. ______

C. Leer *(___ / ___ puntos)*

______ **a.** Primero les sugiero que sigan las reglas — por ejemplo, pidan permiso de iniciar una manifestación para expresarse. Hay dos o tres organizaciones que ayudan a los estudiantes a conocer los derechos que les están garantizados. A continuación les envío sus números de teléfono para que puedan llamarlas.

______ **b.** ¡Bienvenidos! Les voy a dar el número de teléfono de una biblioteca donde varios voluntarios hispanohablantes dan clases cada semana. No cuesta nada porque es un servicio organizado por la ciudad. También les recomiendo que se pongan en contacto con La Sociedad de Buenos Vecinos. Siempre están listos para ayudar.

______ **c.** ¡Aplaudo sus deseos! Es una lástima que no hayan encontrado quien los ayude. Les voy a dar el número de teléfono de un centro de la comunidad. Allí encontrarán el apoyo que necesitan. Les recomiendo que se inscriban en sus competencias.

______ **d.** ¡Admiro tu deseo de participar en tu nuevo hogar que es la comunidad! También es una buena manera de conocer a tus vecinos. Conozco un museo donde ofrecen programas para niños. El museo siempre está buscando personas que tengan entusiasmo y comprendan a los jóvenes.

______ **e.** ¡Qué causa tan justa! Les recomiendo que pronto hablen con una organización que acaba de juntar dinero para fomentar tales proyectos. Al mismo tiempo, es la manera de asociarse con otras personas que tienen las mismas metas. No tienen Uds. que pagar nada, pero se pide que ayuden trabajando como voluntarios unas horas cada semana.

D. Escribir *(___ / ___ puntos)*

____
____
____
____
____
____
____
____
____

E. Hablar *(___ / ___ puntos)*

Examen del capítulo

Prueba P-1

I. Vocabulario

A. Rosa nos está hablando sobre algunas actividades que le gusta hacer. Contesta las preguntas basadas en lo que Rosa nos dice.

Me gusta hacer muchas cosas divertidas durante mi tiempo libre. Me gusta tocar la guitarra, ir de compras y mirar la tele. No me gusta hacer los quehaceres de la casa, pero los sábados ayudo a mamá y a papá a limpiar la casa. No me gusta jugar deportes, pero me encanta ir a los partidos de fútbol los viernes por la noche con mis amigas.

1. ¿Qué cosas divertidas hace Rosa?

   ______

2. ¿Cuándo hace estas cosas divertidas?

   ______

3. ¿Qué hace Rosa los sábados?

   ______

4. ¿Cómo se divierte ella los viernes por la noche?

   ______

B. Roberto tiene una rutina que hace todos los días. ¿Es similar a tu rutina? Contesta las preguntas basadas en lo que Roberto nos dice.

Yo tengo mi rutina diaria. Mi mamá me despierta a las siete de la mañana. Después de vestirme y hacer la cama, me preparo el desayuno. Cuando termino, salgo para la escuela. Después de las clases, vuelvo a casa y hago la tarea. Luego camino al gimnasio con mis amigos Pepe y Ricardo. Allí hacemos ejercicio y nos divertimos mucho. Por la noche, estudio un poco, como la cena y hablo por teléfono con un amigo. A las diez apago la luz y me acuesto.

1. ¿Qué hace la mamá de Roberto?

   ______

2. ¿Qué hace Roberto después de vestirse y hacer la cama?

   ______

3. ¿Cuándo va al gimnasio? ¿Con quién va?

   ______

4. ¿Cómo lo pasan en el gimnasio él y sus amigos?

   ______

5. ¿Qué pasa a las diez de la noche?

   ______

C. En la casa de Tomás todos ayudan con los quehaceres. Tomás nos dice cómo ayuda él. Completa las frases con la forma correcta del presente de uno de los verbos entre paréntesis.

En mi casa todos ayudamos. Yo, como ____________ *(ser / estar)* el menor, ____________ *(tener / salir)* que hacer pequeños trabajos, pero muchos. A mí no me importa porque yo ____________ *(saber / dar)* que mamá necesita mucha ayuda. Yo siempre le ____________ *(caer / decir)* que me gusta ayudarla. Por ejemplo, yo le ____________ *(saber / dar)* de comer al perro, ____________ *(poner / tener)* la mesa y ____________ *(conocer / hacer)* mi cama. Los sábados, cuando mamá va al mercado, yo ____________ *(saber / ir)* con ella para ayudarla. A veces, si ____________ *(ver / dar)* que papá no puede cortar el césped, yo ____________ *(traer / conocer)* a un amigo y lo cortamos juntos. Cuando yo no ____________ *(tener / estar)* en casa, mis hermanas hacen mis quehaceres.

D. Tomás juega al fútbol y nos habla sobre su equipo, que es muy bueno. Completa las frases con la forma correcta del presente de uno de los verbos entre paréntesis.

Hoy nosotros ______________ *(empezar / pensar)* a practicar fútbol. ______________ *(Entender / Tener)* un equipo muy bueno. No ______________ *(querer / preferir)* perder ni un partido. Mi amigo José ______________ *(recordar / pensar)* que nuestro equipo ______________ *(poder / perder)* ganar casi todos, excepto con "Los caballeros." Nosotros ______________ *(contar / jugar)* muy bien, pero ellos ______________ *(comer / jugar)* mejor. Ellos no ______________ *(perder / pedir)* nunca. Nuestro entrenador siempre nos ______________ *(recordar / volver)* que lo importante es jugar y divertirse.

E. Ahora, Tomás nos habla de lo que hacen todos en su casa por las mañanas. Completa las frases con el presente de uno de los verbos entre paréntesis.

En casa, papá ______________ *(despertarse / acostarse)* primero. Entonces ______________ *(pintarse / levantarse)*, ______________ *(secarse / ducharse)*, ______________ *(afeitarse / bañarse)*, ______________ *(vestirse / ponerse)* y después hace el desayuno. Mamá y mis hermanas ______________ *(despertarse / dormirse)* al sentir el olor del café. Yo ______________ *(despertarse / ponerse)* un poco después. Voy al baño, ______________ *(levantarse / cepillarse)* los dientes, ______________ *(ducharse / lavarse)* la cara y voy a desayunar.

Prueba P-2

I. Vocabulario

A. Aquí tienes una gráfica de las actividades que hacen algunos(as) chicos(as) y de cuántas veces hacen cada actividad. Contesta las preguntas basadas en la gráfica usando el presente del indicativo.

Actividad	Veces por semana	Veces por mes	Veces por año	Nunca
ir a partidos de fútbol	Juan, 1	María, 2; Marta, 1	Manu, 6	
ver la televisión	Marta, 5; Manu, 4			
ir a una fiesta de cumpleaños		Manu, 1; María 2	Marta, 5	Juan, nunca
ensayar con la orquesta	Marta, 3			Manu, María, Juan, nunca
reunirse con amigos	Manu, 2; María, 1	Marta, 2; Juan, 2		
asistir a una boda			María, 1; Manu, 1; Marta, 3	Juan, nunca
participar en un concurso		María, 1	Juan, 1; Marta, 2; Manu, 3	
ver fuegos artificiales			Manu, 3; María, 2	
ir de picnic			María, 20 Manu, 10	Marta, nunca; Juan, nunca

1. ¿Es Juan aficionado al fútbol? ¿Por qué?

______

2. ¿Qué persona del grupo toca un instrumento musical?

______

3. ¿Es Manu más o menos sociable que Marta y Juan? Por qué?

______

4. Tú invitas a Marta a comer contigo en un parque al aire libre. ¿Crees que ella acepta tu invitación? ¿Por qué?

______

5. Tu prima va a casarse en dos meses. ¿Quién probablemente quiere ver el evento, Juan o Marta?

______

6. ¿Les gusta a Manu y María celebrar los días festivos en casa o en un parque? ¿Por qué?

______

B. En la casa de Eduardo a todos les gusta hacer algo especial. Completa las frases usando el presente del verbo entre paréntesis. Usa el pronombre apropiado para cada frase.

A mi padre ________________ *(gustar)* mucho los partidos de fútbol y los mira en la tele. También ________________ *(gustar)* practicar fútbol conmigo y a mí ________________ *(encantar)* practicarlo con él. A él también ________________ *(interesar)* la política, pero a mí no. No ________________ *(gustar)* los políticos porque me parece que no son honestos. A mamá y a mis hermanas ________________ *(encanta)* leer e ir de compras. A ellas no ________________ *(importar)* mucho gastar dinero, pero a papá sí ________________ *(importar)* esas cosas. Por eso algunas veces discuten.

A mí ________________ *(encantar)* las fiestas familiares. Y a ti, ¿qué cosas ________________ *(gustar)* hacer?

C. Margarita nos habla de su casa. Completa las frases con el adjetivo posesivo apropiado.

Nosotros vivimos en una casa mediana, pero estamos contentos con ________________ casa. Tiene tres dormitorios. El dormitorio de ________________ padres está en el primer piso. ________________ dormitorio es el más grande. Los dormitorios de Pedrito, Juanito y yo, ________________ dormitorios, son más pequeños. El dormitorio de ________________ hermanos es más grande que ________________ dormitorio porque ________________ dormitorio, el de ellos, tiene dos camas. La casa tiene una sala grande y al lado de la sala hay una biblioteca pequeña donde papá tiene ________________ libros. El comedor es pequeño, pero la cocina es grande y como mis padres cocinan mucho, ellos pasan mucho de ________________ tiempo allí. La casa no tiene un sótano, pero vivimos muy felices aquí. Y tú, amiga, ¿cómo es ________________ casa?

Prueba 1-1

Comprensión del vocabulario 1

A. Vas a ir de cámping y tienes que hacer una lista de las cosas que necesitas. Escoge las palabras apropiadas del recuadro. No todas las palabras del recuadro son necesarias.

la linterna	la tienda de acampar	el bosque	el saco de dormir
la brújula	~~el repelente de insectos~~	~~los binoculares~~	

Tengo que llevar:

1. ______________ para protegerme de la lluvia y de los animales del bosque.
2. El repente de insectos porque en el bosque hay muchos mosquitos.
3. Los binoculares para poder ver cuando está oscuro de noche.
4. También es importante llevar ______________ para no perderme.
5. Como me gusta observar los pájaros, voy a llevar ______________.
6. Voy a llevar ______________. Así duermo más cómodo.

B. El fin de semana pasado tú y tus amigos visitaron un valle. Háblanos de lo que sucedió subrayando la palabra que mejor completa cada frase.

El fin de semana pasado mis amigos y yo fuimos a visitar un valle que está cerca de casa. *(Una vez allí / Hacia)* admiramos el hermoso *(saco de dormir/ paisaje)*. Empezamos a *(asustar / andar)* y entramos en un *(bosque / desierto)* donde había muchos árboles muy altos. Todo estaba muy oscuro y eso nos *(sucedió / asustó)*. Salimos corriendo de allí *(así / hacia)* el valle. De repente empezó a llover muy fuerte y a caer *(granizo / rocas)*. Vimos una casita y la usamos de *(brújula / refugio)*. Pronto *(se acercó a / dejó de)* llover y *(apareció / impresionó)* el sol. Un rato después regresamos a casa.

C. Tu profesor(a) quiere saber si comprendes el vocabulario. Lee las frases. Si la frase es cierta, escribe una *C*. Si la frase es falsa, escribe una *F*.

1. ______ Cuando me levanto al amanecer, me levanto muy temprano en la mañana.
2. ______ Cuando hay una tormenta, puedes oír truenos y ver relámpagos.
3. ______ Si uno pierde el equilibrio, puede caerse.
4. ______ Si lo pasamos bien, nos aburrimos mucho.
5. ______ Lo opuesto de acercarse es ir muy lejos.
6. ______ Podemos escalar la sierra.
7. ______ En el desierto siempre llueve y muchas veces cae granizo.
8. ______ Para no tener frío buscamos refugio al aire libre.
9. ______ En una ciudad grande nos podemos perder si no tenemos un mapa.
10. ______ Pasé un rato con mis abuelos, quiero decir, pasé muchas horas con ellos.
11. ______ Si vemos algo muy hermoso nos puede impresionar.
12. ______ Es posible dar un paseo por los senderos del bosque.
13. ______ Cuando visitas los parques nacionales, puedes disfrutar de la naturaleza.
14. ______ Al anochecer sale el sol.

Prueba 1-2

Aplicación del vocabulario 1

A. Estás en una tienda de artículos de cámping con tu papá porque el fin de semana te vas de cámping con unos amigos. Mira los dibujos y escribe la mejor palabra para completar cada frase.

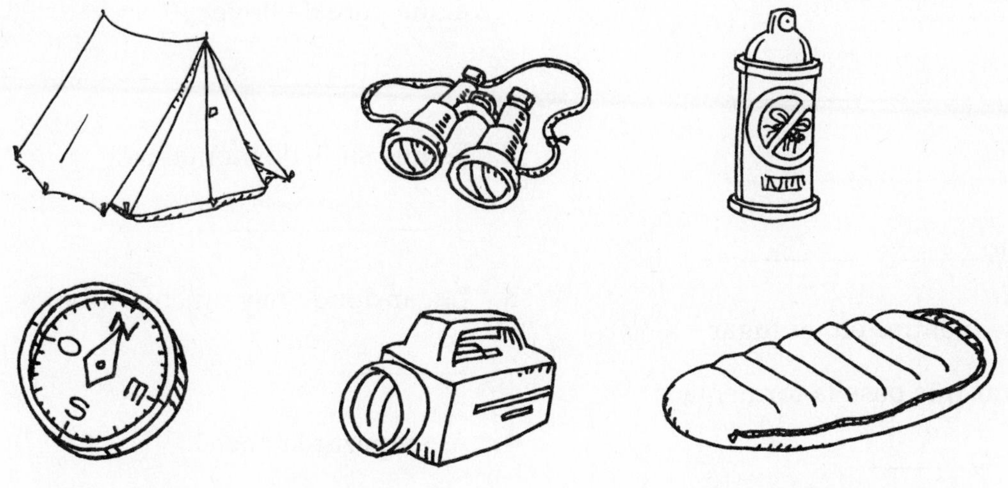

PAPÁ: A ver hijo, ¿qué necesitas?

TÚ: Bueno, necesito una ____________________ si llueve y un ____________________, así no tengo frío para dormir.

PAPÁ: También, es importante llevar ____________________. En el bosque hay muchos mosquitos.

TÚ: Es verdad. Y también necesito una ____________________ para poder ver cuando está oscuro.

PAPÁ: A ti te gusta observar los pájaros, ¿por qué no compramos unos ____________________?

TÚ: ¡Buena idea! ¿Puedo llevar una ____________________ para no perderme?

PAPÁ: ¡Claro! Creo que es todo lo que necesitas. Lo vas a pasar muy bien.

B. Estás haciendo un crucigrama con el vocabulario de este capítulo para darlo a la clase como práctica de vocabulario. Escribe las palabras que se buscan.

Horizontal

1. Subir por una roca o montaña ____
2. Parar de . . . ____
3. Caminar ____
4. Muy bonito ____
5. Esconderse o entrar en un lugar para esperar que pase la tormenta ____
6. De esta manera ____
7. Pasar ____
8. Divertirse ____
9. Poco tiempo ____

Vertical

1. Lugar donde puedes esperar a que pare de llover ____
2. Es una serie de montañas ____
3. Lugar donde hay muchos árboles ____
4. Al empezar la noche ____
5. Al empezar la mañana ____
6. Lugar donde casi nunca llueve ____

C. Tu profesor(a) les dio unas frases incompletas. Ayuda a Jorge a terminarlas.

1. En una tormenta cae ____, se ven ____ y se oyen ____.
2. Un turista puede ____ si no tiene un mapa del lugar.
3. El opuesto de ir lejos es ____.
4. Alguien puede caerse si ____.
5. Un oso grande me da miedo, me ____ mucho.
6. Me gusta ____ caminando por el parque.

Prueba 1-3

El pretérito de verbos con el cambio ortográfico *i → y*

Marta y Rosa hablan por teléfono sobre lo que le sucedió a la Sra. López. Completa el diálogo usando el préterito de uno de los verbos entre paréntesis. ¡Cuidado! No todos los verbos tienen cambios ortográficos.

MARTA: Hola, Rosa, ¿qué tal? ¿____________ *(ver / creer)* en la tele lo que le ____________ *(suceder / hacer)* ayer a la Sra. López?

ROSA: No, pero papá lo ____________ *(oír / leer)* y me ____________ *(contar / dar)* que con la tormenta, un árbol ____________ *(caerse / creer)* encima de su casa y la ____________ *(caer / destruir)*. Por suerte a ella no le ____________ *(pasar / ver)* nada.

MARTA: Cuando yo se lo ____________ *(comer / contar)* a mis padres, ellos no lo ____________ *(creer / leer)*. Mamá lo ____________ *(sacar / creer)* cuando lo ____________ *(ver / leer)* en el periódico.

ROSA: Mamá ____________ *(oír / ver)* decir que la Sra. López ____________ *(irse / caerse)* a vivir con su hija.

MARTA: Eso ____________ *(ser / ver)* una buena idea. Bueno, Rosa, me llama mi mamá, hasta luego.

Nombre ____________________ Hora ____________

Fecha ____________________ Prueba **1-4**

Prueba 1-4

El pretérito de los verbos irregulares

Tú y tus amigos fueron a la sierra. Completa el párrafo con el pretérito de uno de los verbos entre paréntesis para contar lo que pasó.

El fin de semana pasado, Carlos y yo ____________________ *(poner / poder)* ir a la sierra.

Juan, el hermano de Carlos, también ____________________ *(venir / decir)* con nosotros.

Nos ____________________ *(despertarse / acostarse)* al amanecer y salimos muy contentos.

Yo ____________________ *(traer / hacer)* la tienda de acampar, una linterna y los binoculares.

Carlos y Juan ____________________ *(venir / traer)* los sacos de dormir, la brújula, el repelente de insectos y la comida.

Los tres ____________________ *(andar / tener)* por muchas horas hasta que encontramos un lugar muy hermoso para acampar. Una vez allí, ____________________ *(saber / poner)* todo en la tienda de acampar.

Más tarde, Carlos ____________________ *(tener / saber)* la idea de escalar hasta lo más alto de la montaña. Le ____________________ *(decir / oír)* que debíamos llevar la brújula para no perdernos y él me ____________________ *(decir / venir)* que era buena idea. Después de una hora llegamos al punto más alto. ¡Qué hermoso paisaje! Con los binoculares nosotros ____________________ *(creer / poder)* observar mejor el paisaje. Todos ____________________ *(estar / decir)* allí un largo rato disfrutando de la naturaleza y luego regresamos al campamento. Lo pasamos muy bien.

Prueba 1-5

El pretérito de verbos con los cambios *e* → *i*, *o* → *u* en la raíz

A. Cuéntanos lo que cada persona hizo ayer cambiando el verbo que está en el presente al pretérito. Debes terminar la frase de forma lógica.

Modelo Hoy leo el periódico, pero ayer ___*leí*___ una revista.

1. Hoy Roberto y Pedro se sienten bien, pero ayer ______________ mal.
2. Hoy prefiero pescar, pero ayer ______________ escalar.
3. Hoy ellos duermen cinco horas, pero ayer ______________ ocho.
4. Hoy tú te diviertes, pero ayer no ______________.
5. Hoy Mercedes y Pati comen pescado, pero ayer ______________ pollo.
6. Hoy estoy muy contenta, pero ayer ______________ triste.
7. Hoy Ana se pone un vestido, pero ayer ______________ pantalones.
8. Hoy ustedes prefieren té, pero ayer ______________ café.
9. Hoy ellos se divierten en mi casa, pero ayer ______________ en el parque.
10. Hoy Pedro quiere ir al cine, pero ayer ______________ ir a la playa.

B. Ayer tú y tus padres fueron de picnic a un lago. Llena los espacios en blanco con el pretérito de uno de los verbos del recuadro para contar lo que pasó.

divertirse	preferir	morir	sentirse	servir	sugerir

Ayer fuimos de picnic a un lago que está cerca de mi casa. Mis padres me ______________ invitar a Luis García, mi nuevo vecino de México. Él ______________ muy contento por la invitación. Una vez allí, Luis y yo jugamos al fútbol y ______________ mucho. Luego mamá nos ______________ sándwiches de jamón y jugo de naranja. Después del almuerzo Luis y yo decidimos ir de pesca. Papá no quiso ir. Él ______________ dormir un rato. Lo pasamos muy bien.

Examen: vocabulario y gramática 1

A. Teresa te describe unas palabras de la naturaleza y del equipo de acampar y tú tienes que adivinar qué son. Escribe tu respuesta a la derecha.

1. Dormimos en él, dentro de la tienda de acampar, cuando vamos de cámping.

   ____

2. Los usamos para ver de cerca algo que está lejos. _______________
3. En este lugar llueve muy poco. Es seco. _______________
4. Si está oscuro, la puedes usar para tener luz. _______________
5. En las montañas, puedes escalarlas si son altas. _______________
6. Es bajo, tiene montañas alrededor. Napa, por ejemplo. _______________
7. La luz que vemos en el cielo cuando hay tormentas. _______________
8. Lo usamos para no tener problemas con los mosquitos. _______________

B. Tu hermanito siempre miente. Corrígelo *(Correct him)* escribiendo la idea opuesta de las palabras subrayadas. Usa el vocabulario de este capítulo.

Modelo *Corro* cuando doy un paseo por el bosque. ___Ando___

1. Siempre *lo paso mal* en las fiestas de Teresita. _______________
2. Voy a levantarme *al anochecer* para ir a la escuela. _______________
3. El paisaje de la sierra era *muy feo*. _______________
4. Mamá me dejó ver la tele por *muchas horas*. _______________
5. Si vamos a la sierra sin brújula, vamos a *encontrar el lugar que buscamos*.

   ____

C. Le cuentas a tu amiga lo que tu mamá te dijo ayer. Escoge el verbo que mejor completa cada frase y escríbelo en el pretérito. ¡Cuidado! Hay verbos regulares e irregulares.

Ayer mamá __1.__ *(leer / abrir)* en el periódico sobre unos chicos que __2.__ *(caerse / ir)* de cámping a un parque nacional. Después de acampar, uno de ellos __3.__ *(querer / aparecer)* andar solo por los senderos y __4.__ *(suceder / perderse)*. Entonces __5.__ *(ver / oír)* un ruido. De repente __6.__ *(aparecer / asustar)* un oso enorme. Él __7.__ *(perder / tener)* mucho miedo y no __8.__ *(poder / sentir)* moverse. El chico __9.__ *(ver / gritar)* y el oso __10.__ *(creer / salir)* corriendo. Cuando el chico __11.__ *(volver / impresionar)* al campamento les __12.__ *(ver / decir)* a sus amigos lo que __13.__ *(suceder / ir)*. Él no __14.__ *(tener / saber)* a dónde __15.__ *(irse / poder)* el oso. Sus amigos no le __16.__ *(creer / poner)*, pero esa noche todos __17.__ *(perderse / dormir)* con mucho miedo.

D. Los padres de David le hicieron una fiesta de cumpleaños el sábado. Para contar lo que pasó, escoge el verbo apropiado de los que están entre paréntesis y escríbelo en el pretérito. Usa cada verbo una sola vez. ¡Cuidado! Hay verbos regulares, irregulares y cambios en la raíz.

El sábado __1.__ *(servir / divertirse / ser)* el cumpleaños de David. Sus padres __2.__ *(ver / celebrar / comer)* la fiesta en un restaurante. Yo __3.__ *(vestirse / reírse / dormirse)* muy elegante. __4.__ *(Decir / Ponerse / Lavar)* un vestido azul. Ocho amigos de David __5.__ *(tener / ir / servir)* a la fiesta y todos __6.__ *(pedirle / hacerle / caerse)* regalos muy bonitos. Los camareros nos __7.__ *(servir / divertirse / ser)* arroz con pollo. Yo __8.__ *(ser / tener / comer)* la oportunidad de bailar con David. Desafortunadamente, él perdió el equilibrio y __9.__ *(dormirse / servirse / caerse)*. La fiesta terminó a las diez de la noche. Nosotros __10.__ *(servir / divertirse / tener)* mucho.

HOJA DE RESPUESTAS, EXAMEN 1

A. (___ / ___ *puntos*)

1. ____________ 4. ____________ 7. ____________
2. ____________ 5. ____________ 8. ____________
3. ____________ 6. ____________

B. (___ / ___ *puntos*)

1. ____________ 3. ____________ 5. ____________
2. ____________ 4. ____________

C. (___ / ___ *puntos*)

1. ____________ 7. ____________ 13. ____________
2. ____________ 8. ____________ 14. ____________
3. ____________ 9. ____________ 15. ____________
4. ____________ 10. ____________ 16. ____________
5. ____________ 11. ____________ 17. ____________
6. ____________ 12. ____________

D. (___ / ___ *puntos*)

1. ____________ 5. ____________ 9. ____________
2. ____________ 6. ____________ 10. ____________
3. ____________ 7. ____________
4. ____________ 8. ____________

Prueba 1-6

Comprensión del vocabulario 2

A. Quieres ayudar a Felipe con su artículo para el periódico de la escuela. Él no sabe qué palabras debe usar. Completa el artículo con la palabra apropiada.

Dos estudiantes de nuestra escuela reciben premios

El sábado pasado tres escuelas participaron en la carrera de los 5 km. La carrera ______________ *(se dio cuenta / tuvo lugar)* en la Universidad Central. ______________ *(Felicitaciones / Desafortunadamente)*, poca gente fue a la carrera. En la carrera, ______________ *(se inscribieron / alcanzaron)* diez estudiantes de nuestra escuela. La escuela José Martí envió a ocho ______________ *(certificados / participantes)* y la escuela San Lorenzo sólo tuvo cinco ______________ *(metas / representantes)*. Fue una carrera dura, se podía ver el gran ______________ *(entrenamiento / desanimado)* que todos los estudiantes tuvieron antes de la carrera. El estudiante de la escuela San Lorenzo, Ernesto Díaz, ______________ *(salió campeón / al principio)*. Cuando lo entrevistamos nos dijo que estuvo ______________ *(inscribiéndose / entrenándose)* por tres meses. ______________ *(Al principio / Sin embargo)* de la carrera se sintió ______________ *(animado / desanimado)* porque veía que los otros participantes lo dejaban atrás. Entonces ______________ *(se dio cuenta / se entrenó)* que tenía que ______________ *(incribirse / hacer un esfuerzo)*. Pensó en su papá que lo entrenó y empezó a correr más rápido. "Alcancé la ______________ *(inscripción / meta)* que quería. Estoy muy emocionado," nos dijo.

El segundo y el tercer premio lo ganaron Teresa Suárez y Tomás Delgado, estudiantes de nuestra escuela. ______________ *(La entrega de premios / La participante)* se celebró en el estadio. Cada ganador ______________ *(se emocionó / entrenó)* al obtener su ______________ *(ceremonia / medalla)*. Todos los otros participantes recibieron un ______________ *(certificado / entrenamiento)*. Estamos muy ______________ *(desanimados / orgullosos)* de nuestros ganadores. ¡______________ *(Felicitaciones / Desafortunadamente)* a todos los participantes!

B. Para saber si los lectores comprendieron el artículo, el editor del periódico publicó una serie de frases basadas en la lectura. Escribe una C si la frase es cierta. Escribe una *F* si la frase es falsa.

1. ______ La carrera de los 5 km y la ceremonia de la entrega de premios tuvieron lugar en la Universidad Central.
2. ______ Hubo 23 participantes en la carrera.
3. ______ Parece que fue una carrera fácil.
4. ______ Los participantes se prepararon bien.
5. ______ El primer premio lo ganó Ernesto Díaz.
6. ______ Ernesto Díaz se entrenó por 13 meses.
7. ______ Ernesto Díaz nunca se sintió desanimado.
8. ______ Ernesto Díaz pensó en su padre cuando se dio cuenta de que tenía que hacer un esfuerzo.
9. ______ Ernesto Díaz no pudo alcanzar la meta que él quería.
10. ______ Ernesto Díaz venció a Teresa Suárez y a Tomás Delgado.
11. ______ Los ganadores se sintieron desanimados en la ceremonia.
12. ______ Cada ganador recibió una medalla.
13. ______ Todos los participantes recibieron trofeos.

Prueba 1-7

Aplicación del vocabulario 2

A. Tu mamá te está haciendo preguntas sobre lo que pasó ayer en tu escuela. Contéstale según el dibujo que aparece al lado de cada pregunta.

1. ¿Qué evento hubo en el estadio de la escuela ayer?

____

2. ¿Qué obtuvo el equipo que salió campeón?

____

3. ¿Qué recibieron los atletas ganadores?

____

4. ¿Qué obtuvieron todos los participantes?

____

B. Tú y tu amigo Roberto siempre están de acuerdo. Escribe un sinónimo de la palabra subrayada que él dice.

ROBERTO: Fue difícil para Carlos ganar esa competencia, ¿verdad?

TÚ: Tienes razón. Fue _______________ para Carlos _______________ en esa competencia.

ROBERTO: Qué bueno que Juanita consiguió el primer premio, ¿no?

TÚ: Sí, ella _______________ el premio porque se preparó por mucho tiempo.

ROBERTO: Rodolfo tuvo problemas al empezar el partido.

TÚ: Sí, _______________ él tuvo muchos problemas.

ROBERTO: Sacaron a nuestro equipo del campeonato porque perdimos 3 a 1.

TÚ: ¡Qué lástima! Nos _______________ en el último juego.

C. Ana no pudo terminar esta parte del ejercicio de práctica que el / la profesor(a) les dio. Ayúdala a completar las frases con una palabra del vocabulario de este capítulo.

1. Para participar en una competencia, primero hay que completar una ________________. A veces lleva mucho tiempo porque tienes que contestar muchas preguntas.
2. Muchos atletas desean participar en las Olimpiadas. Muchas veces es una ________________ difícil de alcanzar.
3. Las personas que van a competir en una competencia son los ________________.
4. El ________________ de un atleta lleva muchos meses.
5. Mi equipo ganó el campeonato. Todos estamos muy contentos y muy ________________ de todos los jugadores que participaron.
6. La ceremonia de la ________________ tuvo lugar en el auditorio de la escuela.
7. ¡________________, Héctor! Ganaste el campeonato.
8. Ayer jugamos ________________ el equipo de otra escuela y le ganamos. ¡Bravo!
9. Nuestra entrenadora ________________ tanto ayer, que lloró cuando recibimos el primer premio.
10. Este año, ________________, perdimos el campeonato. Pero el año próximo vamos a salir campeones.

Prueba 1-8

El imperfecto

Tu padre te cuenta sobre los días felices de cuando él era niño. Completa las frases siguientes usando el imperfecto de los verbos entre paréntesis.

1. Cuando mi hermano y yo _______________ jóvenes, _______________ con papá todos los sábados a ver los partidos de básquetbol profesional. *(ser / ir)*
2. Mi hermano Carlos _______________ diez años. Él _______________ dos años menor que yo. *(tener / ser)*
3. El partido _______________ a las ocho, y como nosotros _______________ muy lejos, _______________ que salir temprano de casa. *(empezar / vivir / tener)*
4. A mí me _______________ sentarme en la primera fila porque _______________ mejor el partido, pero nosotros no siempre _______________ encontrar buenos asientos. *(gustar / ver / poder)*
5. En el partido nosotros siempre _______________ a alguien que _______________. *(ver / conocer)*
6. Mi hermano _______________ mucho, pero yo _______________ más hablando con las chicas que _______________ el partido. *(divertirse / disfrutar / animar)*
7. Nosotros generalmente _______________ muy tarde a casa. Mi hermano siempre _______________ en el viaje, pero yo _______________ con mi padre sobre el partido. *(regresar / dormirse / hablar)*
8. Ésos _______________ días especiales que siempre voy a recordar. *(ser)*

Prueba 1-9

Usos del imperfecto

Ahora tu madre te está hablando de cuando ella era niña. Completa el párrafo con el imperfecto o el pretérito de los verbos entre paréntesis.

Cuando yo ________________ *(ser)* niña, mi familia siempre ________________ *(ir)* en diciembre a esquiar a Colorado. Todos los años, nosotros ________________ *(quedarse)* en el mismo hotel. ________________ *(Ser)* un hotel viejo, pero cómodo. A mí me ________________ *(gustar)* quedarme en ese hotel porque dos veces ________________ *(ver)* a deportistas famosos que ________________ *(ir)* a esquiar allí todos los años para entrenarse. Un año, cuando yo ________________ *(tener)* diez años, mis padres ________________ *(decidir)* ir a Puerto Rico. En San Juan ________________ *(quedarse)* en un hotel moderno. El hotel ________________ *(estar)* en la playa. Nosotros ________________ *(llegar)* al hotel un domingo al mediodía. Enseguida yo ________________ *(ponerse)* mi traje de baño y ________________ *(irse)* a la piscina con mis padres. Luego mi madre me ________________ *(llevar)* a jugar a la playa. Por las mañanas nosotros ________________ *(nadar)* y ________________ *(tomar)* el sol, y por las tardes ________________ *(ir)* a visitar la ciudad. Ese año yo ________________ *(divertirse)* mucho.

Examen: vocabulario y gramática 2

A. Sólo te faltan estas descripciones para terminar un crucigrama que estás haciendo. Escribe en el espacio lo que se describe. Usa palabras de este capítulo.

1. La persona que entra en una competencia. ____________________
2. Lo que hacen los atletas por muchos meses para estar listos para una competencia. ____________________
3. El premio que recibe el equipo campeón. ____________________
4. Lo opuesto de *al final*. ____________________
5. Donde se entregan los premios. ____________________
6. Cuando estás contento porque todo va bien, estás ganando, te sientes ____________________.
7. Es el opuesto de *perder*. ____________________

B. Un reportero entrevista para el periódico local a algunos estudiantes que participaron en las competencias escolares. Completa los diálogos con una palabra apropiada de este capítulo.

—¡__1.__, Anita! Ganaste el primer premio. ¡Eres la campeona!

—Gracias, estoy muy emocionada.

—Ahora que ganaste el campeonato, ¿cuáles son tus planes futuros? ¿Qué deseas alcanzar?

—Bueno, mi __2.__ es seguir ganando y participar en las próximas Olimpiadas.

—¿Dónde __3.__ la carrera?

—En el estadio de la escuela.

—Hola Luis, ¿cómo le fue a tu escuela en fútbol? ¿Salieron campeones?

—No, __4.__ nos eliminaron en el último partido, pero el año próximo vamos a ganar.

—Fue un partido difícil, ¿no?

—Sí, en el primer tiempo estábamos perdiendo. __5.__, no estábamos desanimados.

Hicimos un esfuerzo, pero el otro equipo tenía más entrenamiento.

C. Escribe oraciones originales con el imperfecto de los siguientes verbos, diciendo lo que hacías en tu niñez.

1. *ir* ______
2. *ser* ______
3. *escribir* ______
4. *tener* ______
5. *dar* ______
6. *leer* ______
7. *ver* ______
8. *jugar* ______

D. Usa el imperfecto o el pretérito para contarnos qué te sucedió esta mañana.

Esta mañana yo __1.__ *(levantarse)* temprano. __2.__ *(Hacer)* buen tiempo y yo __3.__ *(decidir)* salir a correr. Antes de salir, __4.__ *(llamar)* a mi primo Pepe y le __5.__ *(preguntar)* si él quería venir conmigo. Él me __6.__ *(decir)* que sí, y yo __7.__ *(pasar)* por él. Cuando yo __8.__ *(llegar)* a su casa él ya __9.__ *(estar)* listo. __10.__ *(Ser)* las 7:30 A.M. cuando nosotros __11.__ *(comenzar)* a correr.

Mientras __12.__ *(correr)*, nosotros __13.__ *(admirar)* la naturaleza. Los pájaros __14.__ *(cantar)* en los árboles, el sol __15.__ *(brillar)* y todo __16.__ *(parecer)* más hermoso que nunca. De repente el cielo __17.__ *(ponerse)* oscuro y __18.__ *(empezar)* a llover mucho. Nosotros __19.__ *(tener)* que regresar y __20.__ *(llegar)* a casa muy mojados.

HOJA DE RESPUESTAS, EXAMEN 2

A. (___ / ___ *puntos*)

1. ______ 4. ______ 7. ______
2. ______ 5. ______
3. ______ 6. ______

B. (___ / ___ *puntos*)

1. ______ 3. ______ 5. ______
2. ______ 4. ______

C. (___ / ___ *puntos*)

1. ______ 4. ______ 7. ______
2. ______ 5. ______ 8. ______
3. ______ 6. ______

D. (___ / ___ *puntos*)

1. ______ 8. ______ 15. ______
2. ______ 9. ______ 16. ______
3. ______ 10. ______ 17. ______
4. ______ 11. ______ 18. ______
5. ______ 12. ______ 19. ______
6. ______ 13. ______ 20. ______
7. ______ 14. ______

EXAMEN DEL CAPÍTULO 1

A. Escuchar

Cinco jóvenes nos hablan de los viajes que hicieron. Escucha lo que dice cada joven para saber: (1) adónde fue, (2) qué hizo y (3) qué le sucedió. Mientras escuchas, puedes tomar apuntes en el recuadro de tu hoja de respuestas. Luego, completa la tabla. Vas a oír cada descripción dos veces.

B. Leer

Lee los carteles para unas competencias que se van a celebrar en una escuela. Luego lee lo que cada estudiante hacía cuando era niño(a). Según lo que lees, empareja al estudiante con la competencia correspondiente. En tu hoja de respuestas, escribe el nombre del estudiante al lado de la letra de la competencia.

1. Soy Rodolfo. A mi hermano le gustaba el básquetbol. Jugó al básquetbol en su escuela durante cuatro años, y el último año ganó el trofeo del "mejor jugador". Recuerdo que siempre quería ser como él.

2. Soy Sandra. Mi padre fue campeón de ajedrez durante muchos años. Estoy muy orgullosa de él. Me enseñó a jugar ajedrez siendo yo muy pequeña. He ganado varias competencias locales, pero ahora quiero ganar una más importante.

3. Cuando era pequeño, me gustaba correr a todas partes. Mi madre me llamaba Antonio "el huracán" porque siempre estaba corriendo de un lugar a otro. Todas las mañanas después del desayuno iba corriendo a la escuela.

4. Soy Hernán. Siempre he sido muy atlético. He participado en carreras y competencias de fútbol y básquetbol, pero me gustaría probar algo diferente. Voy a inscribirme en un evento que no sea atlético.

5. Soy Ángela. De niña siempre iba con mi padre a los partidos de la NBA. Éramos aficionados del equipo de Los Ángeles. Siempre he querido jugar al básquetbol y me he entrenado mucho. Mi padre me considera una buena jugadora.

C. Escribir

Estás escribiendo un artículo para el periódico de tu clase de español. Tu objetivo es describir una competencia escolar de tipo deportiva o algún concurso. Incluye: a) el tipo de evento y dónde tuvo lugar; b) cómo se sentían los jugadores o los participantes durante y después del evento; c) cómo reaccionaba el público; d) quién ganó el evento.

Para evaluar tu escrito, se considerará:

- la cantidad de información que provees.
- el uso correcto del vocabulario recién aprendido.
- el uso correcto de la gramática recién aprendida.

D. Hablar

Tu profesor(a) quiere que le cuentes sobre tu viaje favorito con tu familia o tus amigos. Habla de los lugares que visitaron, cómo eran y qué tiempo hacía, y lo que hicieron. Explica también por qué es tu viaje favorito.

Para evaluar tu presentación, se considerará:

- la cantidad de información que provees.
- el uso correcto de la gramática recién aprendida.
- la facilidad con que se te entiende y cómo te organizas.

E. Cultura

¿Por qué viajaban los peregrinos a Santiago de Compostela hace mil años? ¿Por qué viajan los peregrinos de hoy en día? Compara los dos grupos. ¿En qué se parecen? ¿En qué se diferencian?

HOJA DE RESPUESTAS, EXAMEN DEL CAPÍTULO 1

A. Escuchar (___ / ___ *puntos*)

	MIS APUNTES (*notes*)
Carlos	
Mónica	
Juan	
Margarita	
Pepe	

	¿Adónde fue?	¿Qué hizo?	¿Qué le sucedió?
1. Carlos			
2. Mónica			
3. Juan			
4. Margarita			
5. Pepe			

B. Leer (___ / ___ *puntos*)

______________ ______________

CAMPEONATO ESCOLAR
ESTE SÁBADO 5 DE ENERO 10:00 a.m.

______________ ______________

CAMPEONATO DE LA CUIDAD
ESTE JUEVES 3 DE ENERO 4:00 pm

______________ ______________

CAMPEONATO NACIONAL
ESTE VIERNES 4 DE ENERO 7:30 pm

C. Escribir (___ / ___ *puntos*)

D. Hablar (___ / ___ *puntos*)

E. Cultura (___ / ___ *puntos*)

Prueba 2-1

Comprensión del vocabulario 1

A. Tú y un amigo están estudiando el vocabulario que necesitan usar en la clase de arte. Él te da una definición y tú debes decirle lo que es. Escribe la letra de la palabra correcta a la izquierda de cada definición.

a. pincel	c. sentado	e. paleta	g. fondo
b. retrato	d. primer plano	f. escultor	

1. ______ Un artista que hace esculturas.
2. ______ Cuando alguien está descansando en una silla, está . . .
3. ______ Cuando la pintura representa a una persona es un . . .
4. ______ Lo que está delante en una pintura.
5. ______ Donde el pintor mezcla los colores.
6. ______ Para escribir se usa un bolígrafo y para pintar se usa un . . .

B. Tu clase de arte está visitando un museo. Completa los comentarios que hace tu profesor sobre algunas obras. Subraya las palabras apropiadas.

1. Como Uds. saben, la *(obra de arte / paleta)* de los artistas es su trabajo. Los artistas pueden mostrar su talento haciendo *(abstracta / cerámica)*, *(escultura / pincel)* o *(parada / pintura)*.
2. *(A través de/ Se vuelve)* esta *(figura / escultura)* abstracta el artista expresa sus *(sentimientos / movimientos)* hacia la vida.
3. Aquí vemos una pintura de Picasso. Él, como Miró, fue un artista muy *(sentado / famoso)* del *(siglo / movimiento)* XX.
4. Chicos, vean aquí esta escultura de Dina Bursztyn. Muy interesante, ¿no? La mayor *(cerámica / fuente de inspiración)* que tuvo ella fue su tía Fanny, quien *(influyó / representó)* mucho en su obra.
5. Ahora vemos una pintura del pintor cubano Carlos Enríquez. A él lo influyeron los artistas del *(sentimiento / movimiento)* surrealista.
6. Vamos a terminar nuestra excursión con esta obra del ecuatoriano Oswaldo Guayasamín. El *(tema / siglo)* de esta hermosa obra es la vida del indio de América Latina.

C. Tu profesor(a) de arte te hace unas preguntas. Contéstalas escogiendo una de las palabras que aparecen en el recuadro.

escultura	taller	autorretrato	mural
escultora	fondo	naturaleza muerta	

1. —¿Cómo se llama una pintura que un pintor pinta en la pared?

   —Es un ______________. Diego Rivera fue un artista que hizo muchos de ellos.

2. —Cuando un pintor pinta su propio retrato, ¿cómo se llama esa pintura?

   —Se llama ______________.

3. —Una pintura de flores, frutas o comida, ¿cómo se llama?

   —Le damos el nombre de ______________.

4. —En esta pintura surrealista, ¿qué ves en la parte de atrás?

   —En la parte de atrás, en el ______________, veo una imagen que representa la vida triste del artista.

5. —¿Quién es Dina Bursztyn?

   —Ella es una ______________ argentina que trabaja en Nueva York. En su obra, ella usa imágenes de sus sueños.

Prueba 2-2

Aplicación del vocabulario 1

A. Tú y tu amigo José están mirando un libro de arte. José no sabe nada de arte. Sin embargo, tú aprendiste mucho el año pasado en tu clase de arte. Muéstrale lo que sabes sobre Miró, llenando los espacios en blanco.

1. Esto es un ________________. Es una ________________ de arte que se pinta en la pared.
2. Mira, esta pintura de frutas es un ejemplo de una ________________. En estas pinturas se representan frutas, flores o comida.
3. Aquí tenemos un ________________. Se llama así porque el artista, Joan Miró, pintó su propio retrato.
4. Y esta otra pintura de Miró se llama *El Carnaval del arlequín.* Es parte del ________________ surrealista. Aquí, su estilo cambia y se vuelve menos realista y más ________________. Es difícil ver lo que sus cuadros ________________ exactamente, pero muestran y ________________ alegría ________________ del uso de los colores vivos. Todo parece una fiesta. Sus ________________ (las personas y objetos) parecen ser dibujos de niños.
5. Estas esculturas de aquí también son de Miró. Además de pintor, él fue un gran ________________.

B. Ahora le hablas a José sobre Velázquez y Dalí. Completa los párrafos.

1. La pintura *Las Meninas* es una de las obras más importantes de Diego Velázquez, pintor ________________ que todo el mundo conoce, del ________________ XVII. Es una pintura realista. La escena tiene lugar en su ________________, el lugar donde él trabajaba en el palacio de los reyes. El hombre parado a la izquierda es Velázquez. En su mano derecha tiene un ________________ mojado en pintura *(paint)*, y en su mano izquierda, su ________________ de colores. Le gustaba usar colores oscuros. La niña rubia que está delante de todos, en ________________, es la princesa Margarita. A cada lado de ella están las Meninas. A la izquierda vemos a un niño que está ________________ en una silla, y al ________________, detrás de todos, se ve un hombre que no sabemos si entra o sale. Es un cuadro con mucha acción, parece que todas las personas se están moviendo.

2. Este cuadro es de Salvador Dalí. Se llama *La persistencia de la memoria.* ¿Cuál es la idea o el ________________ de este cuadro? Se puede decir que es el mundo donde el tiempo muere y sólo viven la fantasía y los sueños *(dreams)*. Sus figuras, o ________________, salen de los sueños y del subconsciente. Dalí estudió a los artistas surrealistas y ellos ________________ mucho en él, pero su esposa, Gala, fue su mayor fuente de ________________.

Prueba 2-3

Pretérito *vs.* imperfecto

A. Estás preparando un informe oral sobre Diego Velázquez para tu clase de arte. Aquí tienes el principio de tu informe. Complétalo usando el pretérito o el imperfecto de los verbos entre paréntesis.

Diego Velázquez es el pintor más famoso del siglo XVII en España. ________________ *(Nacer)* en Sevilla en el año de 1599. Allí ________________ *(estudiar)* con Francisco Pacheco. Cuando ________________ *(tener)* 18 años ________________ *(pasar)* el examen para ser maestro pintor. Un año después ________________ *(casarse)* con la hija de su maestro.

Velázquez generalmente ________________ *(pintar)* más que nada retratos, pero a veces también ________________ *(hacer)* obras con temas de religión y paisajes. Velázquez casi siempre ________________ *(usar)* en su paleta colores interesantes y generalmente ________________ *(ir)* a las calles y ________________ *(pintar)* a las personas que ________________ *(ver)*. Sus modelos ________________ *(ser)* las personas que Velázquez ________________ *(sacar)* de la vida real, por ejemplo *El aguador de Sevilla*.

B. Lee esta carta sobre una visita que un amigo de El Greco le hizo al famoso pintor. Cambia los verbos entre paréntesis, en presente, al pretérito o al imperfecto.

(1) ________________ *(Voy)* a ver a El Greco para dar un paseo con él por Toledo. (2) ________________ *(Es)* un día muy hermoso, con un delicioso sol de primavera que (3) ________________ *(hace)* sonreír a todo el mundo. La ciudad (4) ________________ *(parece)* estar de fiesta. Al entrar en su taller (5) ________________ *(veo)* que todo (6) ________________ *(está)* muy oscuro. El Greco (7) ________________ *(está)* sentado en una silla y no (8) ________________ *(trabaja)* ni (9) ________________ *(duerme)*. (10) ________________ *(Decide)* no ir conmigo. Me (11) ________________ *(dice)* que la luz del día (12) ________________ *(molesta)* a su luz interior.

Prueba 2-1

Comprensión del vocabulario 1

A. Tú y un amigo están estudiando el vocabulario que necesitan usar en la clase de arte. Él te da una definición y tú debes decirle lo que es. Escribe la letra de la palabra correcta a la izquierda de cada definición.

a. pincel c. sentado e. paleta g. fondo
b. retrato d. primer plano f. escultor

1. ______ Un artista que hace esculturas.
2. ______ Cuando alguien está descansando en una silla, está . . .
3. ______ Cuando la pintura representa a una persona es un . . .
4. ______ Lo que está delante en una pintura.
5. ______ Donde el pintor mezcla los colores.
6. ______ Para escribir se usa un bolígrafo y para pintar se usa un . . .

B. Tu clase de arte está visitando un museo. Completa los comentarios que hace tu profesor sobre algunas obras. Subraya las palabras apropiadas.

1. Como Uds. saben, la *(obra de arte / paleta)* de los artistas es su trabajo. Los artistas pueden mostrar su talento haciendo *(abstracta / cerámica)*, *(escultura / pincel)* o *(parada / pintura)*.
2. *(A través de/ Se vuelve)* esta *(figura / escultura)* abstracta el artista expresa sus *(sentimientos / movimientos)* hacia la vida.
3. Aquí vemos una pintura de Picasso. Él, como Miró, fue un artista muy *(sentado / famoso)* del *(siglo / movimiento)* XX.
4. Chicos, vean aquí esta escultura de Dina Bursztyn. Muy interesante, ¿no? La mayor *(cerámica / fuente de inspiración)* que tuvo ella fue su tía Fanny, quien *(influyó / representó)* mucho en su obra.
5. Ahora vemos una pintura del pintor cubano Carlos Enríquez. A él lo influyeron los artistas del *(sentimiento / movimiento)* surrealista.
6. Vamos a terminar nuestra excursión con esta obra del ecuatoriano Oswaldo Guayasamín. El *(tema / siglo)* de esta hermosa obra es la vida del indio de América Latina.

Examen: vocabulario y gramática 1

A. El / la profesor(a) está explicando algunas cosas básicas de arte. Completa las frases, según lo que dice.

Lo que el pintor usa para pintar es un __1.__ y donde él pone y mezcla sus colores es la __2.__.

Aquí ven un __3.__; es la pintura de una persona. Esto es un __4.__ de Miró porque él mismo se pintó.

Una pintura que representa flores, frutas o comida se llama __5.__.

El trabajo de un artista, su cerámica, su escultura y su pintura, es su __6.__.

Ahora, quiero mostrarles esta pintura surrealista de Salvador Dalí. Fue un pintor del __7.__ surrealista del __8.__ XX.

B. Después de estudiar la vida y el trabajo de Diego Rivera, vas a escribir lo que sabes. Para cada frase, escribe una palabra o expresión del vocabulario de este capítulo que tenga el mismo significado que la expresión subrayada.

1. Rivera pintó pinturas sobre las paredes en muchos edificios grandes.
2. Lo que vemos en esta pintura son muchas imágenes de personas famosas de la historia.
3. Las condiciones sociales de México tuvieron mucha influencia sobre Rivera.
4. Rivera quiere comunicar sus ideas sobre la vida y México.
5. En la pintura, el héroe Zapata no está sobre su caballo, está de pie, al lado de su caballo.
6. La idea principal del mural es la Revolución Mexicana.

C. Estás escribiendo un informe sobre la famosa pintura de Pablo Picasso, *Guernica*. Completa tu informe usando los verbos entre paréntesis en el *pretérito* o en el *imperfecto*.

Pablo Picasso __1.__ *(ser)* inteligente y talentoso. A través de su arte, vemos cómo el artista a menudo __2.__ *(expresar)* y __3.__ *(mostrar)* sus sentimientos. En abril de 1937, muchos españoles __4.__ *(morir)* en el pueblo de Guernica. La destrucción de Guernica en el País Vasco __5.__ *(inspirar)* a Picasso a pintar este mural increíble. Él __6.__ *(sentirse)* muy mal por lo que pasó en la Guerra Civil *(Civil War)* de España. Picasso __7.__ *(empezar)* sus primeros dibujos en mayo. Todos los días __8.__ *(trabajar)* día y noche. Muchas veces __9.__ *(pintar)* una imagen por el día y la __10.__ *(cambiar)* por la noche. Unas imágenes __11.__ *(ser)* abstractas, otras reales. En junio __12.__ *(terminar)* la obra y la __13.__ *(presentar)* en París ese mismo año. En esta obra __14.__ *(pintar)* figuras de mujeres y __15.__ *(poner)* un caballo gritando como tantos españoles lo __16.__ *(hacer)* durante la guerra y una flor saliendo de la mano de un hombre para representar el futuro.

D. Tus dos hermanitos, Anita y Pepito, se quedaron solos en casa mientras tú fuiste al mercado. Cuando regresaste, encontraste mucho desorden. Completa las frases usando el participio de los verbos entre paréntesis para describir el desorden.

Cuando entré en la casa, todo estaba desordenado. El perro estaba __1.__ *(sentar)* en la silla, comiendo el sándwich de mi hermanito. El televisor estaba __2.__ *(poner)* y las luces estaban __3.__ *(apagar)*. Anita, __4.__ *(parar)* en la mesa, comía un helado. Las ventanas estaban __5.__ *(abrir)* y las cortinas __6.__ *(hacer)* a mano por la abuela estaban en el piso. Había dos cuadros __7.__ *(romper)*. Las paredes estaban todas __8.__ *(pintar)* con creyones. Pepito estaba __9.__ *(esconder)* detrás de la silla. Cuando regresaron mis padres estaba yo muy __10.__ *(cansar)* de todo el día.

HOJA DE RESPUESTAS, EXAMEN 1

A. (___ / ___ *puntos*)

1. ____
2. ____
3. ____
4. ____
5. ____
6. ____
7. ____
8. ____

B. (___ / ___ *puntos*)

1. ____
2. ____
3. ____
4. ____
5. ____
6. ____

C. (___ / ___ *puntos*)

1. ____
2. ____
3. ____
4. ____
5. ____
6. ____
7. ____
8. ____
9. ____
10. ____
11. ____
12. ____
13. ____
14. ____
15. ____
16. ____

D. (___ / ___ *puntos*)

1. ____
2. ____
3. ____
4. ____
5. ____
6. ____
7. ____
8. ____
9. ____
10. ____

Prueba 2-5

Comprensión del vocabulario 2

A. La hermanita de tu amigo no entiende algunas palabras del vocabulario de este capítulo y te pregunta qué quieren decir. Explícale, escogiendo una definición de la lista a la izquierda.

1. Es una persona que escribe novelas. ______
2. Es lo que da el público si le gusta un espectáculo. ______
3. Es lo que escribe un poeta. ______
4. Es una parte de la música. ______
5. Es la descripción de un espectáculo. ______
6. Es una expresión que se hace usando la cara o partes del cuerpo. ______

a. un poema
b. un escritor
c. una reseña
d. el aplauso
e. un gesto
f. el ritmo

B. Tu amigo Gustavo está escribiendo un artículo para el periódico. Ayúdalo a escoger palabras para completar su artículo. Selecciona palabras y expresiones del recuadro.

melodías	conjunto	basadas en	tambor
interpretaciones	entusiasmo	ritmo	pasos

Ayer se celebró en el parque de la ciudad un festival de salsa. El ________________ invitado fue "Los Salseros de Hoy", que hicieron ________________ de sus famosas canciones.

Luis Alberto, con el sonido de percusión de su ________________, hizo bailar a todos al ________________ de sus canciones de ________________ alegres. Todos aprendieron a bailar los varios ________________ de esta música latina con mucho ________________. Muchas de las canciones de Tomás Ore están ________________ las experiencias de su juventud *(youth)*.

C. Vas a escribir un artículo para el periódico de tu escuela sobre unas presentaciones que se hicieron en el teatro. Aquí tienes varias frases que vas a usar en tu artículo. Selecciona la letra que mejor completa la frase.

1. En el espéctaculo, lo que más ______ fue la canción de una joven puertorriqueña.

a. se destacó **b.** se pareció **c.** se identificó

2. ______ donde se hicieron las presentaciones fue decorado por los profesores.

a. El entusiasmo **b.** El escenario **c.** La reseña

3. Tuvimos que usar tres ______ para poder oír bien las presentaciones.

a. interpretaciones **b.** micrófonos **c.** tambores

4. María Hernández ______ un poema de José Martí.

a. interpretó **b.** destacó **c.** exageró

5. Las hermanas Molina y Rosa Urrutia ______ una interpretación de "La danza del fuego".

a. sonaron **b.** realizaron **c.** se destacaron

6. Elena Martínez y Claudio Torres bailaron una danza ______ que les encantó a todos.

a. clásica **b.** exagerada **c.** basada

7. Luis Bello, que ______ a Ricky Martin, cantó "La vida loca".

a. suena **b.** se parece **c.** se destaca

8. Carlos Rubio, el famoso actor de nuestra escuela, ______ un famoso monólogo de "La vida es sueño" de Calderón de la Barca.

a. actuó **b.** exageró **c.** se pareció

9. Al terminar las actuaciones, todo el público ______ y aplaudió.

a. actuó **b.** se paró **c.** se destacó

10. ______ sólo costó $5.00 por persona.

a. El compás **b.** La reseña **c.** La entrada

Prueba 2-6

Aplicación del vocabulario 2

A. En tu clase de español están jugando a las "Adivinanzas" *(riddles)* para así practicar el vocabulario estudiado en este capítulo. Tu compañero(a) te dice la definición y tú tienes que decirle lo que es. Escribe a la derecha la palabra que se describe.

1. Se usa para que el público pueda oír mejor. _____
2. Lo que se paga para poder entrar a ver una película. _____
3. La persona que escribe poemas. _____
4. La descripción de una obra de teatro, película o libro hecha por un(a) crítico(a) de arte. _____
5. Quiere decir lo mismo que *ritmo*. _____
6. Un instrumento musical de viento. _____
7. Quiere decir lo mismo que *baile*. _____
8. Un grupo de músicos que tocan instrumentos y cantan. _____
9. Un instrumento musical de percusión. _____
10. Lo que se hace con los pies para poder bailar. _____
11. El lugar en un auditorio donde presentan una obra de teatro. _____
12. Lo que es una obra de teatro, un concierto, un ballet, etc. _____
13. La persona que escribe un libro, artículo o novela. _____

B. En el Teatro Nacional de tu ciudad se va a presentar una nueva obra de teatro. Aquí hay una descripción que hizo un crítico que la vio antes de ser presentada al público. Completa las frases con una palabra del vocabulario estudiado en el capítulo.

Este sábado se va a presentar la nueva obra *Yo soy Dalí* del escritor Carlos Rubio. La obra está ____________ en la vida del famoso pintor español Salvador Dalí. Los actores que van a ____________ son Gabriel Colón, como Dalí, y Micaela Dionisio, en el papel de su esposa, Gala. Los dos actores hacen una ____________ muy impresionante de estos personajes. El maquillaje que le hacen a Gabriel es tan perfecto que ____________ mucho a Dalí. Es evidente que Gabriel comprende bien al famoso pintor y puede ____________ con él. Finalmente, Gabriel Colón va a ____________ su sueño *(dream)* de ir a Broadway después de esta obra. Creo que la obra va a tener éxito y va a gustar. Estoy seguro de que el público la va a aceptar con mucho ____________ y alegría.

C. Tu amigo te hace preguntas sobre una canción que el grupo "Torpedo" cantó en el concierto. Completa las frases con una palabra del vocabulario estudiado en el capítulo.

1. —¿Quién escribió la ____________ de la canción?

   —La escribió Jorge Palomo.

2. —¿Él también escribió la ____________? Me gusta mucho.

   —No, la escribió Roberto Pacheco. Es un conocido compositor peruano.

3. —¿Quién la ____________ o cantó?

   —Pablo Cañal. ¿Lo recuerdas? Es el cantante que hace muchos ____________ exagerados con la cara.

4. —Sí, por supuesto. ¿Les gustó la canción?

   —Sí, les gustó mucho. Todo el público ____________ y estuvo parado durante mucho tiempo y los ____________ se escucharon por diez minutos.

Prueba 2-7

Ser y estar

A. La reportera Sandy Regalado entrevista a la famosa cantante Julia Torres. Completa los espacios usando *ser* o *estar.*

SANDY: Buenas tardes, Julia. ¿Cómo _______________?

JULIA: _______________ bien, gracias.

SANDY: Primero quiero saber, ¿de dónde _______________?

JULIA: Bueno, Sandy, _______________ de muchos lugares diferentes. Nací en España. Luego viví por muchos años en Puerto Rico y en México, y ahora _______________ viviendo en Nueva York. Mis abuelos _______________ de Cuba, mis padres _______________ venezolanos, pero mi corazón _______________ en cada país donde tengo admiradores *(fans).*

SANDY: Ya veo. ¿Cuándo _______________ tu próximo concierto?

JULIA: _______________ muy entusiasmada. Va a _______________ el 25 de julio. El concierto _______________ en Nueva York.

SANDY: Dicen que ya vendieron todas las entradas. ¿_______________ verdad?

JULIA: No lo sé, pero espero que sí.

SANDY: Háblanos un poco sobre tu novio. ¿Cómo se llama?

JULIA: Se llama Antonio Cruz. _______________ escritor de libros para niños. _______________ alto y rubio. _______________ muy guapo. _______________ pensando en casarnos el año próximo. Antonio _______________ en Costa Rica buscando información para un nuevo libro.

SANDY: Bueno, mil gracias por la entrevista y buena suerte en tu concierto.

Prueba 2-8

Verbos con distinto sentido en el pretérito y en el imperfecto

A. Como ya sabes, algunos verbos en español tienen significados diferentes en el pretérito y en el imperfecto. Escucha estas preguntas que una amiga le hace a otra. ¿Cuál es la respuesta correcta para cada pregunta? Escoge **A** o **B**.

1. ¿Estás estudiando danza clásica? ______
   - **a.** Sí, quise aprender a bailar ballet.
   - **b.** Sí, siempre quería aprender a bailar ballet.
2. ¿Ya conocías a Pedro, el profesor? ______
   - **a.** Sí, lo conocía en la fiesta de la escuela.
   - **b.** Sí, lo conocí en la fiesta de la escuela.
3. ¿Y los pasos? ¿Tienes que practicarlos mucho? ______
   - **a.** Bueno, debo practicar todos los días, pero ayer no podía.
   - **b.** Bueno, debo practicar todos los días, pero ayer no pude.
4. Me dicen que viste a mi prima Mariana en la clase de danza. ______
   - **a.** ¡Fue una sorpresa! No sabía que ella estudiaba con el mismo profesor.
   - **b.** ¡Fue una sorpresa! No supe que ella estudiaba con el mismo profesor.

B. Háblanos de lo que pasó ayer. Completa las frases usando el pretérito o el imperfecto de los verbos entre paréntesis.

La semana pasada ______________ *(conocer)* a dos chicas muy bonitas que mi hermana me presentó. Ella las ______________ *(conocer)* desde hacía unos meses. Van todas a la misma clase de teatro. Ayer, llamé a una de ellas para ver si ______________ *(querer)* ir al cine conmigo. Ella me dijo que no ______________ *(poder)* porque tenía que salir con su mamá esa noche. Entonces llamé a la otra chica. Ella tampoco ______________ *(querer)* ir conmigo. Luego ______________ *(saber)* por mi hermana que ellas no ______________ *(querer)* ir conmigo al cine porque no les gusta salir con chicos menores que ellas.

Examen: vocabulario y gramática 2

A. En tu clase de literatura latinoamericana tuvieron a una invitada especial. Háblanos de ella, completando las frases con las palabras apropiadas del vocabulario estudiado en este capítulo.

En la clase de literatura estamos aprendiendo a escribir poemas. Ayer tuvimos de invitada a una famosa ___1.___ de nuestra ciudad, Margarita Diego. Ella acaba de publicar un libro de poemas, que están ___2.___ en experiencias de su vida en Cuba. Su libro está recibiendo muy buenas ___3.___ de los críticos y todos han dicho buenas cosas sobre sus poemas. Ella interpretó varios de los poemas, que sonaban a música del Caribe. A través de los ___4.___ de su cara y sus manos y sus muchas expresiones, podíamos entender mejor los poemas. Yo, como mis abuelos son cubanos, me pude ___5.___ con ella muy fácilmente. La comprendí muy bien. Al final de la presentación hubo muchos ___6.___ de todos los estudiantes en la clase. La profesora le dio unas rosas muy bonitas.

B. Carlos está hablando por teléfono con Rosa sobre lo que hizo el sábado. Completa las frases con palabras apropiadas del vocabulario del capítulo.

ROSA: Hola, Carlos, ¿qué hiciste el sábado?

CARLOS: Fui con Tere a ver el ___1.___ que dieron en la escuela.

ROSA: ¿Qué actos presentaron?

CARLOS: Muchos, pero creo que el que más se destacó fue el ___2.___ que formaron unos chicos de mucho talento musical. Una chica tocó la guitarra eléctrica, un chico la ___3.___ y otro el ___4.___. Otra chica era la cantante. Ellos mismos escribieron la ___5.___ y la melodía de las canciones. Su música tiene mucho ___6.___ de salsa. Cuando terminaron, todo el público se paró y los aplaudió mucho.

ROSA: ¿Bailaron las hermanas Pérez?

CARLOS: Sí. Bailaron una ___7.___ clásica, pero no me gustó mucho.

ROSA: Bueno, Carlos, me voy a dormir, hasta el lunes.

CARLOS: Hasta el lunes, Rosa.

C. Estás leyendo en el periódico una descripción de un reportero sobre el concierto de Julia Torres que tiene lugar en el Madison Square Garden. Completa las frases usando el presente de *ser* o *estar.*

El concierto de Julia Torres que se realiza en este momento __1.__ un éxito. El Madison Square Garden __2.__ lleno de admiradores. Todas las canciones que ella __3.__ interpretando se pueden escuchar en su último CD. Julia __4.__ una chica bonita, y esta noche __5.__ más hermosa que nunca. Canta la canción "Yo __6.__ llorando por ti". Esta canción __7.__ la favorita de sus admiradores. Ahora ella __8.__ cantando, y no hay duda de que Julia Torres __9.__ la estrella del momento.

D. Carla le cuenta a Lupe lo que le pasó a Ana. Completa las frases con el pretérito o el imperfecto de los verbos entre paréntesis.

CARLA: ¿__1.__ *(Saber)* lo que le pasó a Ana esta tarde?

LUPE: No, ¿qué le sucedió?

CARLA: Bueno, tú __2.__ *(saber)* que ella y yo íbamos a empezar una clase de danza clásica, ¿no? Yo te lo dije ayer. Bien, ella le preguntó a su padre si __3.__ *(poder)* usar el coche para ir a clase y él le dijo que sí. Entonces Ana me llamó y me preguntó si __4.__ *(querer)* ir con ella. Le dije que sí y vino por mí. En la clase, nosotras __5.__ *(conocer)* a un chico muy simpático, Esteban. Él __6.__ *(conocer)* a mi primo Luis porque los dos están en la misma clase de arte. Cuando la clase terminó, Ana le dijo al chico que lo iba a llevar a su casa. Yo no __7.__ *(querer)* ir porque tenía que quedarme con la profesora para aprender unos pasos que no __8.__ *(poder)* aprender durante la clase. Entonces ellos salieron y en camino, Ana chocó con un autobús. Ahora los dos están en el hospital. ¡Qué horrible!, ¿no?

HOJA DE RESPUESTAS, EXAMEN 2

A. (___ / ___ *puntos*)

1. ______
2. ______
3. ______
4. ______
5. ______
6. ______

B. (___ / ___ *puntos*)

1. ______
2. ______
3. ______
4. ______
5. ______
6. ______
7. ______

C. (___ / ___ *puntos*)

1. ______
2. ______
3. ______
4. ______
5. ______
6. ______
7. ______
8. ______
9. ______

D. (___ / ___ *puntos*)

1. ______
2. ______
3. ______
4. ______
5. ______
6. ______
7. ______
8. ______

EXAMEN DEL CAPÍTULO 2

A. Escuchar

Después de estudiar a los artistas de España en la clase, la Sra. Molina les habla a los estudiantes sobre dos cuadros. En tu hoja de respuestas, dibuja lo que hay en primer plano y al fondo de cada cuadro. ¡No importa tu habilidad artística! Puedes hacer figuras muy sencillas y sólo necesitas dibujar lo que la profesora dice y poner los dibujos en el lugar correspondiente. Vas a oír cada descripción dos veces. Después de hacer los dibujos, identifica los objetos escribiendo el nombre de cada uno al lado de su dibujo correspondiente.

B. Leer

Lee la siguiente reseña de un periódico español sobre un concierto. Luego, en tu hoja de respuestas, escribe *Cierto* o *Falso* al lado de cada frase según la información de la reseña.

¡Chachis en Madrid!

Después de siete años fuera de España, el conjunto "Chachis" volvió anoche al escenario madrileño. Unas semanas antes del concierto, se vendieron todas las entradas. El cantante principal del conjunto, Enrique, dice que su fuente de inspiración es la vida diaria de la calle. Enrique interpretó por primera vez su nueva canción inspirada en la energía de Madrid. La música tenía un compás muy rápido. El público mostró mucho entusiasmo por otro miembro del conjunto: un joven de veinte años que tocó maravillosamente los tambores. El aplauso que recibió este chico duró cinco minutos. El conjunto "Chachis" ha tenido buenos momentos y otros muy difíciles. "Pero tocar en el escenario de Madrid siempre es divertido", dice Enrique. ¡Todo el público estaba de acuerdo!

C. Escribir

Eres periodista del periódico *Buenas Noticias*, y te piden que escribas una reseña sobre una obra de teatro escolar o una película que dan ahora en tu comunidad. En la reseña, incluye detalles sobre el nombre de la obra o película, un resumen del argumento, tu opinión sobre los actores y las actrices y otros comentarios que quieras hacer.

Para evaluar tu escrito, se considerará:

- la cantidad de información que provees.
- el uso correcto del vocabulario.
- el uso correcto de la gramática recién aprendida.

D. Hablar

Ha llegado un nuevo estudiante de Perú a tu escuela. Hablas con él sobre las clases de arte, música o danza que hay en la escuela. Describe una de esas clases, los materiales que se usan y las actividades y proyectos que haces. Por ejemplo: *En la clase de arte vamos a hacer un mural o un autorretrato.*

Para evaluar tu presentación, se considerará:

- la cantidad de información que provees.
- el uso correcto de la gramática recién aprendida.
- la facilidad con que se te entiende

E. Cultura

En este capítulo aprendiste cómo varios artistas expresan su vida personal o sus ideas políticas a través del arte. Escribe en tu hoja de respuestas lo que aprendiste sobre uno de los artistas, como Salvador Dalí o Diego Rivera. Incluye una descripción de su obra de arte y lo que expresa.

Nombre _______________ Hora _______

Fecha _______________

HOJA DE RESPUESTAS, EXAMEN DEL CAPÍTULO 2

A. Escuchar *(___ / ___ puntos)*

CUADRO #1	**CUADRO #2**
Al fondo	**Al fondo**
En primer plano	**En primer plano**

B. Leer *(___ / ___ puntos)*

Lee las siguientes frases. Escribe *Cierto* o *Falso* al lado de cada una.

1. "Chachis" actúa frecuentemente en los escenarios de Madrid. _______________
2. Antes del concierto, había muchas entradas. _______________
3. Sólo la familia de Enrique influye en su música. _______________
4. La energía de Madrid influye en la nueva canción de "Chachis". _______________
5. Un joven tocó los tambores muy bien. _______________

C. Escribir (___ / ___ *puntos*)

D. Hablar (___ / ___ *puntos*)

E. Cultura (___ / ___ *puntos*)

Prueba 3-1

Comprensión del vocabulario 1

A. Escribe una *B,* si el consejo que da el doctor es bueno. Escribe una *M,* si el consejo es malo.

1. ______ Si te duele la cabeza, debes tomar aspirinas.
2. ______ Para la infección de oído, puedes tomar un antibiótico.
3. ______ Si te duele el estómago, tienes que comer mucha comida basura.
4. ______ Si te duele el pecho porque tienes mucha tos, toma un jarabe.
5. ______ Si estás resfriado(a), lo mejor es hacer una dieta con mucha comida grasosa.
6. ______ Si estornudas mucho porque tienes alergia, debes tomar carbohidratos.
7. ______ Si tienes fiebre de 39 grados centígrados y te duele la cabeza, tienes que tomar aspirinas.
8. ______ Debes comer frutas, son saludables. Tienen vitaminas.
9. ______ Cuando estás resfriado(a), debes quedarte en cama, tomar aspirinas y beber mucho líquido.
10. ______ Come muchas papas fritas. Son un alimento saludable porque tienen un alto nivel de grasa.
11. ______ Y recuerda, siempre debes comer más cuando tu estómago está lleno.

B. Le estás explicando a tu hermanita lo que es una comida saludable. Completa la frase con una de las siguientes palabras o expresiones.

1. Las personas que quieren bajar de peso no deben comer comida con ______.
   a. fibra b. muchas grasas c. vitaminas

2. Para mantener el peso apropiado para tu edad y tu estatura debes tener una dieta ______.
   a. equilibrada b. vacía c. llena

3. No debes comer ______.
   a. comida basura b. comida con fibra c. alimentos con proteínas

4. Recuerda no comer ______.
   a. alimentos nutritivos b. alimentos apropiados para tu salud c. muchas meriendas con demasiado azúcar

5. Es buena idea ______.
   a. evitar las vitaminas b. saltar comidas c. comer alimentos que dan energía

6. Incluye en tu dieta muchas comidas con ______.
   a. mucha grasa b. fibra y proteínas c. jarabe

7. Evita tener hábitos alimenticios ______.
   a. nutritivos b. saludables c. malos

8. ¿Por qué es importante una alimentación saludable? Es importante ______.
   a. para alcanzar una estatura apropiada y tener buena salud b. para no tener energía en todo el día c. para tener siempre el estómago vacío

Prueba 3-2

Aplicación del vocabulario 1

A. Jorge está en el consultorio del Dr. Ruiz. Él le está contando sus síntomas al doctor. Completa los espacios en blanco con la palabra apropiada del vocabulario estudiado en este capítulo.

JORGE: Doctor, no me siento bien. Me duelen la cabeza y la garganta. Y me duele el ____________ porque tengo mucha tos. Esta mañana me tomé la temperatura. Tengo una ____________ de 39 ____________. También ____________ mucho, pero no creo que tengo ____________ ni a los animales ni a las plantas. ¿Verdad?

DR. RUIZ: Tienes razón, Jorge. Tú tienes los síntomas de la ____________. Eres el cuarto paciente que viene a verme con estos síntomas.

JORGE: ¿Qué debo hacer, doctor?

DR. RUIZ: Bueno, también veo que tienes una infección en la garganta.

JORGE: ¿Me va a recetar un jarabe?

DR. RUIZ: No. Te voy a recetar un ____________. Para el dolor de cabeza y de todo el cuerpo, toma dos ____________ cada cuatro horas. Debes quedarte en cama y beber mucho líquido.

JORGE: Gracias, doctor. Espero no tener que regresar.

B. Éstas son frases que se escuchan en el consultorio del doctor, pero algunas palabras no se pueden oír. Completa los consejos del doctor con la palabra apropiada.

1. Tienes mucha tos. Te voy a recetar un ______________. Toma una cucharada cada cuatro horas.
2. Toma esta medicina para el ______________. Tienes una infección. Por eso te duele y no puedes oír bien.
3. Estás ______________. Por eso estás estornudando tanto. Quédate en cama y toma mucho líquido.
4. Recuerda que siempre es muy bueno comer frutas y verduras porque tienen ______________ A, B y C.
5. Trata de comer cereal y pan, que contienen más ______________ que azúcar.
6. Aunque las espinacas no son las favoritas de los jóvenes, debes comerlas. Tienen un alto nivel de ______________, que es necesario para la salud.
7. Tienes 10 años, ¿verdad? A tu ______________ necesitas ______________. Es importante tener huesos ______________. Toma mucha leche.
8. Una alimentación ______________, es decir, una dieta que incluye frutas, verduras, carnes y carbohidratos en cantidades apropiadas, es muy buena para mantener tu ______________ de 60 kilogramos.
9. Evita la ______________, como las papas fritas. Come alimentos ______________ y saludables que son buenos para la salud.
10. Es importante no ______________ comidas. Por ejemplo, siempre debes comer desayuno en la mañana. Come dos o tres meriendas al día para mantener la ______________ que necesitas para no sentirte cansado(a). De esa manera vas a poder tener un día activo.
11. Si te sientes con el estómago ______________, come, pero deja de comer cuando te sientes lleno(a).

Prueba 3-3

Mandatos afirmativos con *tú*

A. Completa lo que te dice el doctor con el mandato afirmativo con *tú* del verbo apropiado.

1. Si no tienes energía, ____________ *(saltar / comer)* alimentos con proteínas y ____________ *(tomar / evitar)* muchas vitaminas.
2. Si estás resfriado(a), ____________ *(quedarse / incluir)* en cama y ____________ *(comer / beber)* mucho líquido.
3. ____________ *(Evitar / Incluir)* alimentos nutritivos en tu dieta diaria.
4. Si quieres mantener tu peso, ____________ *(evitar / tener)* la comida basura.
5. Si estás aburrido(a), ____________ *(mantener / salir)* con tus amigos a pasear.
6. ____________ *(Prestar / Poder)* atención a tu cuerpo y a lo que comes.
7. Si te sientes enfermo(a), ____________ *(venir / estornudar)* a verme.

B. Tu mamá está enojada contigo y tus hermanos porque no hicieron lo que ella les dijo. Completa la segunda parte de la frase con el mandato afirmativo del mismo verbo de la primera parte. Usa mandatos con *tú*.

Modelo Pepe, no estudiaste el vocabulario. ___Estudia___ el vocabulario ahora mismo.

1. María, no hiciste una dieta apropiada. ____________ una dieta equilibrada, por favor.
2. Carlos, no tomaste el jarabe para la tos. ____________ el jarabe inmediatamente.
3. Teresita, no dijiste la verdad. ____________ la verdad.
4. Roberto, no fuiste al mercado. ____________ al mercado ahora mismo.
5. Carmencita, no pediste permiso para salir. La próxima vez, ____________ permiso.
6. Y tú, Tomás, no fuiste bueno con Teresita. ____________ bueno con ella.

Prueba 3-4

Mandatos negativos con *tú*

A. Escoge uno de los verbos entre paréntesis y escribe un mandato negativo con *tú*.

1. No ________________ *(levantarse / poner)* si estás resfriado(a).
2. No ________________ *(evitar / comer)* comida basura.
3. No ________________ *(ir / escoger)* alimentos con muchas grasas ni con mucho azúcar.
4. No ________________ *(dar / caminar)* paseos si está lloviendo.
5. No ________________ *(estar / saltar)* comidas, mantén una alimentación equilibrada.

B. A todo lo que le preguntas a tu mamá si puedes hacer, ella te contesta que no. Contesta cada pregunta con un mandato negativo con *tú*.

1. ¿Mamá, las compro? No, no ________________ ahora.
2. ¿Voy al parque? No, no ________________.
3. ¿Me acuesto ahora? No, no ________________ ahora.
4. ¿Incluyo un dulce en mi almuerzo? No, no ________________.
5. ¿Practico con mi amigo? No, no ________________ con él.

C. Tu padre y tu madre no están de acuerdo en lo que tú debes hacer. Tu padre te dice una cosa, pero tu madre te dice que no la hagas. Escribe un mandato negativo para cada mandato afirmativo que dice tu padre.

1. Carlos, almuerza en la cafetería. Carlos, no ________________ en la cafetería.
2. Carlos, sé paciente con Ana. Carlos, no ________________ paciente con Ana.
3. Carlos, ve a mi oficina a las ocho. Carlos, no ________________ tan temprano.
4. Carlos, sal con Sofía. Carlos, no ________________ con Sofía.
5. Carlos, dile la verdad a él. Carlos, no ________________ la verdad.

Prueba 3-5

Mandatos afirmativos y negativos con *Ud.* y *Uds.*

A. Éstos son mandatos que les decimos a las personas que hacen cosas que no deben hacer. Completa los mandatos con *Ud.* o *Uds.* usando los verbos subrayados.

Modelo A unos chicos que comen mucha comida basura:

Chicos, ___coman___ comidas saludables.

1. A unos peatones que cruzan la calle con la luz roja:

   Señores, no ________________ ahora.

2. A una señora que abre la boca cuando come:

   Señora, no ________________ la boca cuando come.

3. Al Sr. Cos, que siempre llega tarde a la oficina.

   Sr. Cos, ________________ temprano.

4. A unos chicos que se pelean en clase.

   Chicos, no ________________ en clase.

B. A la Sra. Fuentes le gusta darle órdenes a todo el mundo. Completa sus mandatos, de *Ud.* o *Uds.*, usando el verbo entre paréntesis que corresponda.

1. Ana y José, ________________ los dulces. ________________ comida saludable. *(evitar / escoger)*

2. Sra. García, no ________________ ese jarabe a su hijo. ________________ aspirinas en la farmacia. *(darle / comprarle)*

3. Señores, ________________ a la oficina a las ocho. ¡________________ puntuales! *(llegar / ser)*

4. ________________ Ud. la receta y ________________ inmediatamente. *(Buscar / Traerla)*

5. Chicos, ¡no ________________ aquí, ________________! *(dormirse / despertarse)*

Examen: vocabulario y gramática 1

A. Tu profesor(a) hizo un crucigrama para practicar el vocabulario del capítulo. Completa las frases en la hoja de respuestas con la palabra apropiada.

Horizontal

1. Una persona lo toma cuando tiene mucha tos. Es el ______.
2. La leche y el queso contienen ______.
3. Cuando alguien tiene alergia, puede ______ mucho.
4. Un sinónimo de *nutritiva,* es ______.
5. Se usa el termómetro para saber si alguien tiene ______.
6. Una ______ de mantener la salud es comer bien y otra es hacer ejercicio.

Vertical

1. Oyes con esta parte del cuerpo. Es el ______.
2. Si alguien tiene una infección, el doctor puede recetar un ______.
3. Las espinacas contienen mucho ______.
4. Un sinónimo de *comidas,* es ______.
5. El opuesto de *lleno,* es ______.

B. Completa la frase con una palabra apropiada del vocabulario de este capítulo.

1. A Ud. le duele el ________________ porque está tosiendo mucho.
2. Tiene una tos fuerte, temperatura de 39 ________________, y dolor en todo el cuerpo. Ud tiene los síntomas de la ________________ o quizás está resfriado.
3. Ud. debe ________________ esta medicina con el estómago vacío.
4. Ud. necesita comer más frutas y verduras, que tienen ________________ A, B, C y E.
5. Debe ________________ la comida basura. Tenga una dieta nutritiva y que sea ________________, que incluya comida de todos los grupos.
6. Para su ________________ de 25 años y su estatura, su ________________ apropiado es de 70 kilos.

C. Tú le estás preguntando a tu mamá si puedes hacer unas cosas. Ella te contesta con un mandato. Completa el mandato con *tú*, afirmativo o negativo.

Modelo Mamá, ¿tomo la medicina? Sí, ___*toma*___ la medicina.

1. ¿Pongo la comida en la mesa? Sí, ______ la comida en la mesa.
2. ¿Voy al mercado ahora? Sí, ______ ahora.
3. ¿Sirvo las frutas con crema? No, no ______ las frutas con crema.
4. ¿Me despierto tarde mañana? No, no ______ tarde. ______ temprano.

D. El Sr. Daórdenes siempre está diciendo lo que todo el mundo debe de hacer. Completa los mandatos con *tú,* con *Ud.* o con *Uds.*, afirmativos o negativos, usando los verbos que están entre paréntesis.

1. Pedrito, ______ conmigo. No ______ con él. *(venir / ir)*
2. Carmen y Jorge, no ______ ahora. ______ el piano. *(jugar / practicar)*
3. Sr. Ruiz, ______ a tomar la nueva medicina ahora. No ______ más la otra. *(empezar / tomar)*
4. Pepe, no ______ ahora. ______ la tarea primero. *(salir / hacer)*
5. Sr. Gómez, ______ en la oficina a las nueve. No ______ tarde, por favor. *(estar / llegar)*

E. Algunas personas no hicieron lo que tenían que hacer, y por eso tienen que hacerlo ahora. Completa los mandatos con *tú,* con *Ud.* o con *Uds.,* afirmativos o negativos, usando el verbo que está en el pretérito. Cambia los nombres por pronombres.

Modelo Carlos, no compraste las frutas. ___*Cómpralas*___ ahora.

1. Uds. no hicieron la tarea ayer. ______ ahora.
2. Sr. López, ayer Ud. no leyó los informes. La próxima vez, ______ antes de salir.
3. Inesita, pusiste las botas encima de la cama. No ______ allí.
4. Sofía y Lupe, Uds. pidieron pizzas cinco veces. No ______ más.
5. Sra. Fuentes, no trajo sus papeles. ______ mañana, por favor.

HOJA DE RESPUESTAS, EXAMEN 1

A. (___ / ___ *puntos*)

Horizontal

1. ____________
2. ____________
3. ____________
4. ____________
5. ____________
6. ____________

Vertical

1. ____________
2. ____________
3. ____________
4. ____________
5. ____________

B. (___ / ___ *puntos*)

1. ____________
2. ____________ / ____________
3. ____________
4. ____________
5. ____________ / ____________
6. ____________ / ____________

C. (___ / ___ *puntos*)

1. ____________
2. ____________
3. ____________
4. ____________ / ____________

D. (___ / ___ *puntos*)

1. ____________ / ____________
2. ____________ / ____________
3. ____________ / ____________
4. ____________ / ____________
5. ____________ / ____________

E. (___ / ___ *puntos*)

1. ____________
2. ____________
3. ____________
4. ____________
5. ____________

Prueba 3-6

Comprensión del vocabulario 2

A. Varias personas están pidiendo consejos para resolver sus problemas. Subraya *(Underline)* el mejor consejo.

1. Siempre tengo calambres cuando corro. ¿Qué debo hacer?
   a. Debes correr más.
   b. Estírate y flexiona los músculos antes de correr.
   c. No respires.

2. Voy a participar en una carrera en tres meses. ¿Qué me aconseja?
   a. Haz cinta y escaleras.
   b. Preocúpate.
   c. Quéjate.

3. Estoy estresado(a). Estoy trabajando hace tres horas sin parar. No aguanto más. ¿Qué debo hacer?
   a. Entonces, sigue trabajando.
   b. Estás en la luna, ¿no?
   c. Relájate por un rato.

4. Mi hijo estudia mucho para los exámenes, pero siempre piensa que no está preparado y que va a sacar una mala nota. ¿Qué le digo?
   a. Dígale que debe aprender a tener confianza en sí mismo.
   b. Dígale que debe estudiar mucho más.
   c. Dígale que debe hacer abdominales.

5. Quiero estar en forma. Peso demasiado para mi estatura. ¿Qué hago?
   a. Concéntrate.
   b. Trata de estar de mal humor.
   c. Haz abdominales y bicicleta.

B. Lee las siguientes frases que alguien dice. Si la frase es cierta, escribe una *C*. Si la frase es falsa, escribe una *F*.

1. ______ Si estoy de mal humor, me río mucho.
2. ______ Los ejercicios aeróbicos son buenos para el corazón.
3. ______ Si no tienes mucha fuerza es porque estás débil y necesitas más energía.
4. ______ Un buen consejo de salud es preocuparse por todo y estar estresado.
5. ______ Para desarrollar los huesos y los músculos es bueno hacer ejercicio.

C. Completa las conversaciones de tus amigos con las expresiones del recuadro.

me preocupo	entrar en calor	hago yoga	entrenador
está en la luna	te estás quejando	me caigo de sueño	

1. —Carmen, siempre te veo tan relajada. ¿Nunca estás estresada?
   —No, ______________ en el gimnasio todos los días.
2. —Marta, ¿qué te pasa? ¿Por qué estás nerviosa?
   —Siempre ______________ cuando tengo exámenes. Pienso que no voy a poder contestar las preguntas y que voy a sacar una mala nota.
3. —¿Qué debo hacer antes de hacer ejercicio para no tener calambres?
   —Debes ______________.
4. —Luis, ¿por qué dices que tu ______________ de béisbol exige mucho?
   —Él siempre dice que debo hacer escaleras, abdominales y cinta por una hora.
5. —Sabes que Carlos nunca presta atención en clase. Siempre ______________.
6. —Son las once y media de la noche. Me voy a acostar.
   —Yo también. ______________.
7. —Tengo tanto que estudiar. Nunca tengo tiempo libre. ¡Uf!
   —José, siempre ______________. Haz el trabajo y relájate.

Prueba 3-7

Aplicación del vocabulario 2

A. Tu amigo(a) te está aconsejando lo que debes hacer en algunas situaciones. Completa las frases con las palabras apropiadas del vocabulario de este capítulo.

1. Estás estresado(a). Para _______________, haz yoga.
2. Para _______________ tus músculos, levanta pesas.
3. Para hacer más fuertes los músculos del estómago, haz _______________.
4. Debes prestar atención en clase. Para no _______________, concéntrate.
5. Para no _______________ en clase, duerme más horas.
6. Siempre estás enojado. Para no _______________ siempre, disfruta de la vida, diviértete.
7. Si te gusta caminar en el parque, debes _______________ en el gimnasio cuando llueve.

B. Completa la conversación entre tú y tu profesora de educación física. Usa el vocabulario de este capítulo.

—Profesora, ¿qué hago para evitar el dolor en los músculos?

—Marina, antes de empezar a correr, _______________. Por ejemplo, flexiona y estira los músculos. Concéntrate en lo que estás haciendo. Ten _______________ en ti misma. Es verdad que esas piernas son _______________ ahora, pero van a ser más fuertes cada día. Siempre piensa en cuál es tu meta y de esa manera vas a tener éxito en las competencias.

—Gracias, profesora, son muy buenas ideas. Con esos _______________ tan buenos no me voy a preocupar más. Ud. me inspiró.

C. Tu amigo Roberto te está contando lo que pasó en el club deportivo donde está tomando unas clases. Completa la historia con palabras apropiadas del vocabulario de este capítulo.

El mes pasado empecé una clase de ejercicios ______________ en mi club deportivo.

Es una clase de ejercicios de *step*. Cuando empezamos, éramos doce.

La ______________ se llama Marta. Enseña todos los días. Es muy fuerte y nos

______________ mucho. Nos hace trabajar duro durante una hora. Siempre

empezamos haciendo ______________ y estirando los músculos, así no

tenemos ______________. El primer día, descansábamos después de cada

programa. En la segunda y tercera clase, comenzamos a ir más rápido. Muchos

de los participantes empezaron a ______________ porque ellos no podían

seguir el paso. Creían que la clase de Marta era demasiado difícil. Decían que

ella exigía mucho, que hacíamos demasiados ejercicios y que nos iba a matar. Dos

semanas después, sólo éramos cinco. El resto no pudo ______________ más

y dejó el programa.

Prueba 3-8

El subjuntivo: Verbos regulares

A. Completa las frases usando verbos del recuadro en el subjuntivo para completar lo que dice la entrenadora. Sólo debes usar cinco de los siete verbos del recuadro.

concentrarse	estirar	comer	respirar	beber	hablar	saltar

1. Ella quiere que nosotros ________________ alimentos nutritivos y saludables y que cuidemos nuestro corazón.
2. Dice que es necesario que yo ________________ los músculos antes de hacer ejercicios.
3. Le aconseja a Pepe que ________________ agua antes de correr.
4. Dice que es importante que tú ________________ en lo que estás haciendo.
5. Quiere que todos ________________ a la cuerda para hacer más fuertes los músculos de las piernas.

B. El entrenador de básquetbol nos está hablando el día antes del partido final del campeonato. Para saber lo que dice, completa las frases con el subjuntivo de uno de los verbos entre paréntesis.

1. La directora de la escuela quiere que yo les ________________ *(buscar / aconsejar)* a Uds. la importancia de ser atletas honestos(as).
2. Quiero que mañana Uds. ________________ *(beber / comer)* alimentos nutritivos y que ________________ *(flexionar / evitar)* la comida basura.
3. A ti, Juan, te sugiero que ________________ *(estirar / concentrarse)* en el partido. Siempre estás en la luna.
4. Es importante que nosotros no ________________ *(respirar / preocuparse)* por nada. Debemos tener confianza. Vamos a ganar, ¿no?
5. Es necesario que yo también ________________. *(levantarse / relajarse)* Estoy muy estresado, ¿verdad?

Prueba 3-9

El subjuntivo: Verbos irregulares

A. Gloria tiene problemas en la clase de educación física y su profesora le dice cómo mejorar. Usa el subjuntivo de uno de los verbos entre paréntesis para saber qué le dice.

Gloria, no es bueno que ________________ *(haber / estar)* siempre en la luna durante la clase. Como es necesario que yo ________________ *(dar / decir)* pruebas cada semana, es importante que ________________ *(entender / haber)* bien los ejercicios y que ________________ *(saber / tener)* hacerlos correctamente en la clase y en las pruebas. Es importante que ________________ *(ser / estar)* paciente y que ________________ *(poner / tener)* confianza en ti misma. También, quiero que tus padres ________________ *(venir / salir)* a verme. Quiero que ellos ________________ *(oír / hablar)* lo mismo que te estoy diciendo hoy. Y no quiero que tú ________________ *(ir / ver)* a tu próxima clase pensando que yo te exijo demasiado. Lo que quiero es que ________________ *(seas / sacar)* una buena atleta al final del año escolar.

B. Tu padre quiere que todos cambien sus hábitos alimenticios y hagan más ejercicio. Completa sus consejos con el subjuntivo de uno de los verbos entre paréntesis.

1. Quiero que la familia ________________ *(comenzar / descansar)* a comer alimentos saludables.
2. Es necesario que todos nosotros ________________ *(ir / dar)* importancia a las etiquetas de la comida que vamos a comprar y ________________ *(saber / ser)* lo que contienen.
3. Alberto y Julia, quiero que Uds. ________________ *(ser / ir)* al gimnasio y ________________ *(dar / hacer)* ejercicio. También quiero que ________________ *(dormir / hablar)* bien para que no ________________ *(practicar / caerse)* de sueño en la escuela. Es importante que ________________ *(aprender / estar)* en forma.
4. Tampoco quiero que su madre les ________________ *(dar / ir)* muchas meriendas.
5. Es necesario que ________________ *(haber / estar)* hábitos saludables en la familia.

Prueba 3-10

El subjuntivo: Verbos con cambio en la raíz

A. Aunque mi padre y el padre de mis primos son hermanos, piensan muy diferente sobre cómo sus hijos(as) deben hacer las cosas. Completa las frases con la forma correcta del subjuntivo del verbo entre paréntesis.

1. Mi tío quiere que mis primos _______________ básquetbol, pero mi padre prefiere que mi hermano y yo _______________ béisbol. *(jugar)*
2. Mi tío piensa que es importante que mis primos _______________ diez horas cada día, pero mi padre dice que sólo es necesario que nosotros _______________ ocho. *(dormir)*
3. Por eso, mi tío exige que mis primos _______________ a las nueve de la noche y _______________ a las siete. Mi padre permite que nosotros _______________ a las once y _______________ a las siete. *(acostarse / despertarse)*
4. Mi tío quiere que mis primos _______________ a casa a las nueve los viernes por la noche, pero mi padre permite que nosotros _______________ a las diez. *(volver)*
5. Mi tío insiste en que mis primos _______________ con ropa elegante para ir a la escuela, pero mi padre quiere que nosotros _______________ con ropa cómoda. *(vestirse)*

B. Mi hermano(a) y yo estamos muy estresados(as) cuando tenemos exámenes y proyectos en la escuela. Éstos son unos consejos que nos dio una amiga de mamá. Completa las frases con el subjuntivo de uno de los verbos entre paréntesis.

Ella dice que cuando empiezas a sentir estrés, es necesario que no _______________ *(pedir / seguir)* trabajando más y descanses un poco. No es bueno que uno _______________ *(sentirse / vestirse)* estresado. Ella nos sugiere que _______________ *(salir / ver)* con nuestros amigos y _______________ *(preferir / divertirse)*. Ella le aconseja a mi hermana que _______________ *(reírse / servir)* más y que _______________ *(perderse / conseguirse)* amigos divertidos.

Examen: vocabulario y gramática 2

A. Como tú siempre puedes resolver cualquier problema, tus amigos(as) siempre te están pidiendo consejos. Completa las frases con una palabra del vocabulario de este capítulo.

1. —¿Qué haces para ________________ músculos más fuertes en el estómago?

   —Yo hago ________________.

2. —¿Qué puedo hacer para evitar los ________________ en los músculos? Me duelen las piernas.

   —Flexiona y ________________ los músculos antes de hacer ejercicio.

3. —Quiero tener más fuerza en las piernas. Quiero entrenarme para la carrera de los 5 kilómetros.

   —Debes hacer bicicleta, o si te gusta caminar debes hacer ________________ y también puedes tomar una clase de ejercicios ________________.

4. —Yo no tengo mucha ________________ en mí mismo(a). Nunca puedo sacar buenas notas.

   —No debes ________________ tanto ni estresarte. Trata de estar tranquilo(a).

B. Tu amigo Enrique siempre repite lo mismo que dicen sus amigos(as), pero con otras palabras. Completa las frases usando una palabra del vocabulario de este capítulo que tenga un significado *(meaning)* opuesto a la palabra subrayada *(underlined)*.

1. —Tengo brazos débiles.

   —Sí, tienes que hacer más ejercicio, tus brazos no están ________________.

2. —Últimamente, me siento muy relajada.

   —Sí, veo que no estás ________________.

3. —No puedo concentrarme en clase. Estoy enamorado.

   —Es cierto, en clase siempre estás ________________, pensando en esa chica.

4. —María siempre se está riendo y nunca pelea con nadie.

   —Tienes razón, ella nunca está de ________________. No se enoja nunca.

C. Mañana es la carrera de los 5 kilómetros y hoy nuestro entrenador nos habló. Para entender sus consejos, completa las frases con el subjuntivo de uno de los verbos entre paréntesis.

Es importante que Uds. __1.__ *(entender / respirar)* por qué están aquí y __2.__ *(ponerse / darse)* cuenta de la importancia de esta carrera. Por eso quiero que esta noche __3.__ *(levantarse / acostarse)* temprano y __4.__ *(dormir / salir)* ocho o nueve horas. Les sugiero que __5.__ *(pagar / llegar)* al estadio temprano. Es importante que __6.__ *(ver / estar)* allí una hora antes de la carrera. Tú, Luis, quiero que __7.__ *(ir / ser)* puntual. Es necesario que Uds. __8.__ *(hacer / poner)* flexiones y __9.__ *(sacar / practicar)* la salida *(start)*. Quiero que __10.__ *(comer / repetir)* algo nutritivo si tienen hambre, pero no mucho, porque tampoco es buena idea que __11.__ *(vivir / llenarse)* el estómago con comida. Es importante que __12.__ *(sentirse / servir)* fuertes. Ojalá que no __13.__ *(llover / hacer)* y que todos Uds. __14.__ *(ganar / perder)* medallas. ¡Buena suerte!

D. Antes de salir, mamá nos dijo las cosas que quiere que hagamos hoy sábado. Completa las frases usando el subjuntivo de uno de los verbos entre paréntesis.

Ella quiere que Marta __1.__ *(lavar / relajar)* la ropa y que después __2.__ *(hacer / ir)* a la clase de yoga. No quiere que ella __3.__ *(quedarse / quejarse)* conversando en el club después de la clase. Quiere que __4.__ *(doler / volver)* pronto a casa y __5.__ *(ver / empezar)* a estudiar. Mamá también quiere que Pepe __6.__ *(calentar / comprar)* la comida que dejó en el refrigerador y nos la __7.__ *(pedir / servir)* de almuerzo. No quiere que nosotros __8.__ *(pedir / repetir)* pizza. Quiere que __9.__ *(comer / seguir)* alimentos nutritivos. Quiere que Felipe __10.__ *(sacar / entrar)* la basura y que __11.__ *(cortar / poner)* el césped. Y a mí me dijo: "Laura, quiero que tú arregles tu dormitorio, que __12.__ *(saber / poner)* todo en su lugar, y que __13.__ *(preferir / escribir)* tu composición". Después, quiere que nosotros __14.__ *(jugar / pedir)* y nos divirtamos.

Nombre ______________________ Hora ______________

Fecha ______________________

HOJA DE RESPUESTAS, EXAMEN 2

A. *(___ / ___ puntos)*

1. ______________
2. ______________
3. ______________
4. ______________

B. *(___ / ___ puntos)*

1. ______________
2. ______________
3. ______________
4. ______________

C. *(___ / ___ puntos)*

1. ______________
2. ______________
3. ______________
4. ______________
5. ______________
6. ______________
7. ______________
8. ______________
9. ______________
10. ______________
11. ______________
12. ______________
13. ______________
14. ______________

D. *(___ / ___ puntos)*

1. ______________
2. ______________
3. ______________
4. ______________
5. ______________
6. ______________
7. ______________
8. ______________
9. ______________
10. ______________
11. ______________
12. ______________
13. ______________
14. ______________

EXAMEN DEL CAPÍTULO 3

A. Escuchar

El Dr. Moya tiene un programa de radio muy popular. Las personas que llaman al programa describen sus síntomas y el doctor les da consejos. Escucha lo que dice cada persona para saber: (1) qué síntomas tiene, (2) qué debe tomar y (3) qué más le aconseja el médico. Mientras escuchas, puedes tomar apuntes en el recuadro de tu hoja de respuestas. Luego completa la tabla. Vas a oír cada conversación dos veces.

B. Leer

Tres jóvenes están buscando un(a) entrenador(a), pero cada joven lo(a) necesita por diferentes razones. Pablo quiere perder peso, Luis quiere tener los músculos más fuertes y Teresa quiere tener más energía. Lee los anuncios de tres entrenadores. Luego, completa la tabla en tu hoja de respuestas y responde la pregunta que está al final.

1. NUESTRO ENTRENADOR: PEPE
¿Quieres tener brazos y piernas fuertes? No te gusta que digan que eres muy débil, ¿verdad? ¡Tenemos un plan perfecto para ti! Nuestro entrenador Pepe te ayuda a usar la sala de pesas. También te enseña a seleccionar comida con mucha proteína para que tus músculos sean grandes y fuertes. Los resultados son muy buenos. Llama al teléfono 555-5558 para obtener más información.

2. NUESTRO ENTRENADOR: JUAN
¿Necesitas hacer ejercicio y aprender a comer mejor? Te recomendamos a Juan, el entrenador personal del gimnasio. Te va a enseñar cómo hacer una dieta nutritiva y deliciosa. Además, te va a ayudar con las clases de ejercicios aeróbicos y otros tipos de ejercicios, como abdominales y flexiones. Llámanos al 555-5552.

3. NUESTRA ENTRENADORA: MARÍA
¿Te falta energía? Si siempre estás cansado(a) y no quieres caminar ni a la esquina, nuestra entrenadora María te puede ayudar. María te enseña hábitos alimenticios saludables y selecciona alimentos ricos en hierro y carbohidratos. También tiene un plan de ejercicios de yoga para reducir el estrés y llenarte de fuerza. Después de dos semanas en el gimnasio te sentirás con más energía que nunca. Estamos aquí para ti. ¡Visítanos!

C. Escribir

Tu hermana mayor es entrenadora, y quiere que la ayudes a contestar las cartas de unos jóvenes que piden consejos sobre la salud. Escoge una de las cartas y escribe un párrafo con tus consejos en la hoja de respuestas. Debes sugerir algo para cada una de las siguientes categorías: a) dieta; b) ejercicios; c) programas; d) cosas que se deben evitar.

Carta 1: Una joven está muy estresada, no puede concentrarse y se cae de sueño.

Carta 2: Un joven se siente fatal, estornuda mucho y se queja de un dolor en el pecho.

Para evaluar tu escrito, se considerará:

- el número de categorías para las que haces sugerencias.
- el uso correcto de las formas de mandato.
- el uso correcto del subjuntivo.

D. Hablar

Tu profesor(a) quiere que hables con unos estudiantes del primer grado sobre lo que pueden hacer para estar en forma y mantenerse sanos. Dile a tu profesor(a) por lo menos cinco cosas que les recomiendas a los niños.

Para evaluar tu presentación, se considerará:

- el número de recomendaciones que haces.
- el uso correcto de los mandatos informales afirmativos y negativos.
- el uso correcto del subjuntivo.

E. Cultura

Para ganar un concurso del club de español, debes explicar el antiguo juego de pelota que jugaban en México y Mesoamérica hace 3,000 años. ¿Qué significaba el juego? ¿Quiénes podían participar? ¿Qué se necesitaba para jugarlo? En tu hoja de respuestas, escribe un párrafo corto para contestar estas preguntas.

Nombre ______ Hora ______

Fecha ______

HOJA DE RESPUESTAS, EXAMEN DEL CAPÍTULO 3

A. Escuchar *(___ / ___ puntos)*

MIS APUNTES

Luisa		
Juan		
Marta		
Alberto		
Catrina		

	¿Qué síntomas tiene?	**¿Qué debe tomar?**	**¿Qué más le aconseja el médico?**
Luisa			
Juan			
Marta			
Alberto			
Catrina			

B. Leer *(___ / ___ puntos)*

recomienda?	¿Qué entrenador(a) necesita?	¿Qué dieta le recomienda?	¿Qué ejercicios le

Pregunta: ¿Qué entrenador escoges si quieres aprender a levantar pesas o competir levantando pesas? ____________

C. Escribir *(___ / ___ puntos)*

D. Hablar *(___ / ___ puntos)*

E. Cultura *(___ / ___ puntos)*

Prueba 4-1

Comprensión del vocabulario 1

A. Completa las siguientes frases seleccionando la mejor cualidad de un(a) buen(a) amigo(a).

1. Un(a) buen(a) amigo(a) debe ser ______.

a. celoso(a) **b.** comprensivo(a) **c.** vanidoso(a)

2. También tiene que ser ______.

a. egoísta **b.** entrometido(a) **c.** honesto(a)

3. Un(a) buen(a) amigo(a) también ______.

a. es sincero(a) **b.** no guarda tus secretos **c.** no es cariñoso(a)

4. Debe ser una persona ______.

a. que siempre cambia de opinión sobre ti **b.** considerada **c.** que no te apoya en momentos tristes

5. Si es un(a) buen(a) amigo(a), debe ______.

a. confiar en ti **b.** desconfiar de ti **c.** sorprenderse de ti

6. El / La buen(a) amigo(a) es ______.

a. chismoso(a) **b.** entrometido(a) **c.** amable

7. Tú no quieres a un(a) amigo(a) que ______.

a. sea vanidoso(a) **b.** sea considerado(a) **c.** te salude con cariño(a)

8. Un(a) amigo(a) es alguien que ______.

a. no te acepta tal como eres **b.** tiene confianza en ti **c.** no te apoya nunca

B. Olivia es la mejor amiga de tu hermana Luci. Ella tiene muchas cualidades. Tu hermana escribió una composición sobre ella. Lee lo que escribió y luego lee las frases que siguen. Si la frase es cierta, escribe una *C*. Si es falsa, escribe una *F*.

Me alegro de tener a Olivia Sandoval de amiga. Ella es una persona que siempre me saluda con cariño cuando me ve, me comprende cuando me siento fatal y me apoya en todo momento. Las dos tenemos mucho en común y creo que por eso es mi amiga íntima. Estamos juntas mucho. Olivia me acepta tal como soy y ésa es una de sus cualidades. Cuando hago algo mal, Olivia me lo dice sin miedo, porque es muy sincera. Pero lo hace de una manera considerada, sin lastimarme. Cuando tengo éxito en algo, Olivia siempre se alegra por mí. Olivia confía en mí y por eso me cuenta todo. Ella sabe que yo sé guardar un secreto. Ojalá que siempre seamos amigas.

1. ______ Olivia es una persona cariñosa.
2. ______ Ellas son amigas íntimas.
3. ______ Luci está contenta de tener a Olivia de amiga.
4. ______ Olivia no es comprensiva.
5. ______ Las dos chicas son muy diferentes.
6. ______ A Olivia no le gustan las cualidades de Luci.
7. ______ Olivia tiene confianza en Luci, por eso le dice sus secretos.
8. ______ Olivia no teme decirle a Luci cuando hace algo mal.
9. ______ Luci se muere por decir los secretos de Olivia.
10. ______ Luci espera que algún día esta amistad entre ellas termine.
11. ______ Olivia tiene celos cuando Luci hace algo muy bien.
12. ______ Luci es una persona chismosa.
13. ______ Luci pasa mucho tiempo con Olivia.
14. ______ Cuando Luci hace algo mal, Olivia se sorprende y se enoja con ella.

Prueba 4-2

Aplicación del vocabulario 1

A. Ana María piensa en varios estudiantes de su escuela. Completa sus descripciones con las formas apropiadas de los adjetivos del vocabulario del capítulo.

1. Ramón les habla a todos sobre los otros estudiantes de la escuela. Es muy _______________.
2. Lola piensa que es la chica más guapa de la escuela y siempre se mira en el espejo. Es muy _______________.
3. Fernando es muy simpático, muy _______________.
4. Paco siempre quiere saber lo que están haciendo y qué les está pasando a todos. Es un poco _______________.
5. Julia parece comprender los problemas de sus amigas. Es muy _______________.
6. Isabel no quiere compartir con otros. Tampoco quiere ayudar a los demás. Es bastante _______________. Sin embargo, su hermana Yolanda, siempre piensa en los demás. Es mucho más _______________.
7. Catalina siempre abraza y besa a sus amigas. Ella es bastante _______________.

B. Necesitas estas palabras para terminar un crucigrama. Escribe la palabra junto a la definición.

1. Lo mismo que "yo espero". _______________
2. La relación entre amigos. _______________
3. Un amigo muy bueno. _______________
4. No tener confianza en alguien. _______________
5. La reacción que una persona tiene cuando recibe una sorpresa. _______________
6. Tener miedo. _______________
7. Estar con otra persona. Estar unidos. _______________

C. Un joven expresa lo que piensa sobre los amigos. En cada frase, expresa la misma idea de dos maneras. Completa las frases con palabras y expresiones del vocabulario del capítulo.

1. Una persona que sabe guardar un secreto es una persona en la que yo puedo ____________________.

2. A mis amigos y a mí nos gustan las mismas cosas. Nosotros tenemos ____________________.

3. Mi amiga está contenta de verme feliz. Ella ____________________ de verme feliz.

4. Mi amigo está conmigo cuando estoy triste. Él me ____________________ en los momentos difíciles.

5. No soy perfecto, pero mi amigo me ____________________ soy. Está contento conmigo, con mis cualidades buenas y mis problemas.

6. Mi amigo no dice que va a hacer una cosa y luego hace otra cosa. Estoy contento porque mi amigo no ____________________ fácilmente.

7. A mi novia le molesta cuando estoy con otras chicas. Ella ____________________ cuando estoy con otras chicas.

Prueba 4-3

El subjuntivo con verbos de emoción

A. Le estás hablando a tu hermanita sobre los amigos. Completa las frases con el subjuntivo o el infinitivo de los verbos entre paréntesis.

Isabelita, me preocupa que no ____________ *(saber)* escoger a un buen amigo.

Es importante que yo te ____________ *(explicar)* las cualidades de los buenos amigos.

Es bueno ____________ *(escoger)* quiénes van a ser tus amigos. También es bueno que ____________ *(encontrar)* amigos con buenas cualidades. A mí me molesta ____________ *(tener)* amigos que sean chismosos y entrometidos. ¿A ti no te molesta que un amigo ____________ *(hablar)* mal de ti? También es bueno que tus amigos te ____________ *(apoyar)* en todo momento y que te ____________ *(comprender)*. Es importante ____________ *(saber)* que puedes contar con tus amigos y tus amigas para todo.

B. Una amiga te está hablando de los problemas que ella tiene con otros amigos. Tú le respondes con una expresión de emoción. Escribe la frase que le dices a tu amiga.

Modelo Marta no me entiende. *(sentir)*
Siento que Marta no te entienda.

1. No me llevo bien con José. *(es triste)*

____

2. Tere desconfía de mí. *(es una lástima)*

____

3. Elena no me dice sus secretos. *(sentir)*

____

4. Ramón piensa que yo soy vanidosa. *(sorprenderse)*

____

Prueba 4-4

Los usos de *por y para*

A. Ayer fuiste con tu abuelito al médico y esto fue lo que él le recomendó. Completa las siguientes frases usando *por* o *para*.

1. Sr. Benítez, _____ estar en buena forma, quiero que haga ejercicios.
2. _____ ejemplo, camine _____ el parque _____ 30 ó 40 minutos. Hágalo _____ las mañanas, que es mejor. Y tú, Pepito, haz algo _____ tu abuelito y camina con él. Así lo puedes ayudar.
3. Antes de salir _____ el parque, beba agua o lleve el agua con Ud.
4. No se olvide de comer frutas y verduras. Coma espinacas, son buenas _____ la salud porque tienen mucho hierro.
5. Y _____ supuesto, trate de hablar con personas que sean cariñosas y consideradas con Ud. Los amigos y la familia son muy buenos _____ la salud.
6. _____ el mes próximo se va a sentir mucho mejor.

B. Nos estás contando lo que te pasó ayer. Completa las frases con *por* o *para*.

_____ lo general me gusta invitar a mis amigos a casa _____ ver algún deporte en la tele. Ayer _____ la tarde llamé a Luis _____ saber si él quería venir a ver el partido de béisbol entre Los Tigres y Los Leones. Me dijo que sí, que iba a venir. Lo estuve esperando _____ horas. Cuando terminó el partido lo llamé y me dijo: "Carlos, _____ favor, perdóname, estuve hablando con mi novia Ana _____ teléfono y se me pasó el tiempo. _____ eso no pude ir, pero ahora salgo _____ tu casa".

"_____ ver la tele es demasiado tarde. Si quieres, nos vemos otro día", le dije yo. No quise pelearme con él _____ un partido de béisbol. Él es un buen amigo.

Examen: vocabulario y gramática 1

A. Tu profesor(a) te pide que escribas un párrafo sobre un buen amigo. Completa las frases con una palabra del vocabulario estudiado en el capítulo.

1. Yo tengo muchos amigos, pero sólo uno de ellos, José, es mi amigo __________________. Es mi mejor amigo.
2. Él es __________________, siempre me entiende y me escucha.
3. José me __________________ cuando tengo que decidir algo y cuando estoy triste.
4. Yo sé que puedo __________________ en él cuando tengo problemas, nunca va a decirle nada a nadie.
5. Le puedo decir un secreto y sé que él no lo va a repetir y lo va a __________________ para siempre.
6. José no es __________________. A él no le gusta hablar ni de sus amigos ni de nadie.
7. Es muy generoso con sus amigos, no es __________________.
8. También me gusta salir con José; lo pasamos bien cuando estamos __________________.
9. Más que nada, José es mi mejor amigo porque él me quiere y no trata de cambiar lo que pienso, me __________________ soy.

B. Catalina y Rosi están teniendo problemas. Esto es lo que nos dice otra amiga. Completa las frases con el vocabulario estudiado en el capítulo.

No me importa saber lo que está pasando con los demás. No soy __1.__, pero . . . ayer, Catalina y Rosi se vieron y no se saludaron. Antes eran buenas amigas. Creo que Catalina está __2.__ de Rosi porque ella está saliendo con Raúl, un chico que a Catalina le gusta mucho. Tener __3.__ es un defecto feo y puede romper una bonita __4.__ como la de ellas. Como se puede ver, ellas tienen mucho __5.__, ¡hasta les gustan los mismos chicos! No sé por qué Catalina no es __6.__ con Rosi; debe ser sincera y decirle lo que siente.

C. Una chica está hablando con su amiga sobre sus relaciones con gente de la escuela y su familia. Le dice lo que piensa y su amiga le responde, expresando una opinión. Escribe las respuestas de la amiga, usando la expresión entre paréntesis.

Modelo Algunas personas de nuestra escuela no guardan secretos. *(Temo que)*
Temo que algunas personas de nuestra escuela no guarden secretos.

1. Mariano y Julio pueden reconciliarse. *(¡Ojalá . . . !)*
2. Tengo mucho en común con mis hermanos. *(Me alegro de que)*
3. Mi novio es muy celoso. *(Es malo que)*
4. Los profesores no me aceptan tal como soy. *(Me sorprende que)*
5. Mi familia siempre me apoya. *(Es bueno que)*
6. Mi mejor amiga cambia de opinión a menudo. *(Siento que)*
7. Quiero poder ir a la playa con mi familia este año. *(Espero que)*
8. Ahora Sandra y yo somos amigas. *(Me alegro de que)*
9. No puedo ir a la fiesta de cumpleaños de María. *(¡Qué lástima que . . . !)*
10. José está enojado con Juan. *(Siento que)*
11. Estoy sacando buenas notas en la escuela. *(Me alegro de que)*

D. Tu amiga te invita a ir a la playa este fin de semana. Completa las frases de la conversación usando *por* o *para.*

LUZ: Hola, Ana. Te llamo __1.__ invitarte a ir a la playa. Vamos __2.__ una semana. ¿Quieres ir?

ANA: __3.__ supuesto que quiero ir, pero tengo que pedirles permiso a mis padres.

LUZ: __4.__ el viernes ya necesitamos saber si puedes ir. __5.__ lo general, salimos __6.__ la playa __7.__ la mañana temprano, __8.__ evitar el tráfico. Mucha gente viaja __9.__ la carretera como nosotros.

ANA: Muy bien. Te llamo __10.__ teléfono mañana __11.__ la noche __12.__ decirte si puedo ir. __13.__ mí no hay nada mejor que estar en la playa con amigos.

LUZ: __14.__ favor, no te olvides de llamarme antes del viernes. Adiós.

HOJA DE RESPUESTAS, EXAMEN 1

A. (___ / ___ *puntos)*

1. ________ 4. ________ 7. ________
2. ________ 5. ________ 8. ________
3. ________ 6. ________ 9. ________

B. (___ / ___ *puntos)*

1. ________ 3. ________ 5. ________
2. ________ 4. ________ 6. ________

C. (___ / ___ *puntos)*

1. ________________
2. ________________
3. ________________
4. ________________
5. ________________
6. ________________
7. ________________
8. ________________
9. ________________
10. ________________
11. ________________

D. (___ / ___ *puntos)*

1. ____ 4. ____ 7. ____ 10. ____ 13. ____
2. ____ 5. ____ 8. ____ 11. ____ 14. ____
3. ____ 6. ____ 9. ____ 12. ____

Prueba 4-5

Comprensión del vocabulario 1

A. ¿Cuáles son las cualidades de un verdadero amigo? Lee las siguientes frases y decide si son lógicas o ilógicas.

Escribe una *L* para lógico o una *I* para ilógico.

1. ______ Un buen amigo te ignora y no te apoya en nada.
2. ______ Él sólo piensa en sí mismo y en nadie más.
3. ______ Un buen amigo trata de reconciliarse contigo si tuvieron una pelea.
4. ______ Te pide perdón si reconoce que estuvo equivocado.
5. ______ Un buen amigo siempre te critica y te molesta.
6. ______ Te puede perdonar si tú le das una explicación.
7. ______ Un buen amigo trata de ponerse de acuerdo contigo si hay un conflicto.
8. ______ Siempre te acusa a ti de tener la culpa.
9. ______ Él te hace caso cuando quieres hablar de tus problemas.

B. Tus amigos están teniendo problemas. Algunos se resuelven y otros no. Completa las frases con una de las palabras del vocabulario entre paréntesis.

1. Armando y Alberto tuvieron un ______________________ *(armonía / malentendido)* y se pelearon, pero después ______________________ *(hicieron las paces / hicieron caso)*. Armando ______________________ *(perdonó / reconoció)* que él tenía la culpa y le ______________________ *(pidió perdón / reaccionó)* a Alberto.

2. Ayer en la cafetería, Maritza le dijo a Jorge que él ______________________ *(tuvo la culpa / tuvo razón)* de la pelea entre Catalina y Gustavo. Jorge le dijo: "¡Qué va!, yo no fui. Fueron ellos los que tuvieron una ______________________ *(explicación / diferencia de opinión)* y se pelearon". Maritza no le ______________________ *(hizo caso / hizo las paces)* y se fue.

3. Hoy traté de resolver un ______________________ *(comportamiento / conflicto)* entre mis amigas Marta y Emilia. Quise traer ______________________ *(armonía / conflicto)* y ______________________ *(perdonar / mejorar)* la relación de amistad entre ellas, pero no pude. Ellas trabajan juntas en el periódico de la escuela y están preparando un artículo sobre cómo tener buenas relaciones entre los miembros de la familia. Ayer, Marta ______________________ *(se atrevió / se reconcilió)* a acusar a Emilia de no hacer nada. Le dijo: "Anoche entrevisté a la familia Gómez y tú no ______________________ *(criticaste / colaboraste)* en nada." Emilia ______________________ *(reaccionó / ignoró)* de una manera violenta y se pelearon. Ahora no se saludan. Marta espera que Emilia le pida perdón. Creo que Marta tiene razón. No sé qué va a pasar con el artículo.

Prueba 4-6

Aplicación del vocabulario 2

A. ¿Cómo resuelves tú estas situaciones? Completa las frases con palabras del vocabulario estudiado en el capítulo.

1. Alguien te ______________________ de hacer algo que tú no hiciste.

   Le dices: "¡Qué va! ¡______________________! ¡No hice nada!".

2. Te das cuenta de que hiciste algo mal.

   Pido ______________________.

3. Un día un amigo no te habla más y te ignora, y tú no sabes por qué.

   Le pido una ______________________ para saber por qué.

4. Tú y tu amigo nunca se pelean pero siempre hay ______________________ de opinión entre Uds.

   Trato de ______________________ con él.

5. Tus padres te dan un consejo y te das cuenta de que es un buen consejo.

   No los ignoro, les ______________________.

B. Tu hermana Elsa se enojó contigo ayer por algo que le dijiste. Completa las frases con la palabra apropiada del vocabulario estudiado en el capítulo.

Esta mañana tuve una ______________________ con mi hermana Elsa. Ella me acusó de tener la ______________________ de que Rebeca no le hable más a ella. Yo me enojé y le dije que no tenía razón, que estaba ______________________. No tuve miedo y ______________________ a decirle que el problema era que Rebeca estaba celosa porque Elsa estaba saliendo con Rogelio, su ex-novio. Ella respondió y ______________________ de una manera violenta y salió furiosa de la casa. No sé si me va a ______________________ por lo que le dije.

C. A tu amigo Pepe le gusta usar sinónimos. Completa las frases con una palabra del vocabulario del capítulo que sea similar a la palabra subrayada. Usa los mismos tiempos verbales si las palabras que vas a usar son verbos.

TÚ: Finalmente, Inés se dio cuenta de que su mejor amiga es una chismosa.

PEPE: Sí, por fin lo _______________.

TÚ: Me parece que la situación entre Luz y Lilia no está tan mal como antes.

PEPE: Sí, todos pensamos que el problema entre ellas va a _______________ pronto.

TÚ: Por fin, Sofía y Mario hicieron las paces después de tanto tiempo de estar peleados.

PEPE: ¡Qué bueno que _______________! ¿Verdad?

TÚ: No me gusta Enrique, es muy egoísta.

PEPE: Es verdad, siempre _______________ y nunca en los demás.

TÚ: Mis hermanitos se portan mal siempre que van a un lugar.

PEPE: Sí, su _______________ es muy malo. Uds. tienen que hacer algo con ellos.

TÚ: Pepe, ¿estás ayudando en el escenario para la obra que estamos preparando?

PEPE: Sí, estoy _______________. Es lo menos que puedo hacer, ¿no?

TÚ: Ahora hay paz en mi casa. Todos nos estamos llevando bien.

PEPE: Me alegro de que ahora haya _______________ en tu familia.

TÚ: A veces hay problemas en una amistad porque los amigos no se entienden.

PEPE: Estoy de acuerdo. Es una lástima que una amistad se rompa a causa de un _______________.

Prueba 4-7

Mandatos con *nosotros*

A. Tú y tu hermano Guille salieron sin pedir permiso y les mintieron a sus padres. Ahora vuelven a casa y están hablando sobre lo que les van a decir. Uds. no están de acuerdo en lo que van a decir. Completa las frases con el mandato con *nosotros* del verbo apropiado entre paréntesis.

1. —Primero, ____________________ *(pelearse / ponerse)* de acuerdo en lo que vamos a decir.
2. —____________________ *(Alegrarse / Decirles)* la verdad. ¿Qué te parece?
3. —No, no ____________________ *(hacerlo / resolverlo)*. No nos van a perdonar.
4. —Tenemos que decirles la verdad. ____________________ *(Ignorarlos / Pedirles)* perdón. Yo sé que nos van a perdonar.
5. —¿Tú crees? No sé . . . No, mejor ____________________ *(desconfiar / guardar)* el secreto.
6. —No, ____________________ *(ser / estar)* sinceros. ____________________ *(Contarles / Tenerles)* la verdad.

B. Sugiérele a un amigo qué hacer para hacer las paces con otro amigo con quien Uds. están peleados. Completa las sugerencias con el mandato con *nosotros* de uno de los verbos del recuadro.

divertirse	reconciliarse	prometerle	ignorar
invitarlo	empezar	criticarlo	atreverse

1. —____________________ con Humberto. Es hora de hacer las paces.
2. —____________________ todo lo que pasó y ____________________ de nuevo.
3. —____________________ ser más considerados y comprensivos con él.
4. —Y después de hacer las paces, ____________________ a la fiesta de Josefina y ____________________ todos juntos.

Prueba 4-8

Pronombres posesivos

A. Estás comparando a tu familia con la de tu amiga Petra. Usa un pronombre posesivo que haga referencia a la palabra subrayada.

Modelo Mi madre se llama Fina. *La tuya* se llama Hortensia.

Mi familia es grande. ______ es pequeña. Por eso la casa de Uds. no es muy grande, pero ______ es enorme. Nuestra casa está en el campo. Ustedes tienen ______ en la ciudad. Tú tienes dos hermanos que son mayores que tú. ______ son menores que yo. Mi abuelo vive con nosotros; ______ vive en su casa. Como puedes ver hay varias diferencias entre tu familia y ______.

B. Tu abuelita no oye bien y cuando tú le dices algo, ella necesita una explicación. Respóndele con un pronombre posesivo en lugar de la palabra subrayada.

Modelo —Mi amigo es egoísta.
—¿El amigo de quién?
—*El mío*.

1. —Los hermanos de Juan tienen la culpa.
—¿Los hermanos tuyos?
—No, los ______.

2. —El amigo mío y de José es honesto.
—¿El amigo de quién?
—El ______.

3. —Mis profesoras son amables.
—¿Las profesoras de quién?
—Las ______.

4. —El abuelo de Sarita tiene razón.
—¿Tu abuelo, dices?
—No, el ______.

5. —Los primos míos y tuyos están aquí.
—¿Los primos de quién?
—Los ______.

6. —Abuelita, tus hermanas me criticaron.
—¿Las hermanas de tu madre?
—No, las ______.

Examen: vocabulario y gramática 2

A. En un programa de televisión se dan consejos sobre cómo tener una familia más unida. Completa las frases, escogiendo la palabra o expresión entre paréntesis apropiada.

Cuando hay problemas o __1.__ *(conflictos / explicaciones)* en una familia, lo mejor es tratar de __2.__ *(ignorar / resolver)* esos problemas. Los conflictos ocurren cuando hay __3.__ *(diferencias de opinión / armonía)* entre los miembros de la familia. Entonces, todos tienen que __4.__ *(criticar / colaborar)* para __5.__ *(pelearse / reconciliarse)*, o sea, para hacer las paces. Hay que evitar las __6.__ *(armonías / peleas)* entre los miembros de la familia. Se puede discutir, pero sin insultar ni __7.__ *(perdonar / acusar)* a nadie de algo que no hizo. Si algún miembro de la familia se porta mal, es decir, su __8.__ *(comportamiento / explicación)* es malo, debemos tratar de que haga caso, porque eso puede romper la paz, la __9.__ *(explicación / armonía)* familiar. Y más que nada, cada uno(a) debe pensar en los demás y no sólo __10.__ *(en sí mismo(a) / estar equivocado(a))*, para así tener una bonita relación.

B. En tu clase de español están practicando el vocabulario del capítulo. Tu compañero(a) te da una definición y tú tienes que decir qué palabra es. Escribe la palabra en el espacio en blanco.

1. Si una persona no tiene miedo de nada, ____________ a hacer cualquier cosa.
2. Cuando alguien no tiene razón, está ____________.
3. Es el opuesto de hacer caso. ____________
4. Ayudar a alguien o en algo. ____________
5. Lo que haces cuando ofendiste a alguien y quieres hacer las paces. ____________
6. Darse cuenta o aceptar que algo es así. ____________
7. Cuando la gente entiende mal algo hay un ____________.
8. Hacer algo mucho mejor que antes. ____________
9. Lo que tú contestas si alguien te acusa de algo que no hiciste. ¡____________!

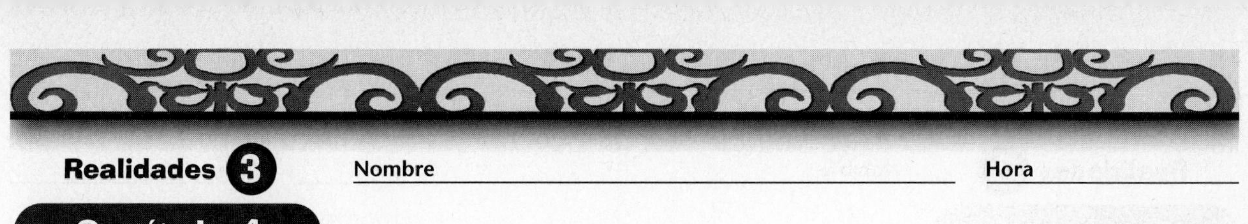

C. En tu clase de estudios sociales todos sugieren cómo tener una buena amistad. Usa mandatos con *nosotros* para completar los consejos.

1. Si nos peleamos con un(a) amigo(a), ________ *(poner / hacer)* las paces.
2. Si un amigo se siente fatal, ________ *(abrazarlo / ignorarlo).*
   ________ *(Ser / Estar)* más comprensivos(as) con él.
3. ________ *(Perdonar / Pensar)* las cosas que hace mal.
4. No ________ *(criticarlo / incluirlo)* mucho.
5. Si un amigo(a) está triste, ________ *(jugar / comer)* y
   ________ *(Sentirse / Reírse)* con él / ella.
6. ________ *(Desconfiar / Confiar)* en nuestros(as) amigos(as).
7. No ________ *(ignorarlo / esperarlo)* cuando él habla o da una opinión.
8. ________ *(Apoyarlo / Criticarlo)* si hace algo bien o si tiene un problema.

D. Estás hablando con tu amiga sobre la familia. Completa las respuestas con un pronombre posesivo. Sigue el modelo.

Modelo —Mi padre es dentista.

—El tuyo es dentista, pero el mío es médico.

1. —Mi madre tiene tres hermanos.
   —La ________ tiene tres, pero la ________ tiene dos.
2. —Mis hermanas viven con nosotros.
   —Las ________ viven con Uds., pero las ________ no.
3. —Mis abuelos son cubanos.
   —Los ________ son cubanos. Los ________ son chilenos.
4. —Nuestros primos son mayores que nosotros. ¿Y los de Uds?
   —Los ________ son mayores y menores.
5. —El hermano de mi madre es médico. ¿Y el de tu mamá?
   —El ________ es policía.
6. —El origen de nuestra familia es peruano. ¿Y el de Uds.?
   — El ________ es mexicano.
7. —Los tíos de mi papá viven en el campo. ¿Y los de tu papá?
   —Los ________ viven en la ciudad.

HOJA DE RESPUESTAS, EXAMEN 2

A. *(___ / ___ puntos)*

1. ______
2. ______
3. ______
4. ______
5. ______
6. ______
7. ______
8. ______
9. ______
10. ______

B. *(___ / ___ puntos)*

1. ______
2. ______
3. ______
4. ______
5. ______
6. ______
7. ______
8. ______
9. ______
10. ______

C. *(___ / ___ puntos)*

1. ______
2. ______ / ______
3. ______
4. ______
5. ______ / ______
6. ______
7. ______
8. ______

D. *(___ / ___ puntos)*

1. ______ / ______
2. ______ / ______
3. ______ / ______
4. ______
5. ______
6. ______
7. ______

EXAMEN DEL CAPÍTULO 4

A. Escuchar

Don Fernando, un locutor de radio, entrevista a varios jóvenes sobre lo que piensan de sus amigos. Escucha lo que dice cada joven para saber: (1) cuál es la mejor cualidad de su amigo(a), (2) qué le molesta de su amigo(a) y (3) qué tienen en común. Mientras escuchas, puedes tomar apuntes en el recuadro de tu hoja de respuestas. Luego, completa la tabla. Vas a oír cada entrevista dos veces.

B. Leer

"Jóvenes en línea," un nuevo servicio de la Red en España, decidió crear un boletín electrónico para los jóvenes. Cualquier *(Any)* persona puede expresar sus problemas y pedir consejos a los demás. Lee los mensajes que algunos jóvenes dejaron y las respuestas que recibieron. Escoge la respuesta lógica que corresponde a cada mensaje y escribe la letra de la respuesta al lado del número del problema en tu hoja de respuestas.

Mensajes:

1. *Es mi primer año en la escuela "Jaime Gutiérrez". Pienso mucho en mis amigos de la escuela técnica, y estoy muy triste porque nadie aquí tiene mucho en común conmigo. Por lo general, soy un poco tímida. ¿Qué recomiendan que haga?*

2. *Desde hace un par de meses he tenido un gran conflicto. Mi mejor amigo ha estado muy celoso. No quiere que visite a mi novia, y cuando le digo que la vi, se molesta conmigo. Dice que estoy con ella todo el tiempo. No sé que hacer. ¡Ayúdenme, por favor!*

3. *Mi mejor amigo tiene problemas de comportamiento y eso me preocupa. A menudo no me habla y a veces miente. El otro día me dijo que había tomado dinero del bolso de su madre para comprar discos compactos y otras cosas. ¿Me aconsejan que hable con su madre? ¿Qué hago? ¡No quiero ser entrometido!*

Respuestas:

A. *Eres un amigo sincero. No puedes confiar en tu amigo en estas circunstancias. Primero, tienes que estar seguro de que no es un malentendido—no puedes acusar a nadie sin conocer la verdad. Después, surgiérele que busque empleo para poder tener su propio dinero.*

B. *Te sugiero que resuelvas tu problema lo más pronto posible. ¿Te interesa algún deporte? ¿El arte? ¿La música? Busca en tu escuela el club de una de tus actividades favoritas. En los clubes podemos conocer a mucha gente con la que tenemos algo en común. Esperamos que tengas suerte.*

C. *Tu amigo está equivocado y está celoso de ti. Debe reconocer que cada uno de nuestro amigos y amigas tiene cualidades diferentes. Preséntale a una amiga de tu novia y pónganse de acuerdo para salir los cuatro juntos. ¡Ojalá que se reconcilien!*

C. Escribir

Escribe sobre un conflicto que tuvieron tus dos mejores amigos(as). Explica qué causó el conflicto, cómo se portaron, cómo se sintieron y cómo resolvieron el conflicto.

Para evaluar tu escrito, se considerará:

- la cantidad de información que das relacionada con el conflicto.
- tu capacidad para narrar una historia.
- el uso correcto del vocabulario y la gramática recién aprendidos.

D. Hablar

Imagina que estás en una clase con un(a) estudiante que a veces se porta bien y a veces bastante mal. ¿Tiene dos personalidades? Dile a tu profesor(a) lo que piensas de su comportamiento. Da por lo menos cinco ejemplos del buen comportamiento y cinco ejemplos del mal comportamiento.

Para evaluar tu presentación, se considerará:

- el número de detalles que das.
- tu pronunciación y fluidez.
- la facilidad con que se te entiende.

E. Cultura

Piensa en la información que leíste en las encuestas del capítulo sobre la vida de los jóvenes hispanos y las relaciones que tienen con sus amigos(as) y sus padres. Compara sus respuestas con tu propia experiencia. ¿Los jóvenes de las encuestas son más o menos sinceros que tus amigos(as)? ¿Son tan responsables como tus amigos(as)? ¿Son tan generosos(as)? ¿Hablan más con sus padres?

Nombre ______________________ Hora __________

Fecha ______________________

HOJA DE RESPUESTAS, EXAMEN DEL CAPÍTULO 4

A. Escuchar *(___ / ___ puntos)*

	MIS APUNTES
Alberto	
María	
Antonio	
Susi	
Lorena	

	¿Cuál es la mejor cualidad de su amigo(a)?	¿Qué le molesta de su amigo(a)?	¿Qué tienen en común?
Alberto			
María			
Antonio			
Susi			
Lorena			

B. Leer *(___ / ___ puntos)*

1. ______

2. ______

3. ______

Nombre ______________________ Hora ________

Fecha ______________

Hoja de respuestas, Examen del capítulo 4, Página 2

C. Escribir *(___ / ___ puntos)*

D. Hablar *(___ / ___ puntos)*

E. Cultura *(___ / ___ puntos)*

Prueba 5-1

Comprensión del vocabulario 1

A. Esteban y unos amigos hablan sobre lo que quieren hacer este verano. Di qué trabajo busca cada uno, encerrando en un círculo la palabra que lo describe.

1. El periódico local de nuestra ciudad busca a alguien para repartir periódicos. El único requisito es tener una bicicleta. Voy a solicitar el puesto.
   a. gerente **b.** mensajero **c.** repartidor
2. Me gusta cuidar chicos y me llevo bien con ellos. Las horas de trabajo son flexibles. Voy a llamar para pedir una entrevista.
   a. entrenadora **b.** niñera **c.** clienta
3. Me gusta estar al sol y nado muy bien. Éste es el trabajo perfecto para mí.
   a. salvavida **b.** consejero **c.** recepcionista
4. Este verano voy a trabajar en un campamento con chicos de 8 a 12 años. Tengo que trabajar con ellos y ayudarlos a hacer ejercicio y divertirse sanamente.
   a. niñero **b.** consejero **c.** gerente
5. El año pasado trabajé en una tienda donde se reparan bicicletas. Como ahora tengo mucha experiencia, este año voy a estar encargado de la tienda.
   a. gerente **b.** mensajero **c.** dueño

B. Ricardo escribió una carta para solicitar un trabajo. Completa su carta subrayando la palabra entre paréntesis que mejor complete la frase.

Estimados Sres.:

Me llamo Ricardo Gamboa. Estoy en mi último año de la escuela secundaria y estoy muy interesado en trabajar en su *(computación / compañía)*. Soy un estudiante *(dedicado / entrometido)* en la escuela. Soy *(egoísta / responsable)* con mi trabajo y siempre *(cumplo / sueldo)* con mis tareas diarias. Tengo buenos *(conocimientos / requisitos)* de matemáticas y ciencias. Mi *(beneficio / habilidad)* con las computadoras es muy buena. Busco trabajo *(a tiempo completo / a tiempo parcial)*, entre 15 y 20 horas a la semana. Puedo trabajar horas *(puntuales / flexibles)*.

Sinceramente,

Ricardo Gamboa

C. Elena le habla a su amiga sobre un trabajo que obtuvo para el verano. Completa las frases con las palabras apropiadas de cada recuadro. No todas las palabras son necesarias.

solicitud de empleo	recepcionista	dueño	presentarme
a tiempo completo	anuncios clasificados	entrevista	cumplir

Como este verano quiero trabajar ____________________, 40 horas a la semana, compré el periódico para buscar un trabajo en los ____________________. Encontré varios, pero uno me llamó la atención. Es de ____________________ en el consultorio de un veterinario. Como tú sabes, a mí me encantan los animales. Llamé por teléfono y me dijeron que debía ____________________ a las 3:30 P.M. Allí tuve que llenar una ____________________ y después tuve la entrevista con el ____________________, el Dr. Ruiz.

puesto	requisito	computación	salario
fecha de nacimiento		experiencia	amable

Cuando fui a la entrevista, el Dr. Ruiz era un señor muy ____________________, pero no me creía mi edad, y tuve que darle una prueba de mi ____________________. Me preguntó si tenía experiencia en ____________________ y le dije que sí. Para el Dr. Ruiz, saber usar la computadora era lo más importante. Era el único ____________________. Me dio el ____________________ y me va a pagar un ____________________ de $400.00 por semana. Empiezo a trabajar a fines de junio.

¿Lo puedes creer?

Prueba 5-2

Aplicación del vocabulario 1

A. Tú y un grupo de amigos(as) están hablando sobre el trabajo que van a hacer este verano. Completa lo que dicen con la palabra que corresponda según el dibujo apropiado.

1. Me gusta atender al público y sé tratar bien a los clientes. Me encanta hablar por teléfono. Me gustaría ser _______________.
2. Me gusta montar en bicicleta. Voy a ser _______________ de periódicos en mi barrio.
3. El año pasado fui _______________ en un campamento para niñas de 9 a 12 años. Este verano quiero hacer el mismo trabajo.
4. El Sr. y la Sra. Ortiz tienen dos hijos. Uno de 7 años de edad y otro de 5. Los dos esposos trabajan. Necesitan una _______________ para cuidarlos. Voy a trabajar para ellos.
5. Mi papá trabaja en una compañía que tiene dos oficinas en diferentes partes de la ciudad. Necesitan a alguien para llevar y traer papeles importantes de una oficina a la otra. Voy a ser _______________ de allí.
6. En la piscina de mi barrio necesitan a dos _______________. Yo sé nadar muy bien. Ayer solicité ese puesto. Espero que me llamen.

B. Escribe las cualidades que debe tener un(a) buen(a) empleado(a), según lo que dice cada frase. Usa el vocabulario aprendido en este capítulo.

Modelo Alejandro siempre llega tarde al trabajo.
Alejandro debe llegar temprano, debe ser puntual.

1. A Patricio no le gusta hacer cosas diferentes cada día, pero en su trabajo necesitan que él haga un poco de todo. Debe ser más ______.
2. Susana siempre saluda de manera agradable y trata bien a los clientes. Susana es muy ______.
3. Gabriel hace bien su trabajo, se concentra en hacer todo lo necesario y trabaja muchas horas. Es muy ______.
4. Marisa siempre llega a la hora correcta. Es una persona ______.
5. A Sandra no le importa llegar tarde o no terminar su trabajo. Debe ser más ______.

C. Estás leyendo unos anuncios clasificados en el periódico. Completa los anuncios con una palabra apropiada del vocabulario del capítulo.

1. Se necesita secretaria(o) bilingüe, inglés-español. Ofrecemos buenos ______, que incluyen 2 semanas de vacaciones. Llamar al 545-2525 para tener una ______ con la gerente.
2. Se busca camarero(a) para trabajar en restaurante mexicano. Persona con experiencia. Trabajo ______, 15 horas los fines de semana. Debe ______ entre 6:00 y 9:00 P.M. para llenar la ______.
3. Se busca ______ para club deportivo. Debe encargarse del club, supervisar y entrenar a ocho empleados. Trabajo ______, de lunes a sábado, 8 horas al día. Llamar al 232-5040.

Prueba 5-3

El presente perfecto

A. Jorge acaba de solicitar un puesto en una compañía. Completa sus frases usando el presente perfecto de uno de los verbos entre paréntesis.

Hoy yo ______________________ *(reparar / solicitar)* un puesto en la compañía donde mi papá ______________________ *(trabajar / vivir)* por muchos años. Yo ______________________ *(ver / ir)* allí y ______________________ *(llenar / atender)* una solicitud de empleo. Ellos ______________________ *(hacerme / repartirme)* muchas preguntas y ______________________ *(oírlas / contestarlas)* lo mejor que ______________________ *(poder / leer)*. El Sr. López, el dueño, ______________________ *(creerme/ decirme)* que me van a llamar después de leer la solicitud para hacerme una entrevista y ______________________ *(pedirme / abrirme)* que lleve dos referencias. ¡Ojalá que me llamen!

B. Hoy ha sido un día fatal en la oficina. Veamos por qué. Vuelve a escribir la frase, cambiando al presente perfecto los verbos que están subrayados.

Modelo Los empleados no <u>cumplen</u> con sus obligaciones.
Los empleados no han cumplido con sus obligaciones.

1. Nosotros no <u>escribimos</u> los informes.
____

2. Las computadoras <u>se rompen</u> y nadie <u>viene</u> a repararlas.
____

3. Unos clientes <u>ven</u> lo desordenada que está la oficina y <u>se van</u>.
____

4. La recepcionista no <u>regresa</u> del almuerzo.
____

5. Y tú, Carlos, no <u>arreglas</u> los informes que estaban desordenados.
____

Prueba 5-4

El pluscuamperfecto

A. Ayer fue un día muy bueno en la oficina del gerente Amador. Para saber por qué, completa las frases con el pluscuamperfecto de uno de los verbos entre paréntesis.

Modelo Cuando salí de casa ya ___había parado___ *(parar / secar)* de llover.

Ayer tuve un día muy bueno en la oficina. Cuando llegué, ya todos los empleados ______________ *(llegar / salir)*. Todos estaban de buen humor. Yo nunca ______________ *(creerlos / verlos)* tan contentos antes. Mi secretaria ya ______________ *(escribir / romper)* mis cartas. El Sr. Roa ______________ *(morir / leer)* el informe de la compañía Piotex y le ______________ *(gustar / ser)*. La recepcionista ______________ *(atender / estar)* a tres clientes nuevos. La Sra. Calvo nos leyó un informe que escribió. Nunca ______________ *(caer / oír)* un informe tan bueno. En fin, cuando el día terminó, yo estaba feliz. ¡Qué día tan bueno!

B. Unos chicos están esperando para tener una entrevista en la agencia de empleo. Todos hicieron algo antes de ir allí para prepararse. Completa las frases con el pluscuamperfecto de los verbos del recuadro. No todos los verbos son necesarios.

hacer	llenar	leer	abrir	llamar	pedir	practicar	morir

1. Hacía una semana que todos nosotros ______________ a la agencia de empleo para pedir una cita.
2. Nosotros también ______________ la solicitud de empleo.
3. Carlos les ______________ dos cartas de recomendación a los gerentes de las compañías donde trabajó antes.
4. Elvira y Ester ______________ el anuncio en el periódico *El Diario*.
5. Marta ______________ con su mamá lo que iba a decir en la entrevista.
6. Y tú, Sebastián, ¿qué ______________ antes de ir a tu entrevista?

Examen: vocabulario y gramática 1

A. A ti te gustan mucho los crucigramas y siempre estás haciendo uno en el periódico. Este crucigrama es sobre el vocabulario del mundo del trabajo. Decide cuál es la palabra que se busca y escríbela en la hoja de respuestas.

Horizontal

1. la parte del periódico donde buscamos trabajos, cosas que venden y servicios
2. la persona que paga por un servicio o compra una cosa
3. lo mismo que *hacen a menudo*
4. arreglar algo que se rompió
5. lo mismo que *trabajo*
6. cualidad de una persona que puede aceptar una cosa o la otra, por ejemplo trabajar con diferentes horarios
7. una persona que cuida niños
8. cualidad de una persona que siempre llega a tiempo, a la hora que debe llegar
9. lo que es necesario para un trabajo

Vertical

1. el día y el año en que una persona nació
2. lo mismo que *sueldo*
3. Un horario de 15 ó 20 horas a la semana es un trabajo a ______.
4. Antes de darle trabajo a una persona le hacen una ______ para obtener información sobre ella.
5. la hoja de papel que alguien llena cuando busca trabajo y que pide mucha información
6. una persona que trabaja en una piscina o la playa para proteger al público y que sabe nadar muy bien
7. llevar cosas (por ejemplo, periódicos) de un negocio a las casas o a las oficinas
8. lo mismo que *agradable*, que trata bien a los demás
9. acción de conocer o saber algo

B. Lee lo que le ha pasado a esta chica que trabaja en una tienda. Completa las frases con el presente perfecto de uno de los verbos entre paréntesis.

Modelo ¿Quieres saber lo que ___ha pasado___ *(pasar / decir)* en mi trabajo?

Hace un rato, el dueño de la tienda donde Agustina y yo trabajamos ___1.___ *(escribirnos / decirnos)* que debemos cumplir con nuestro trabajo o vamos a perder el puesto. Nosotras le preguntamos qué cosas no ___2.___ *(hacer / pedir)* bien. Él ___3.___ *(caernos / contestarnos)* que llegamos tarde varias veces y que no somos responsables con el trabajo. A mí ___4.___ *(volverme / gritarme)* delante de todos que yo ___5.___ *(romper / resolver)* la calculadora y no le he dicho nada. Yo ___6.___ *(ponerme / serme)* muy nerviosa y he salido llorando de la tienda. No creo que vuelva a trabajar allí.

C. Cuando Ana llegó a la oficina el lunes, se encontró que ya todo su trabajo estaba hecho y mucho más. ¿Qué pasó? Completa las frases con el pluscuamperfecto de los verbos del recuadro. No todos los verbos son necesarios.

escribir	llevar	comprar	leer	planear	pagar	beber

Modelo Cuando salió de su casa, Ana pensaba tomar el autobús, pero su mamá ya ___había sacado___ el auto para llevarla hasta la oficina.

Cuando Ana llegó a la oficina esta mañana, iba a terminar de escribir las cartas para sus clientes pero sus compañeras ya ___1.___ todas las cartas y habían preparado el café. Y cuando quiso llevar las cartas al correo, Ana se dio cuenta de que Carlos ya las ___2.___ y también ___3.___ los sellos que ella necesitaba. Cuando ella fue a mostrarle los informes al gerente, él le dijo que yo ya le había dado los informes y que él ya los ___4.___. Cuando todos fuimos juntos a almorzar, ella quiso pagar por su almuerzo, pero no pudo porque nosotros ya ___5.___. ¿Qué había pasado? Bueno, es que ayer fue su cumpleaños y le queríamos dar una sorpresa. Todo salió como nosotros ___6.___.

HOJA DE RESPUESTAS, EXAMEN 1

A. (___ / ___ *puntos*)

Horizontal

1. ______
2. ______
3. ______
4. ______
5. ______
6. ______
7. ______
8. ______
9. ______

Vertical

1. ______
2. ______
3. ______
4. ______
5. ______
6. ______
7. ______
8. ______
9. ______

B. (___ / ___ *puntos*)

1. ______
2. ______
3. ______
4. ______
5. ______
6. ______

C. (___ / ___ *puntos*)

1. ______
2. ______
3. ______
4. ______
5. ______
6. ______

Nombre ______ Hora ______

Fecha ______

Prueba 5-5

Comprensión del vocabulario 2

A. Marina y sus amigos están hablando de sus trabajos como voluntarios. Di de qué lugar están hablando. Escribe en el espacio en blanco la letra del lugar donde hacen trabajo voluntario.

MARINA: Yo ayudo a preparar y a servir comida en el ______ todos los sábados. Me gusta ayudar allí.

a. centro de rehabilitación **b.** centro de la comunidad **c.** comedor de beneficencia

CARLOS: Mi abuelita tiene 80 años y vive en un ______. La cuidan muy bien. Yo soy voluntario allí los domingos.

a. hogar de ancianos **b.** centro de la comunidad **c.** centro recreativo

TERESITA: Mi padre es el presidente del ______ de nuestro barrio. Yo voy a ayudar cuando tienen una exhibición de arte, presentan una obra de teatro o hay reuniones de vecinos.

a. hogar de ancianos **b.** centro de la comunidad **c.** centro de rehabilitación

JOSÉ: En nuestra comunidad hay un ______ donde yo hago trabajo voluntario. Ayudo a las personas que han tenido algún accidente y necesitan hacer ejercicio.

a. comedor de beneficencia **b.** centro recreativo **c.** centro de rehabilitación

LAURA: Me encanta ayudar en el ______ los domingos. Como soy muy buena en básquetbol, soy entrenadora de un grupo de chicos de 8 y 9 años. La pasamos muy bien.

a. centro de rehabilitación **b.** centro recreativo **c.** comedor de beneficencia

B. Carla nos dice cómo su iglesia está ayudando a los inmigrantes en su comunidad. Subraya la palabra que mejor completa las frases.

Un grupo de jóvenes de mi iglesia va a *(beneficiar / organizar)* un baile para *(sembrar / juntar)* fondos para ayudar a los inmigrantes pobres de nuestra comunidad. No es *(justo / injusto)* que muchos en nuestra *(campaña / sociedad)* los traten mal sólo porque son inmigrantes y no hablan inglés. Tenemos que *(educar / solicitar)* a la comunidad, para que todos reconozcan que en este país todos somos iguales ante la *(responsabilidad / ley)*. Ellos tienen *(fondo / derecho)* a ganarse la vida como nosotros, aunque no sean *(ciudadanos / ciudadanías)*. No queremos que en el futuro ellos sean la *(gente sin hogar / servicio social)* de nuestra comunidad. Por eso, en nuestra iglesia también estamos dándoles clases de inglés para ayudarlos a conseguir la *(ciudadano / ciudadanía)*. ¿Te interesaría ayudar?

C. Ofelia está organizando una manifestación para parar los experimentos con animales. Completa las frases usando las palabras del recuadro. No todas las palabras son necesarias.

beneficiar	servicio social	marcha	donar
en contra	a favor	protegerlos	injusto

Estoy ______________________ de usar animales para hacer experimentos. Me encantan los animales y voy a tratar de ______________________ porque creo que eso está mal. Ahora estoy organizando una ______________________ para protestar delante del laboratorio donde hacen esos experimentos. Es ______________________ matar a estos animales para ______________________ a algunas compañías. Voy a ______________________ todo mi tiempo y esfuerzo para trabajar ______________________ de los animales.

Prueba 5-6

Aplicación del vocabulario 2

A. Tú y tus amigos(as) hablan de hacer trabajo voluntario. Completa el diálogo según el dibujo a la derecha.

—¿Te gustaría hacer trabajo voluntario en el ______________________ los sábados?

—Me encantaría. Me gusta mucho cocinar y ayudar a los pobres.

—¿Estás interesado en venir conmigo al ______________________ a hacer trabajo voluntario después de las clases los lunes y los miércoles?

—Me es imposible. Los miércoles tengo práctica de béisbol.

—¿Te interesaría ayudar en el ______________________ este fin de semana? Hay un concierto y necesitamos a alguien para vender las entradas.

—Sí, me interesa mucho. ¿A qué hora debo estar allí?

—Alfonso, ¿has trabajado de voluntario alguna vez? ¿Quieres ayudarme los domingos en el ______________________? Es divertido hacer artesanías con los chicos.

—Me encantaría, pero me es imposible. Los domingos ayudo en el comedor de beneficencia de mi iglesia.

—Anita, ¿te gustaría hacer trabajo voluntario en el ______________________ los jueves, después de las clases? Ayudamos a las personas que tienen problemas físicos.

—Sí, creo que me interesaría hacerlo. Yo quiero estudiar medicina.

B. Varias personas quieren ser alcalde *(mayor)* de tu ciudad. Ésto es lo que dicen. Completa sus discursos con una palabra del vocabulario estudiado en este capítulo. Usa como pista la expresión entre paréntesis.

1. Buenas tardes. Me llamo Gabriel Díaz y quiero ser su próximo alcalde. Quiero decirles que yo estoy ______ *(apoyo)* de proteger el ______ *(todo lo que nos rodea)* y que estoy ______ *(no apoyo)* de la contaminación que nos está matando a todos. Quiero empezar la ______ *(el programa)*, "Más árboles para mi ciudad". Quiero ______ *(poner nuevos)* árboles por las avenidas y los parques. Espero ganar su voto. Gracias.

2. Buenas tardes. Mi nombre es Rebeca Amador y también quiero ser su próxima alcaldesa. Yo tampoco quiero la contaminación, pero también quiero terminar con el problema de la ______ *(las personas que no tienen dónde vivir)*. Va a ser mi responsabilidad como alcaldesa crear más trabajos y ______ *(hacer nuevas)* casas para esa gente. Esas personas también son ______ *(personas nacidas en el país)* de este país y tienen los mismos ______ *(cosas que pueden hacer y disfrutar)* que nosotros. Voten por mí, Rebeca Amador.

3. Buenas tardes, amigos. Me llamo Ricardo Morales y deseo ser su futuro alcalde, si Uds. así lo desean. Lo que han dicho los otros candidatos está muy bien, pero ellos no han hablado del problema de nuestros niños. Los necesitamos ______ *(enseñar)* bien. Quiero mejores escuelas para ellos para poderles ______ *(asegurar)* una buena educación. También quiero hacer una organización de voluntarios para ofrecer ______ *(servicios que se dan a las personas)* en diferentes centros infantiles. Quiero que todos los miembros de nuestra ______ *(grupo de personas de un lugar)* ayuden a los niños, porque ellos son el futuro de nuestra ciudad. Necesito su voto el próximo martes. Gracias.

Prueba 5-7

El presente perfecto del subjuntivo

A. Rosario, la organizadora de la marcha, habla sobre los últimos detalles de este importante evento. Completa los diálogos, usando uno de los verbos entre paréntesis en el presente del subjuntivo.

Modelo Rosario espera que todo ___haya sido___ *(ser / decir)* preparado para la marcha.

—Lucía, espero que ______________ *(hacer / romper)* las señales para la marcha.

—No, se me olvidó, pero me alegro de que ______________ *(verme / recordarme)* eso.

—Ojalá que Arturo ______________ *(poder / tener)* hablar con la gente sin hogar que va a participar en la marcha con nosotros. ¿Ya volvió?

—Yo dudo que ______________ *(volver / poner)*. Salió hace una hora.

—Me alegro de que nosotros ______________ *(juntar / sembrar)* bastantes fondos para la marcha.

—Sí, es excelente que tantas personas ______________ *(mentir / contribuir)* con dinero y también con ropa. Creo que vamos a tener éxito el domingo.

B. La madre de Rosario, después de la manifestación, le está diciendo a su hija que está muy orgullosa de ella. Completa las frases con los verbos del recuadro en el presente perfecto del subjuntivo. No todos los verbos son necesarios.

hablar	oír	organizar	dar	sacar	ayudar

Rosario, ven acá. Quiero decirte que estoy muy orgullosa de que ______________ esta manifestación a favor de la gente sin hogar. Me alegro de que muchos estudiantes ______________ a preparar este evento. Es una buena causa. También es importante que la directora de la escuela haya venido a apoyarlos y ______________ un discurso tan bueno. Espero que los políticos ______________ el mensaje y ahora hagan algo por esta gente sin hogar. Ojalá que los periódicos ______________ buenas fotos y escriban algo bonito sobre la marcha. ¡Te felicito!

Prueba 5-8

Los adjetivos y los pronombres demostrativos

A. Hoy es el primer día de trabajo voluntario de Sarita y la directora del hogar de ancianos le está mostrando el piso donde va a trabajar. Completa las frases con el adjetivo o el pronombre demostrativo que está entre paréntesis.

Sarita, ____________ *(este / éste)* es tu piso. Aquí viven siete ancianas. En ____________ *(éste / este)* dormitorio duermen la Sra. García y la Sra. Gómez. ____________ *(Éstas / Estas)* señoras son muy simpáticas. En ____________ *(ése / ese)* detrás de ti, que es muy grande, duermen la Sra. Ochoa, la Sra. Díaz y la Sra Ruiz. A ____________ *(ésas / ésos)* les gusta hablar mucho, pero son muy cómicas. En ____________ *(aquello / aquellos)* dormitorios del fondo, en uno duerme la Sra. Puig y en el otro la Sra. Sosa. ____________ *(Esas / Eso)* señoras necesitan atención especial. ____________ *(Ésta / Estas)* es la sala de leer. ____________ *(Éste / Este)* escritorio es el tuyo y puedes usar ____________ *(ésos / esos)* libros en el estante para leerles a ellas. Oh, Sarita, ven a esta ventana. ¿Ves ____________ *(aquello / aquel)* jardín? Por allí puedes llevarlas a pasear. Una cosa más. Necesitas tener mucha paciencia con ellas.

B. La supervisora del comedor de beneficencia te está mostrando el otro lugar donde tú puedes trabajar de voluntario(a). Completa sus frases con los adjetivos o los pronombres demostrativos del recuadro. Sólo puedes usar cada palabra una vez.

éste	éstas	eso	este	esa	esos	aquel

1. —En ____________ comedor, atendemos a más personas que en el otro.
2. —____________ señores que ves allí adelante necesitan más pan. Tráeles más, por favor.
3. —____________ señora que está junto a ti no ha comido mucho hoy. Sin embargo, ____________, las que están a mi lado, han comido muchísimo.
4. —____________ postre de manzana de allá es mejor que ____________ que estás comiendo. ¿Quieres probarlo?
5. —¿Qué es ____________ que están sirviendo allí? Parece muy bueno. Probémoslo.

Examen: vocabulario y gramática 2

A. Nidia fue a ver a su consejera porque quiere hacer trabajo voluntario en su comunidad. La consejera le ha dado una lista de trabajos voluntarios. Completa las frases con la(s) palabra(s) apropiada(s) del vocabulario de este capítulo.

Se buscan voluntarios para trabajar en un __1.__. Debe ser paciente y gustarle estar con personas mayores.

Se necesitan jóvenes para ayudar en el __2.__ enseñando algunos deportes, para hacer artesanías y mantener a los niños ocupados.

Necesitamos voluntarios para ayudar a inmigrantes a aprender inglés y la historia de los Estados Unidos para el examen de __3.__.

¿Sabes cocinar? ¿Quieres ayudar a los pobres? Ven a ayudar a cocinar y a servir la comida en el __4.__ los fines de semana.

Se necesitan voluntarios para __5.__ árboles en el Parque Municipal este domingo.

¿Quieres proteger el __6.__ de la contaminación? Ven a la marcha este domingo y apóyanos en la __7.__. Necesitamos voluntarios dedicados a esta causa.

La Organización Ayuda busca voluntarios para ayudar a __8.__ casas para la __9.__. Estas personas que no tienen donde vivir necesitan tu ayuda.

B. En una clase para inmigrantes el trabajador voluntario les está enseñando sobre nuestro país. Completa las frases con la palabra apropiada del vocabulario que está entre paréntesis.

Un buen __1.__ *(estudiante / ciudadano)* obedece las __2.__ *(leyes / beneficios)* del país, no importa si les parecen justas o __3.__ *(injustas / ciudadanas)* y tiene la __4.__ *(responsabilidad / ley)* de votar en las elecciones para elegir a sus oficiales. Aquí en los Estados Unidos, tú tienes el __5.__ *(centro recreativo / derecho)* de decir lo que piensas. Puedes hablar bien del presidente, si estás __6.__ *(a favor / proteger)* de él o hablar mal, si estás __7.__ *(a favor / en contra)* de él. Eso no importa. Otra cosa, en este país es importante __8.__ *(educar / garantizar)* a los hijos, por eso tenemos muchas escuelas. Es tu responsabilidad mandarlos a la escuela a aprender.

C. La directora del hogar de ancianos está hablando sobre lo que ha ocurrido durante el año y les está dando las gracias a los voluntarios. Completa las frases con la forma correcta del presente perfecto del subjuntivo de los verbos del recuadro. No todos los verbos son necesarios.

ver	trabajar	encontrar	poder	morir	mejorar	leer	colaborar

Modelo Estoy muy contenta de que Uds. *hayan trabajado* conmigo este año.

Mis muy buenos amigos:

Estoy muy contenta de que yo los ___1.___ conocer bien a todos. Su trabajo ha alegrado y ha mejorado la vida de estos ancianos. Es hermoso que nosotros ___2.___ la vida de estos ancianos, porque es justo que ellos puedan vivir sus últimos años felices. Me alegro de que muchos de ellos ___3.___ en Uds. apoyo y buenos amigos. Es triste que la Sra. Amaya, nuestra directora, después de una larga enfermedad, ___4.___. Pero me alegro de que ella ___5.___, antes de morir, el progreso de este hogar y de que todos nosotros ___6.___ para lograrlo. ¡Gracias, mil gracias!

D. Marina te está ayudando en el centro recreativo. Tú le estás diciendo lo que debe hacer. Completa las frases con el adjetivo o el pronombre demostrativo apropiado del recuadro. Usa cada palabra una sola vez.

aquél	aquélla	aquellos	esas	eso	esta	estas	estos

Marina, quiero que juegues con ___1.___ chicos de allá, no con ___2.___ niños pequeños de aquí. Pero antes, diles a ___3.___ niñas que están contigo que tienen que jugar con Mercedes. ¿Ves? Es ___4.___, la niña del vestido verde, que está llorando en el comedor. Después, ven a ayudarme a mezclar ___5.___ pinturas que tengo aquí porque los niños van a pintar un mural en ___6.___ pared de acá. Y recuerda que todos los días debes leerles un cuento; ___7.___ es bueno para los niños.

HOJA DE RESPUESTAS, EXAMEN 2

A. *(___ / ___ puntos)*

1. ______
2. ______
3. ______
4. ______
5. ______
6. ______
7. ______
8. ______
9. ______

B. *(___ / ___ puntos)*

1. ______
2. ______
3. ______
4. ______
5. ______
6. ______
7. ______
8. ______

C. *(___ / ___ puntos)*

1. ______
2. ______
3. ______
4. ______
5. ______
6. ______

D. *(___ / ___ puntos)*

1. ______
2. ______
3. ______
4. ______
5. ______
6. ______
7. ______

EXAMEN DEL CAPÍTULO 5

A. Escuchar

Las clases han terminado y muchos estudiantes empiezan a buscar empleo para el verano. Cinco jóvenes van a entrevistas de trabajo. Escucha la entrevista de cada joven para saber: (1) si el trabajo es a tiempo parcial o a tiempo completo, (2) cuál es el salario y (3) cuál es, por lo menos, una de las responsabilidades de ese trabajo. Mientras escuchas, puedes tomar apuntes en el recuadro de tu hoja de respuestas. Luego, completa la tabla. Vas a oír cada entrevista dos veces.

B. Leer

Este verano has decidido trabajar en una agencia de empleos. Varios jóvenes han solicitado trabajo en tu oficina. Cada joven escribió una lista con sus habilidades y experiencias. Lee los anuncios clasificados y busca al mejor candidato para cada trabajo. En tu hoja de respuestas, escribe el nombre de la persona junto al anuncio clasificado.

RECEPCIONISTA

Se busca persona agradable y responsable para trabajar en un consultorio médico. Se requiere que tenga experiencia con computadoras y conocimientos de vocabulario médico. Se ofrece un horario muy flexible y excelentes beneficios. Envíe su currículum a Oeste 91 Calle Méndez Vigo, Mayagüez, PR.

MENSAJERO(A)

Compañía busca persona activa y dedicada para repartir el correo a varios edificios. Se exige experiencia mínima de dos años y tres referencias. Es indispensable que tenga permiso de manejar. Preferimos personas con auto propio.

NIÑERO(A)

Familia necesita persona agradable y responsable para cuidar a dos niños de siete y cinco años. La persona interesada tendrá que recoger a los niños de la escuela, prepararles la cena y limpiar la casa. No hace falta experiencia. Preferimos universitarios.

María Durante los últimos cuatro años, he cuidado niños de varias familias. También he limpiado casas y sé cocinar bien. No he podido tomar un trabajo a tiempo completo porque estudio educación en la universidad. Tengo muchas referencias.

Pepe Soy una persona con energía y responsable. Me gusta correr por las tardes como parte de mi entrenamiento atlético. Tengo cuatro años de experiencia. Tengo permiso de manejar y un auto que he usado para llevar correo.

Mercedes Trabajé como recepcionista para Pueblo, S.A. Llevaba cuatro años en este puesto cuando la compañía cerró. Tengo conocimientos de computación y tomé un curso de vocabulario médico en la universidad. Soy muy flexible con el horario de trabajo.

C. Escribir

Imagina que vas a solicitar uno de los trabajos de la parte B de este examen. Escoge uno de los empleos y escribe una carta para solicitarlo. Incluye: a) por qué te interesa ese trabajo; b) qué cualidades personales tienes que te hacen el (la) candidato(a) ideal para ese puesto; y c) qué experiencia de trabajo tienes.

Para evaluar tu escrito, se considerará:

- las partes de la tarea que completa.
- el uso correcto de la gramática.
- la cantidad de información que das.

D. Hablar

Imagina que vas a una feria de trabajo y que tu profesor(a) es uno(a) de los(as) consejeros(as). Háblale de tus conocimientos, habilidades, experiencia y el trabajo que te interesaría tener. Luego hazle preguntas sobre ese trabajo. Finalmente, contesta las preguntas que tu profesor(a) te haga.

Para evaluar tu presentación, se considerará:

- la cantidad de información que das.
- la interacción con tu maestro o maestra.
- el uso correcto de la gramática.

E. Cultura

Según lo que has aprendido en este capítulo, describe el impacto que algunos hispanohablantes han tenido en la cultura de los Estados Unidos. Considera los siguientes campos: las artes, la política, las ciencias, la educación, los negocios y los que trabajan para mejorar las comunidades.

HOJA DE RESPUESTAS, EXAMEN DEL CAPÍTULO 5

A. Escuchar *(___ / ___ puntos)*

	MIS APUNTES *(notes)*
1. Teresa	
2. Luis	
3. Carmen	
4. Enrique	
5. Dolores	

	¿Es a tiempo completo o a tiempo parcial?	¿Cuál es el salario?	Responsabilidades
1. Teresa	a tiempo parcial a tiempo completo		
2. Luis	a tiempo parcial a tiempo completo		
3. Carmen	a tiempo parcial a tiempo completo		
4. Enrique	a tiempo parcial a tiempo completo		
5. Dolores	a tiempo parcial a tiempo completo		

B. Leer *(___ / ___ puntos)*

1. Receptionista: ______________________
2. Mensajero(a): ______________________
3. Niñero(a): ______________________

Nombre ______ Hora ______

Fecha ______

Hoja de respuestas, Examen del capítulo 5, Página 2

C. Escribir *(___ / ___ puntos)*

D. Hablar *(___ / ___ puntos)*

E. Cultura *(___ / ___ puntos)*

Prueba 6-1

Comprensión del vocabulario 1

A. Un grupo de estudiantes está hablando con su consejero sobre sus planes para el futuro. Escribe en el espacio en blanco la letra de la profesión de la que habla el consejero.

1. —Bien Catalina, tú eres bilingüe. Hablas muy bien el inglés y el español y ya me has traducido algunas cartas. Puedes ser ______. ¿Te interesa esa profesión?

a. traductora **b.** programadora **c.** cocinera

2. —Alfonso, a ti te gusta trabajar con dinero, sabes ahorrarlo, eres eficiente y honesto. ¿Quieres estudiar para ser ______?

a. científico **b.** banquero **c.** diseñador

3. —¿Y tú, Roberto? Te encanta saber sobre las leyes, te importan los derechos humanos y siempre estás discutiendo. Tu profesión perfecta es la de ______.

a. cocinero **b.** abogado **c.** contador

4. —Y para ti, Martín, creo que la profesión perfecta es la de ______ porque eres excelente con las computadoras.

a. programador **b.** peluquero **c.** arquitecto

5. —Carmen, tú te haces la ropa, ¿no? Te interesa la moda y tienes talento artístico. Por lo tanto, ser ______ es una buena profesión para ti.

a. ingeniera **b.** cocinera **c.** diseñadora

6. —Olivia, ¿has pensado en ser ______? Tú eres muy buena con los números y eres muy cuidadosa. Tienes muy buenas notas en matemáticas.

a. juez **b.** contadora **c.** traductora

7. —Mateo, escribes bien y puedes hacer correciones en las composiciones que escriben otros estudiantes. Yo creo que debes hacerte ______.

a. diseñador **b.** redactor **c.** ingeniero

B. Tu amiga Josefa te está hablando sobre su futuro. Subraya la palabra apropiada que está entre paréntesis para completar las frases que dice Josefa.

No sé qué voy a hacer después de terminar la escuela secundaria. Antes de ir a una universidad quiero *(ahorrar / averiguar)* las posibilidades en el campo de las *(finanzas / capaz)*. *(Así que / Además de)* interesarme ser banquera, me gustaría ser *(jueza / mujer de negocios)* porque soy emprendedora y sé usar el dinero bien. No voy a *(tomar decisiones / mudarme)* hasta estar segura de lo que quiero. No quiero *(dedicarme a / desempeñar un cargo)* algo que después no me guste. Creo que soy *(ambiciosa / próxima)* y quiero *(diseñar / lograr)* lo mejor para mí. Algún día espero ser dueña de mi negocio, no tener *(jefes / redactores)* y hacer lo que me dé la gana. *(Próximo / Así que)* por ahora, voy a disfrutar de mis vacaciones.

C. Unos amigos están hablando sobre diferentes cosas. Completa sus diálogos usando palabras del recuadro. No todas las palabras son necesarias.

arquitecto(a)	peluquero(a)	carrera	lograr
capaz	soltero(a)	cocinero(a)	próximo(a)

1. —Carlos, tu padre es _______________, ¿verdad?

   —Sí, él diseña edificios. Trabaja para una empresa extranjera.
2. —Lili, ¿quién es tu _______________? Te corta el pelo muy bien.

   —Se llama Lupe y trabaja en el salón de belleza "Ultra".
3. —Jorge, ¿ya sabes qué _______________ vas a seguir después de graduarte?

   —No lo sé. Quizás me dedique a la mecánica.
4. —El _______________ de este restaurante prepara platos deliciosos.

   —Sí, él es _______________ de preparar toda clase de comida.
5. Tu hermano es _______________, ¿no? ¿No se ha casado todavía?

   No, pero él y su novia van a casarse el verano _______________.

Prueba 6-2

Aplicación del vocabulario 1

A. ¿A quiénes buscan estas personas? Según la descripción que se da, escribe el trabajo o la profesión de la persona que necesitan.

1. La Sra. Aguirre quiere que le corten y le arreglen el pelo. _______________
2. La ciudad de Guadalajara quiere construir puentes. _______________
3. El restaurante "El buen sabor" quiere a alguien que sepa preparar comida mexicana. _______________
4. Una empresa de moda quiere crear nuevos estilos de ropa para hombre este verano. _______________
5. Un periódico necesita a alguien que escriba y lea el trabajo de otros y haga correcciones. _______________
6. La Organización de Estados Americanos (OEA) busca a alguien para pasar documentos del inglés al español y del español al inglés. _______________
7. La compañía Benítez y Benítez quiere construir un edificio de oficinas. Desean un diseño super moderno. _______________
8. Los laboratorios Sultán buscan a una persona para hacer investigaciones en un laboratorio y estudios especiales sobre el cáncer. _______________
9. Mis vecinos necesitan a una persona que defienda sus derechos y le explique todo al juez. _______________
10. La hermana de José quiere ahorrar dinero, pero a ella no le interesan las finanzas. _______________

B. Varias personas hablan sobre diferentes temas. Completa lo que dicen con una palabra apropiada del vocabulario estudiado en este capítulo.

1. —Sr. López, creo que usted no tiene esposa. ¿Usted es ________________, verdad?

   —No, soy ________________. Me casé hace un mes. Todavía vivimos en la casa de mis padres. Mi esposa y yo tenemos que ________________ dónde vamos a vivir en el futuro.

2. —Nacho, ¿tu mamá sigue practicando la profesión de abogada?

   —No, ahora es ________________. Trabaja en una corte federal. Tiene que escuchar y ________________ decisiones muy importantes.

3. —¿Qué va a hacer Toni el año ________________, después de ________________ de la escuela secundaria?

   —Va a asistir a la universidad de Madrid. Como a su papá le ofrecieron un puesto allí, tienen que ________________ de ciudad.

4. —Olivia sólo tiene 17 años, pero es una chica muy ________________, piensa como una mujer de 25 años.

   —Sí, y es muy ________________, es decir, puede hacer muchas cosas diferentes muy bien y es eficiente, también.

5. —Eduardo, ¿tu hermana mayor es contadora? Yo recuerdo que ella siempre era muy buena con los detalles, muy ________________.

   —No, es ________________. Trabaja en un banco en el centro de la ciudad. Y, ________________ tener cuidado en todo lo que hace, le encanta el mundo de ________________. Por eso esta profesión es perfecta para ella.

6. A Lorenzo le gusta resolver problemas y buscar soluciones, ¿no?

   Sí, él es muy ________________. Todos decimos que debe seguir ________________ trabajando con computadoras o en los negocios.

Prueba 6-3

El futuro

A. Gustavo ya decidió lo que quiere hacer en el futuro y le habla a su abuelo. Escribe en el futuro el verbo entre paréntesis para saber lo que va a hacer Gustavo.

Finalmente he decidido lo que quiero hacer en el futuro. Como soy muy bueno en ciencias y me gusta hacer experimentos, ________________ *(estudiar)* para ser científico. Unos amigos míos y yo ________________ *(ir)* a la universidad de Monterrey y estoy seguro de que yo ________________ *(graduarse)* con honores. Mis padres ________________ *(sentirse)* muy orgullosos de mí. ________________ *(Buscar)* trabajo en algún laboratorio muy conocido y allí nosotros ________________ *(hacer)* experimentos, ________________ *(averiguar)* más sobre el cáncer y ________________ *(encontrar)* una medicina para curarlo. Algún día, yo ________________ *(ser)* famoso y (ellos) ________________ *(poner)* mi foto en los periódicos y revistas. ¿Qué te parece, abuelo?

B. Los estudiantes del último año todavía no han decidido lo que van a hacer. Completa sus frases, usando el verbo que está subrayado en el futuro.

1. Hoy quiero ser abogado. El mes próximo ________________ ser programador.
2. Esta semana, María dice que va a una universidad local. La semana próxima, ________________ que va a una universidad en otro estado.
3. Hoy, sabemos lo que queremos hacer. Mañana no ________________ qué hacer.
4. Esteban y Luis piensan que pueden ir a una universidad de cuatro años, pero después de ver sus notas, dicen que no ________________.
5. Hoy, tú dices que no tienes miedo de ir a una universidad grande. En tres días, vas a decir que sí ________________ mucho miedo.
6. Hoy, Alberto sabe lo que quiere hacer con su vida, pero si le preguntas mañana, no lo ________________.

Prueba 6-4

El futuro de probabilidad

A. Contesta las siguientes preguntas que varias personas te hacen, usando uno de los verbos entre paréntesis en el futuro.

1. —¿Qué hace José ahora?

   —No sé. ________________ las frases al español. *(Educar / Traducir)*

2. —¿Cuántas personas crees que van a estar en la graduación?

   —No estoy seguro(a). ________________ *(Salir / Venir)* 20 ó 25 personas.

3. —¿Por qué el tráfico no se mueve? ¿Qué pasará?

   —________________ un accidente. *(Hacer / Haber)*

4. —¿A qué hora terminan Uds. el trabajo hoy?

   —¡Quién sabe! Hay mucho que hacer hoy. ________________ a las ocho o a las nueve. *(Salir / Comer)*

5. —¿Quién es la chica que acompaña a Beto?

   —No sé. ________________ su prima. *(Ser / Hacer)*

6. —¿Dónde está mi calculadora?

   —Kiko la ________________. *(ver / tener)* Me dijo que tenía que terminar su tarea de álgebra.

7. —¿Dónde ________________ *(ir / estar)* mis llaves?

   —No sé. ¿Las has buscado en tu mochila?

8. —¿Por qué tiene Juan tantos libros?

   —________________ estudiar y sacar buenas notas. *(Querer / Haber)*

9. —Mis padres quieren que busque trabajo para el verano.

   —Con tan poco tiempo, ¿lo ________________? *(saber / lograr)*

Examen: vocabulario y gramática 1

A. ¿Qué trabajo es apropiado para estas personas? Según la descripción, escribe la profesión más apropiada para cada persona.

1. Miguel sabe escribir muy bien. Es capaz de leer las composiciones de otros y hacer correciones. ____________________
2. A Pilar le gusta leer sobre la ley. Es una persona justa y le interesa defender los derechos de otras personas. ____________________
3. A mí me gusta dibujar casas y edificios modernos. Siempre estoy diseñando la casa que tendré en el futuro. ____________________
4. A Susy le gusta la moda y ella hace su ropa. Tiene talento. ____________________
5. Carlota siempre está diseñando puentes. Es muy capaz y emprendedora y es buena en matemáticas. Ha construido dos modelos fabulosos. ____________________
6. Gustavo siempre está preparando nuevas recetas de comida. ____________________
7. A Mercedes le encanta cortarle y arreglarle el pelo a su mamá. Todos dicen que hace un trabajo fantástico. ____________________
8. Ana sabe de computadoras y le gusta resolver problemas. ____________________

B. Completa el diálogo de las siguientes personas con lo opuesto de las palabras subrayadas.

1. —¿Nuestra jefa es soltera?
   —No, ella es ____________________. Tiene tres hijos muy simpáticos.
2. —A Camila le gusta gastar todo el dinero que gana.
   —Es verdad. No sabe lo importante que es ____________________ para el futuro.
3. —Carlos es una persona sin ambición.
   —Es una lástima que no sea más ____________________.
4. —Ramón, tú fuiste a España el año pasado, ¿verdad?
   —Sí, y el año ____________________ voy a ir a México.

C. Gregorio habla de su fiesta de graduación, usando la forma de *ir a* + infinitivo. Cambia las frases, usando el futuro. No todas las palabras se usan.

tener	preparar	graduarse	ser	poner	haber

Mañana es mi graduación. Yo ___1.___ del Colegio San Andrés. Nosotros ___2.___ una fiesta muy especial. La fiesta ___3.___ en mi casa. Mi madre ___4.___ una paella y como siempre, ___5.___ mucha comida!

bailar	estar	decir	poder	salir	comer

Nosotros ___6.___ la comida fantástica de mamá y después, mi padre ___7.___ unas palabras porque yo sé que él está muy orgulloso de mí. Luego, todos nosotros ___8.___ merengue y salsa. A las dos o tres de la mañana los invitados ___9.___ de nuestra casa—todos muy contentos y muy cansados. Tú ___10.___ venir a mi fiesta, ¿no?

D. Haz una pregunta sobre estas personas, usando el futuro de probabilidad del verbo entre paréntesis.

1. Los Sres. Trujillo son contadores. ¿Dónde ____________________? *(trabajar)*
2. El Sr. Bello es banquero. ¿____________________ un buen sueldo? *(Ganar)*
3. Al padre de Sara, que es traductor, le van a dar un puesto en una de las oficinas del centro. ¿En qué oficina ellos lo ____________________ a trabajar? *(poner)*
4. La madre de Julia es científica. ¿Qué clase de investigaciones ____________________? *(hacer)*
5. Mis jefes quieren hablar conmigo. ¿Qué ____________________ decirme? *(querer)*
6. La hermana de Luis es muy bonita. Si la invito, ¿____________________ al cine conmigo? *(venir)*
7. La Sra. García es traductora. ¿Qué cosas ____________________? *(traducir)*

HOJA DE RESPUESTAS

A. *(___ / ___ puntos)*

1. ____
2. ____
3. ____
4. ____
5. ____
6. ____
7. ____
8. ____

B. *(___ / ___ puntos)*

1. ____
2. ____
3. ____
4. ____

C. *(___ / ___ puntos)*

1. ____
2. ____
3. ____
4. ____
5. ____
6. ____
7. ____
8. ____
9. ____
10. ____

D. *(___ / ___ puntos)*

1. ____
2. ____
3. ____
4. ____
5. ____
6. ____
7. ____

Prueba 6-5

Comprensión del vocabulario 2

A. Es el año 2015 y nuevos inventos han salido al mercado y se están usando en todas partes. Escribe la letra de la palabra o expresión que complete mejor cada frase.

1. Me encanta este nuevo robot que puede pasar la aspiradora. En muchas ______ lo están usando.

a. enfermedades **b.** viviendas **c.** hospitalidades

2. El sol, una de nuestras principales ______ se está usando ahora para calentar los coches. Es fascinante, ¿no?

a. fuentes de energía **b.** fábricas **c.** servicios

3. Los automóviles ya están usando la nueva gasolina que no ______ el medio ambiente. ¡Otro invento fantástico!

a. contamina **b.** aumenta **c.** reduce

4. Hay también robots que trabajan en las ______ haciendo el trabajo que antes hacían las personas. Eso me da miedo.

a. aparatos **b.** servicios **c.** fábricas

5. Sin duda, con todos estos nuevos inventos vamos a tener más tiempo para descansar y dedicarnos al ______.

a. ocio **b.** gen **c.** desarrollo

6. Sin embargo, tendremos que tener cuidado con lo que hacemos. Habrá una gran ______ de fuentes de energía.

a. sorpresa **b.** estrategia **c.** demanda

7. Yo creo que me dedicaré al ______ de nuevas y mejores fuentes de energía.

a. producto **b.** aparato **c.** desarrollo

8. Tienes razón. Tenemos que estudiar mucho para ______ de lo que puede pasar en el futuro.

a. reemplazamos **b.** enterarnos **c.** inventamos

B. Los jóvenes hablan del futuro. Cada uno tiene algo que decir o que quiere hacer. Subraya la palabra que mejor completa la frase.

1. Quiero buscar trabajo en la *(máquina / industria)* de la hospitalidad. Me encanta viajar y así podré *(enterarme / comunicarme)* con la gente de otros países.
2. Pues a mí me interesan las ciencias. Quiero experimentar más con la *(genética / estrategia)*, para *(predecir / descubrir)* nuevas medicinas, *(inventar / curar)* el cáncer y hacer *(desaparecer / reemplazar)* otras de las *(informáticas / enfermedades)* que están matando a tanta gente.
3. Yo quiero trabajar en el *(campo / invento)* del *(mercadeo / ocio)*. Me interesaría trabajar en el *(desarrollo / servicio)* de estrategias para vender *(productos / genéticas)* usando la tele como *(medio de comunicación / genes)*.
4. Todos los días vemos nuevos *(mercadeos / inventos)* que a veces me dan miedo. Me asusta que las *(vías satélites / máquinas)* puedan *(reemplazar / reducir)* a las personas. Eso hará un mundo menos humano. ¿No creen?

C. Los chicos siguen hablando del futuro. Es el tema del momento. Completa los diálogos con las expresiones apropiadas del recuadro.

aparato	enterarse	aumentar	vía satélite	servicio	reducir

1. —¿Crees que los científicos podrán ________________ la contaminación del aire para que sea más puro?

   —No. Desafortunadamente en nuestra ciudad el peligro de la contaminación va a ________________ a causa de las fábricas que siguen apareciendo y los coches.

2. —En tu opinión, ¿qué ________________ que han inventado los científicos nos ha ayudado a comunicarnos mejor?

   —Pues, la televisión ________________. Con ella es posible ________________ inmediatamente de lo que pasa en otros países.

Prueba 6-6

Aplicación del vocabulario 2

A. Aquí tienes un crucigrama que tu profesora de español le dio a la clase para repasar el vocabulario de este capítulo. Escribe tu respuesta en el espacio a la derecha.

Horizontal

1. tiempo libre _____
2. averiguar _____
3. la mayor parte de un grupo de personas o cosas, la . . . _____
4. hacer algo más largo, extender _____
5. crear algo nuevo _____
6. ayudar a un enfermo _____
7. estrategia para vender productos _____
8. la gripe, el cáncer, por ejemplo _____
9. el sol, la electricidad, por ejemplo _____

Vertical

1. lugares donde vive la gente, casas _____
2. anunciar el futuro, decir algo antes de que suceda _____
3. lugar donde los trabajadores hacen o construyen cosas _____
4. hablar y poder entenderse _____
5. hacer algo más pequeño _____
6. hacer algo más grande _____
7. empezando hoy _____
8. la televisión, la radio, el teléfono son . . . _____
9. tecnología que te permite vivir una experiencia como si fuera verdadera _____

B. Mirta habla con su profesora, la Sra. Soriano, sobre su futuro. Completa las frases con una palabra apropiada del vocabulario estudiado.

SRA. SORIANO: Mirta, ¿qué has decidido hacer con tu futuro?

MIRTA: Quiero estudiar ______________. Me encanta investigar por qué los hijos son como sus padres. En una de mis clases de ciencias, hemos estudiado cómo los padres pasan sus ______________ a sus hijos. Todavía quedan muchas cosas nuevas por ______________ sobre el misterio de la vida.

SRA. SORIANO: Yo pensaba que tú querías trabajar en la industria de la ______________, en hoteles y empresas turísticas.

MIRTA: Yo quería hacer eso el año pasado, pero los avances y el ______________ de la tecnología y de la ciencia me hicieron pensar.

SRA. SORIANO: Bueno, Mirta, te deseo mucha suerte y éxito.

C. Virginia nos habla de lo que le compraron sus padres para comunicarse con la familia. Completa las frases con una palabra del vocabulario estudiado en este capítulo.

Ayer, mis padres me compraron otro teléfono celular para ______________ el que ya no funciona. Me gusta el teléfono nuevo porque es un ______________ más pequeño y más práctico. Vamos a buscar un lugar dónde reciclar el viejo teléfono porque no queremos ______________ la Tierra con las cosas que ya no usamos. Echar a la basura ______________ viejas, como los televisores, computadoras y los teléfonos que ya no necesitamos, sigue siendo un problema para nuestra sociedad.

Estoy contenta con mi nuevo teléfono porque la compañía que lo vende nos da un buen ______________ todos los meses. El primer teléfono fue un ______________ de Alejandro Graham Bell. ¡Qué bueno que lo inventó! Como mucha gente usa los teléfonos celulares todo el tiempo, creo que los teléfonos que no son celulares van a ______________ algún día.

Prueba 6-7

El futuro perfecto

A. ¿Qué habrá pasado en tu vida y en la de tus amigos en 15 años? Completa las frases con el futuro perfecto del verbo entre paréntesis.

1. Yo ______________________ *(predecir /casarse)* con Rosario.
2. Mirta ya ______________________ *(inventar / escribir)* un libro sobre la genética.
3. Jorge y Pablo ______________________ *(curar / descubrir)* una nueva medicina.
4. Nosotros ______________________ *(ver / contaminar)* muchos inventos nuevos.
5. Julián será arquitecto y ______________________ *(prolongar / diseñar)* un edificio moderno de oficinas.
6. Y tú, ¿qué ______________________ *(hacer / comer)* dentro de 15 años?

B. ¿Qué habrá pasado? Explica lo que les podrá haber pasado a estas personas o cosas, usando el futuro perfecto de los verbos del recuadro.

aumentar	decir	darse cuenta	tener	contaminar	tener en cuenta

1. —¿Por qué Carmencita no terminó sus estudios de genética?

   —______________________ de que era una profesión muy difícil.
2. —¿Por qué no permiten nadar en ese río?

   —Las fábricas ______________________ el agua.
3. —¿Por qué Carlota no se comunicó con nosotros?

   —No ______________________ un teléfono celular.
4. —¿Por qué nadie compra esos productos ahora?

   —Los precios ______________________.
5. —¿Por qué Carolina está enojada?

   —Sus padres le ______________________ que se van a mudar a otro estado.

Prueba 6-8

Uso de los complementos directos e indirectos

A. Lorena tiene dudas sobre algunas cosas que han sucedido. Completa lo que dice con los pronombres de complemento directo e indirecto subrayando los complementos apropiados que están entre paréntesis.

1. La semana pasada, el gerente nos explicó algunas estrategias de mercadeo, pero no sé si *(se las / nos las / se los)* explicó muy bien, porque nadie las entendió.
2. Anoche le presté mi teléfono celular a Carlos. Creo que no *(te lo / me lo / se lo)* devolvió.
3. Carmen, ayer te compré unos discos digitales. No estoy segura si *(te los / se los / me los)* di.
4. Le acabo de comprar a Lola un producto nuevo para la cara. No sé si *(se lo / se la / me lo)* voy a dar ahora o el día de su cumpleaños.
5. Escribí una carta a mis abuelos. No creo que *(me la / nos la / se la)* haya enviado.

B. Tu mamá te pregunta si hiciste unas cosas que te pidió. Tú no las has hecho todavía. Contéstale las preguntas usando la forma *ir a* + infinitivo del verbo subrayado y los pronombres de complemento directo e indirecto.

Modelo — Rogelio, ¿le diste la medicina a tu abuela?
— No, *voy a dársela* ahora.

1. —Rogelio, ¿le llevaste el periódico a tu padre?

   —No, mamá. _______________ inmediatamente.
2. —Hijo, ¿me compraste las frutas?

   —Lo siento, mamá; no las compré. Ahora mismo _______________.
3. —Rogelio, ¿le explicaste el problema de matemáticas a tu hermanita?

   —No, mamá. No tuve tiempo. En cinco minutos _______________.
4. —Hijo, ¿nos trajiste los discos digitales de la tienda?

   —No pude, pero _______________ esta noche.

Examen: vocabulario y gramática 2

A. ¿Qué pueden hacer estas personas en cada una de las situaciones? Tú las ayudas, sugiriéndoles una solución. Completa las frases con una palabra del vocabulario estudiado en este capítulo.

1. —María Teresa tiene un accidente. ¿Qué hace para __1.__ con su esposo?
   —Ella debe usar un teléfono celular.
2. —Los padres de Dinora quieren ahorrar dinero calentando su __2.__ porque es una casa grande. ¿Qué pueden hacer?
   —Lo mejor es usar el sol como __3.__ solar.
3. —Si hay otra __4.__ tan mala como el cáncer, ¿qué deben hacer los científicos?
   —Deben de tratar de __5.__ nuevas medicinas para __6.__ la enfermedad.
4. —Sarita quiere ver unos programas de televisión de España. ¿Cómo los puede ver?
   —Tendrá que tener una televisión __7.__ para verlos.
5. —Miguel sabe mucho de computadoras. Quiere estudiar una profesión que será muy importante en el futuro. ¿Qué le recomiendas que estudie?
   —La profesión del futuro es la __8.__. Eso es lo que debe estudiar.

B. Arturo y Patricio hablan de los inventos de hoy día y lo fantásticos que son. Completa las frases usando una de las palabras del vocabulario estudiado en este capítulo.

—Creo que la __1.__ es algo fascinante. Puedes usar unos anteojos especiales y vivir una experiencia __2.__ real. Todo es a través de computadoras.

—Ahora, están usando robots. Se usan estas __3.__ para hacer mucho del trabajo que hacen las personas en las __4.__. Espero que no los usen para __5.__ a los trabajadores.

—Con los avances en la __6.__ ahora, con un poco de sangre, pueden saber quién es el criminal y capturarlo fácilmente.

—¿Has visto los coches eléctricos que algunas compañías han hecho? Ayudan a __7.__ la contaminación del aire, a que sea menos. Ahora no hay __8.__ para comprarlos, la mayoría de la gente no los compra porque son muy caros, pero dentro de unos años sí la habrá.

C. Octavio está pensando en lo que le pasará a él y a su familia en diez años. Para saber lo que habrá pasado, completa las frases con el futuro perfecto de uno de los verbos entre paréntesis.

A veces es difícil predecir lo que va a pasar, pero yo estoy casi seguro de que dentro de diez años yo __1.__ *(graduarse / despertarse)* de la universidad y __2.__ *(acostarse / irse)* a vivir a California. Mi hermana __3.__ *(casarse / levantarse)* con Felipe y ellos __4.__ *(inventar / tener)* uno o dos hijos. Mis padres __5.__ *(prolongar / comprar)* un apartamento en la ciudad para vivir allí. Y mis abuelos, probablemente, __6.__ *(mudarse / lavarse)* a Florida. Ésta es mi predicción. Ahora, dime, ¿qué __7.__ *(contaminar / hacer)* tú en diez años?

D. Tu padre te pide que hagas algunas cosas. Usa un mandato con *tú* y los pronombres de complemento directo e indirecto para escribir lo que te pide tu padre.

Modelo Tu abuelo necesita una medicina de la farmacia. (comprar)

Cómprasela.

1. Tu madre dice que el garaje está desordenado. (arreglar)

   ____________________.

2. Tus tíos necesitan estos productos ahora. (llevar)

   ____________________.

3. Yo quiero saber la verdad. (decir)

   ____________________.

4. Tu hermanita no entiende la tarea. (explicar)

   ____________________.

5. Tus primos quieren ver tu programa de realidad virtual. (mostrar)

   ____________________.

6. Después, tu madre y yo queremos leer el periódico. (traer)

   ____________________.

7. La Sra. Pérez necesita que le corten unas flores. (cortar)

   ____________________.

HOJA DE RESPUESTAS

A. (___ / ___ *puntos)*

1. ____________ 5. ____________
2. ____________ 6. ____________
3. ____________ 7. ____________
4. ____________ 8. ____________

B. (___ / ___ *puntos)*

1. ____________ 5. ____________
2. ____________ 6. ____________
3. ____________ 7. ____________
4. ____________ 8. ____________

C. (___ / ___ *puntos)*

1. ____________ 5. ____________
2. ____________ 6. ____________
3. ____________ 7. ____________
4. ____________

D. (___ / ___ *puntos)*

1. ____________ 5. ____________
2. ____________ 6. ____________
3. ____________ 7. ____________
4. ____________

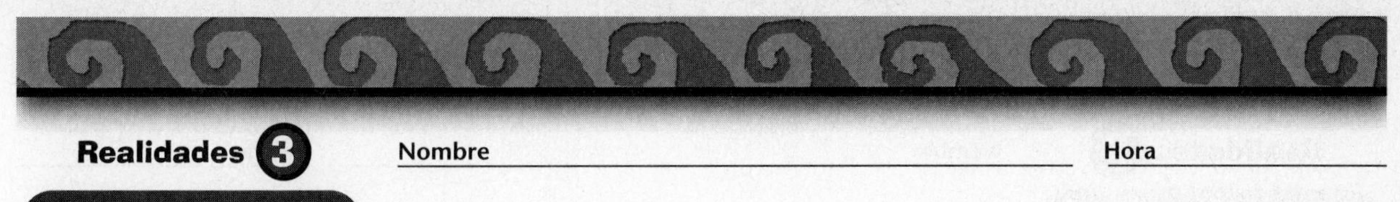

EXAMEN DEL CAPÍTULO 6

A. Escuchar

La Sra. Robles es consejera de una escuela secundaria. Varios estudiantes la visitan para hablar de los resultados de sus exámenes de intereses y habilidades. Escucha la conversación de cada estudiante para saber: (1) según el examen, cuál es uno de sus intereses o habilidades y (2) qué hará después de graduarse o qué le gustaría hacer en su futura carrera. Mientras escuchas, puedes tomar apuntes en el recuadro de tu hoja de respuestas. Luego, completa la tabla. Vas a oír cada conversación dos veces.

B. Leer

Los estudiantes de la Sra. Rodríguez han escrito una composición sobre lo que cada uno hará en el futuro. Lee con mucho cuidado la composición de Arturo sobre lo que hará en el futuro. Luego, lee las frases en tu hoja de respuestas y escribe *C* si son ciertas o *F* si son falsas.

Dentro de dos semanas habré terminado mis estudios y me inscribiré en la Escuela Culinaria de Nueva York. Allí estudiaré para ser cocinero. Los cursos que tomaré son los de cocina mexicana y española. Tomaréé también un curso especial de postres, pasteles y helados. Los cursos duran cuatro años y habrá mucho que aprender, pero como me interesa, voy a estudiar mucho, y terminaré los cursos muy pronto. En dos años, habré obtenido mi diploma y habré ahorrado lo suficiente para poner tres restaurantes. El primero será de comida mexicana y serviremos comida del sur de México. En el segundo, ofreceremos comida española y por la noche cantará un grupo de música moderna. Por último, abriré una tienda de helados y pasteles, que será un éxito porque tendré muchas recetas deliciosas que me habrán dado mis dos abuelas. Como habré tenido mucho éxito, también estaré en la televisión. ¡Los cocineros más famosos muestran sus recetas en sus programas, y yo seré uno de ellos! ¿Será éste un sueño imposible? Ya veremos . . .

C. Escribir

Quieres participar en un programa de radio que se llama "Nuestro Mundo". Para hacerlo, tienes que entregar un párrafo al gerente de la estación sobre los avances y problemas científicos que habrá en los próximos 50 años. ¿Cómo cambiará la vida de la gente debido a los avances tecnológicos? ¿Qué otras cosas ocurrirán? ¿Qué problemas actuales se habrán eliminado?

Para evaluar tu escrito, se considerará:

- la cantidad de detalles que provees.
- el uso correcto de la gramática.
- la variedad de expresiones y vocabulario que usas para describir el futuro.

D. Hablar

Imagina que pronto tendrás una entrevista con el representante de una universidad, para que te den una beca *(scholarship)*. Vas a practicar lo que vas a decirle al representante con tu profesor(a). Explícale cuáles son tus intereses y habilidades, qué quieres hacer al graduarte de la escuela secundaria, qué trabajo quieres tener en el futuro y qué te gustaría realizar en la vida.

Para evaluar tu presentación, se considerará:

- la cantidad de detalles que provees.
- el uso correcto de la gramática.
- tu pronunciación y fluidez.

E. Cultura

Piensa en lo que han dicho algunos jóvenes españoles en este capítulo sobre el tema de seguir viviendo en casa de sus padres. Compara lo que piensan y hacen ellos con lo que piensan y hacen los jóvenes en los Estados Unidos.

HOJA DE RESPUESTAS, EXAMEN DEL CAPÍTULO 6

A. Escribir (___ / ___ *puntos*)

MIS APUNTES

Teresa	
Berto	
Margarita	
Juan	
Pepe	

	¿Según el examen, cuál es uno de sus intereses o habilidades?	¿Qué hará después de graduarse o qué le gustaría hacer en su futura carrera?
Teresa		
Berto		
Margarita		
Juan		
Pepe		

B. Leer (___ / ___ *puntos*)

1. ______ Arturo cree que habrá terminado los cursos de cuatro años en dos años.
2. ______ Arturo cree que habrá salido en la televisión antes de graduarse.
3. ______ Arturo no tiene dinero, pero le habrán dado dinero con su diploma.
4. ______ Arturo no tiene recetas de helados y pasteles, pero sus abuelas se las darán.
5. ______ Arturo tiene muchos sueños para el futuro, cree que todo es posible.

Nombre ______________________ Hora ______

Fecha ______________

Hoja de respuestas,
Examen del capítulo 6, Página 2

C. Escribir *(___ / ___ puntos)*

D. Hablar *(___ / ___ puntos)*

E. Cultura *(___ / ___ puntos)*

Prueba 7-1

Comprensión del vocabulario 1

A. En la clase de historia el profesor les habla sobre los mayas. Escoge la mejor palabra para completar sus frases.

1. Los toltecas, los zapotecas y los mayas fueron ______ antiguos que vivieron en México.

a. pueblos **b.** diseños **c.** misterios

2. Una de las ______ más impresionantes de las Américas fue la maya.

a. centímetros **b.** civilizaciones **c.** arqueólogos

3. Por ejemplo, si Uds. visitan la ciudad maya de Chichén Itzá, podrán ver allí una ______ que se llama El Castillo.

a. pirámide **b.** arqueóloga **c.** nave espacial

4. En las paredes de El Castillo se pueden observar ______ geométricos muy interesantes.

a. mitos **b.** diseños **c.** pueblos

5. En Chichén Itzá también hay un ______ donde los mayas estudiaban los movimientos del sol y de la luna.

a. geométrico **b.** misterio **c.** observatorio

6. Y hay estatuas de piedra que pesan varias ______.

a. estructuras **b.** ruinas **c.** toneladas

7. Todavía hoy, en muchos lugares de México donde vivieron los mayas, los arqueólogos siguen ______ y encontrando objetos de esa civilización.

a. excavando **b.** dudando **c.** cubriendo

8. Los ______ estudian los objetos y descubren nuevas cosas sobre los mayas.

a. pirámides **b.** arqueólogos **c.** fenómenos

9. Nadie sabe por qué desapareció esta fantástica civilización. Es un ______.

a. misterio **b.** diseño **c.** diámetro

B. En la clase de matemáticas están aprendiendo las diferentes formas geométricas. Escoge el dibujo que corresponda a cada frase.

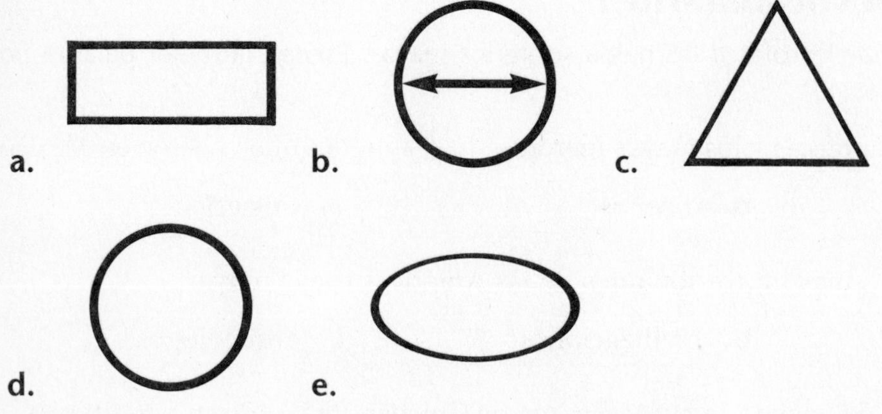

1. Un triángulo tiene tres lados. ______
2. Esta figura redonda es un círculo. ______
3. Y esto es un óvalo. Es diferente al círculo. ______
4. Un rectángulo tiene cuatro lados. ______
5. Esta línea que pasa por el centro del círculo es el diámetro. ______

C. José nos habla de su visita a la ciudad maya de Uxmal. Para saber qué pasó, subraya la palabra entre paréntesis que mejor complete la frase.

El año pasado visité Uxmal, unas *(distancias / ruinas)* mayas en Yucatán, con mi clase de español. Allí visitamos el Templo de las Tortugas, un edificio con una *(estructura / evidencia)* muy interesante. Medimos el templo. El *(círculo / largo)* es de unos 60 pies y el *(centímetro / ancho)* es de 33 pies.

Es un edificio de cinco cuartos. Nadie sabe cuál era la *(inexplicable / función)* de estos cuartos, pero cuando entré en uno de ellos, algo muy *(misterioso / misterio)* me pasó, algo *(probable / inexplicable)*. Me pareció ver una cara maya que gritaba de dolor. Yo no dije nada, pero cuando el guía terminó de hablar del edificio, nos dijo que allí habían matado a un jefe maya de una manera horrible. ¡Qué fenómeno más *(extraño / redondo)*! ¿No?

Prueba 7-2

Aplicación del vocabulario

A. Fernando y César están hablando sobre un artículo que leyeron en el periódico sobre unas piedras mayas que encontraron. Completa el diálogo usando una palabra apropiada del vocabulario estudiado.

—César, ¿qué te parece la enorme piedra maya que encontraron la famosa ________________ María Guisado y sus ayudantes en Tikal? Como ella ha estudiado tanto la ________________ maya, ella sabía en qué lugar sus ayudantes debían ________________ y buscar para encontrarla.

—Es una piedra bastante grande. Ella piensa que debe ________________ más de una tonelada. Los diseños ________________ que tiene de triángulos y rectángulos son impresionantes.

—También es interesante la otra piedra pequeña que encontraron al lado de la grande. ¿Cuánto ________________ de largo?

—Unos 15 ________________, así, un poco menos que el largo de mi mano. La Dra. Guisado no sabe para qué las usaban. ¿Cuáles eran las ________________ de estas piedras? Todo esto es un ________________ difícil de resolver, pero ella espera resolverlo algún día.

—Es casi seguro, o ________________, que sigan encontrando otros objetos y piedras, ¿verdad?

—Sí, la doctora dice que espera seguir encontrando más cosas.

B. Ernestina está escuchando un programa en la radio sobre los extraterrestres. Completa las frases con una palabra apropiada del vocabulario estudiado para saber qué dice el locutor.

¿Creen Uds. en los extraterrestres? ¿Hay información real, o ____________, de que esta gente pueda ____________, vivir como nosotros y entre nosotros? Hay fotos, pero nadie puede explicarlas bien porque no son reales. Por ejemplo, ayer leí un artículo de un señor que vio una ____________ en el desierto de Nuevo México. Él cree que los extraterrestres llegaron en ella.

Dice que no era muy grande y que era ____________, en forma de círculo y no en forma de ____________, como un huevo, como muchas otras que se han visto antes. El señor dice que puede hablar de ella porque sólo estaba a una ____________ de 20 metros.

También dice que la ____________ era de metal y que no era estrecha; piensa que el ____________ era de unos cinco metros. Era más o menos baja. Cree que medía unos cuatro metros de ____________, más del doble de la altura de una persona. Finalmente, dice que no vio a nadie y que no pudo sacar fotos porque su cámara no funcionaba en ese momento. Todo esto es muy extraño y ____________. ¿No creen Uds.?

C. Te encantan los crucigramas. Sólo necesitas siete palabras más para terminarlo. A ver si puedes resolverlo. Escribe la(s) palabra(s) según la definición que se da. Son palabras que estudiaste en este capítulo.

1. Si queremos medir una estructura tenemos que hacer eso con el largo, el alto y el ancho. Lo hacemos en matemáticas con números. ____________
2. Dibujar una línea. ____________
3. No creer. ____________
4. Porque. ____________
5. Lugar donde se estudian las estrellas y el espacio. ____________
6. Algo que observamos, pero que es extraño o inexplicable. ____________
7. Poner algo sobre otra cosa. ____________

Prueba 7-3

El presente y el presente perfecto del subjuntivo con expresiones de duda

A. Luis y Antonio hablan de las naves espaciales y los extraterrestres después de ver un documental en la televisión. Completa el diálogo usando el presente del indicativo o el presente del subjuntivo del verbo entre paréntesis.

—Luis, sabes, es posible que las naves espaciales nos ____________ *(visitar)* a menudo.

—Es improbable que ____________ *(existir)* esas naves.

—Pero mira las fotos. Es evidente que ____________ *(ser)* reales.

—No puedes creer en esas fotos. No es posible que esas naves ____________ *(poder)* andar por el cielo tan fácilmente.

—Yo pienso de manera diferente. Creo que los extraterrestres ____________ *(vivir)* entre nosotros, y es imposible que nosotros ____________ *(saber)* exactamente quiénes son extraterrestres y quiénes no lo son.

—¿Qué dices? Es imposible que ____________ *(haber)* extraterrestres viviendo aquí.

—Es posible que tú no ____________ *(entender)* de estas cosas.

—Tal vez. Pero también es posible que tú ____________ *(estar)* muy loco.

B. Un grupo de estudiantes de la clase de historia de Latinoamérica habla sobre los misterios de las líneas de Nazca. Completa sus frases usando el presente perfecto del indicativo o el presente perfecto del subjuntivo del verbo en paréntesis.

—Yo dudo que los extraterrestres ____________ *(trazar)* las líneas de Nazca.

—Pues yo creo que ____________ *(ser)* los indios de Nazca. Ellos tenían una civilización bastante avanzada.

—Es posible que los extraterrestres y los indios ____________ *(comunicarse)* en algún momento en el pasado.

—No creo que eso ____________ *(ocurrir)*. ¿Cómo?

—Bueno, los dibujos sólo se ven desde un avión. Entonces no es imposible pensar que ellos los ____________ *(trazar)* para aterrizar *(to land)* sus naves espaciales.

—No sabemos quiénes las ____________ *(construir)*, pero sí es evidente que esas personas ____________ *(tener)* grandes conocimientos artísticos.

Examen: vocabulario y gramática 1

A. Estás ayudando a tu hermanita a estudiar geometría. Escribe lo que se describe.

Es una figura redonda. ___1.___

Una figura que tiene la forma de un huevo. ___2.___

Figura que tiene tres lados. ___3.___

Tiene cuatro lados, dos más largos y dos más cortos. ___4.___

¿Cómo se llama la línea que pasa por el centro de un círculo? ___5.___

B. Irma está escribiendo un informe sobre los mayas. Completa esta parte de su informe con las palabras apropiadas.

La ___1.___ maya fue una de las culturas más importantes de Centroamérica y de Yucatán, México.

Su cultura ___2.___ hace muchos años y luego, de una manera inexplicable y ___3.___, desapareció.

Los mayas eran un ___4.___, es decir un grupo de personas, que sabía mucho de matemáticas y astronomía, y también eran grandes arquitectos y artistas.

En los ___5.___ que tenían en sus ciudades podían estudiar los movimientos de la luna y el sol, y con sus conocimientos de matemáticas podían calcular y predecir algunos ___6.___ naturales.

Además de trabajar la cerámica y la pintura, fueron excelentes arquitectos. Sus templos y ___7.___ enormes estaban decorados con ___8.___ geométricos muy bonitos. Sus estatuas, hechas de piedra, también son enormes. Algunas de ellas pueden ___9.___ más de tres metros de alto y pesar varias ___10.___. Desafortunadamente hoy en día sus impresionantes construcciones son ___11.___ y muchas no se pueden ver, ___12.___ la vegetación de la selva las cubre.

C. Carlos y Tomás están en una excavación, con un programa especial de la universidad. Completa el diálogo con el presente del indicativo o el presente del subjuntivo del verbo entre paréntesis.

—Yo creo que muy pronto nosotros __1.__ *(ir)* a encontrar algo importante aquí.

—No creo que __2.__ *(encontrar)* nada. Hace tres días que estamos excavando, y nada.

—Ten confianza. El profesor Antón nos dijo que él está seguro que éste __3.__ *(ser)* el lugar.

—Dudo que él __4.__ *(tener)* razón. Es probable que él __5.__ *(saber)* mucho de los mayas, pero de excavación no sabe nada.

—Es evidente que tú __6.__ *(estar)* cansado. Vuelve al campamento. Mañana será otro día.

—Es imposible que yo __7.__ *(poder)* descansar allí con este calor.

—Entonces, no hables más y __8.__ *(seguir)* trabajando. Ya encontraremos algo.

D. Después de salir de la clase de historia y oír de los misterios que existen en las Américas, varios estudiantes están dando opiniones. Completa las frases con el presente perfecto del indicativo o el presente perfecto del subjuntivo del verbo entre paréntesis.

—En la tumba de Pakal, en Palenque, hay una piedra que tiene trazada la figura de un hombre sentado en una nave espacial. ¿Es posible que los mayas __1.__ *(tener)* contacto con los extraterrestres?

—No sabemos exactamente por qué los incas construyeron Machu Picchu, pero yo no creo que la __2.__ *(construir)* como centro comercial. Está muy lejos de todo.

—Otro misterio son las enormes piedras que hay en la ciudad de Tiahuanaco, ¿cómo las levantaron? No creo que __3.__ *(usar)* animales para llevarlas de un lugar a otro; pesan mucho.

—¿Qué dicen Uds. de las líneas de Nazca? Para mí es dudoso que los indios las __4.__ *(trazar)*.

—Yo creo que los arqueólogos __5.__ *(resolver)* muchos de los misterios de las culturas precolombinas, pero todavía hay muchos más sin resolver.

HOJA DE RESPUESTAS, EXAMEN 1

A. (___ / ___ *puntos*)

1. ________ 4. ________
2. ________ 5. ________
3. ________

B. (___ / ___ *puntos*)

1. ________ 7. ________
2. ________ 8. ________
3. ________ 9. ________
4. ________ 10. ________
5. ________ 11. ________
6. ________ 12. ________

C. (___ / ___ *puntos*)

1. ________ 5. ________
2. ________ 6. ________
3. ________ 7. ________
4. ________ 8. ________

D. (___ / ___ *puntos*)

1. ________ 4. ________
2. ________ 5. ________
3. ________

Prueba 7-4

Comprensión del vocabulario 2

A. En la clase de historia de Latinoamérica el profesor Díaz les hace preguntas a sus estudiantes sobre los aztecas. Subraya la palabra entre paréntesis que mejor complete cada frase.

—Pepe, ¿qué era la ciudad de Teotihuacán para los aztecas?

—Era la ciudad *(mito / sagrada)* de los dioses.

—Bien. Carlos, según una leyenda azteca, ¿por qué la luna tiene *(creencias / sombras)*?

—Porque le *(arrojaron / brillaron)* un *(conejo / símbolo)* para cubrir su luz que *(pesaba / brillaba)* más que la luz del sol.

—Muy bien. Teresa, según otra leyenda azteca, ¿quiénes querían ser el centro del mundo y *(convertirse / brillar)* en el sol?

—Los dioses, profesor.

—Bien. Sabemos que los dioses compitieron para ser el sol, pero durante uno de los *(intentos / orígenes)*, ¿qué destruyeron, Ramón?

—Destruyeron a los *(astrónomos / habitantes)* de *(los eclipses / la Tierra)*.

—Muy bien. Ahora, dime Josefina, ¿en qué se basaba la *(escritura / origen)* de los aztecas?

—Ellos mezclaban dibujos y *(sombras / símbolos)*.

—Claro. Inés, ¿por qué tenían observatorios los aztecas?

— Eran como los mayas. Porque ellos *(al igual que / cualquier)* los mayas, eran muy buenos *(conejos / astrónomos)*. Podían observar no sólo los movimientos del sol, *(sino / o sea que)* también los de la luna.

—¡Muy bien! Estoy muy orgulloso de Uds. Bueno, también sabemos que los aztecas tenían muchas *(creencias / sagradas)* interesantes para explicar las cosas. Hoy hablaremos cómo explicaban ellos el *(habitante / origen)* del ser humano.

B. Hortensia está leyendo un párrafo en su libro sobre las civilizaciones antiguas. Usando las palabras del recuadro, completa las frases del párrafo.

mitos	símbolos	cualquier	teorías
eclipses	leyendas	dioses	universo

Los científicos de hoy día usan ______ para explicar ______ fenómeno natural. Las antiguas civilizaciones usaban las ______ y los ______ para explicar los misterios del ______. Por ejemplo, los mayas no sabían como ocurrían los ______, por eso le decían a su gente que cuando el sol estaba oscuro era porque los ______ estaban enojados.

C. Escribe la palabra según la definición que se da. Son palabras que estudiaste en este capítulo.

1. Lo que el sol hace para que sea de noche. ______
2. Ayudar o darle cosas a alguien. ______
3. Incluyendo la Tierra, hay nueve. ______
4. Es decir. ______
5. Dibujos que se usan para escribir. ______

Prueba 7-5

Aplicación del vocabulario 2

A. En la clase de español están practicando el vocabulario estudiado. Escribe un sinónimo de la(s) palabra(s) subrayada(s).

1. El sol, la luna, los planetas y las estrellas están llenos de misterios, ¿verdad?

   ____

2. Los aztecas nos explican el comienzo del día y la noche en forma de cuento.

   ____

3. Los aztecas veían en la luna la figura de un animal que come zanahorias.

   ____

4. Los aztecas, como los mayas, sabían mucho sobre el sol, la luna y Venus.

   ____

5. Cuando el sol desaparece, empieza a caer la noche. ____________
6. ¿Quiénes le tiraron un conejo a la luna? ____________
7. El sol da mucha luz durante el día. ____________
8. El sol se escondió detrás de las nubes, pero luego salió y pudimos verlo otra vez.

   ____

9. Los mayas y los aztecas dieron mucho a la civilización mundial. Por ejemplo, los mayas tenían el concepto del cero. ____________
10. Muchas vecas desarrollamos ideas científicas para explicar los fenómenos naturales. ____________

B. Estás escribiendo un informe sobre los aztecas y los mayas para tu clase de historia. Usa palabras del vocabulario estudiado para completar parte de tu informe.

La vida de los aztecas y los mayas estaba llena de ______________ religiosas que explicaban con ______________ exageradas y ______________ fantásticos. Los aztecas creían en muchos ______________, siendo Quetzalcóatl uno de los más importantes. Pensaban que la ciudad de Teotihuacán era donde ellos vivían, por lo tanto era una ciudad ______________ con mucha importancia religiosa.

Los aztecas eran grandes ______________ que estudiaban no sólo el sol, sino también la luna y el ______________ Venus.

Los mayas, aunque también sabían mucho de astronomía, no sabían por qué ocurrían algunos fenómenos naturales como los ______________. Para explicarles ese fenómeno a todos los ______________ de sus ciudades, les decían que cuando el sol estaba oscuro era porque los dioses se enojaban.

Otra cosa interesante de los aztecas era su ______________. Escribían con dibujos y también usaban símbolos que a veces representaban ideas abstractas y complicadas.

Nombre _______________ Hora _______________

Fecha _______________

Prueba 7-6

Pero y sino

La profesora de historia les está hablando a sus estudiantes de los mayas y los aztecas. Completa las frases usando *pero, sino* o *sino que.*

1. Los mayas no creían en un solo dios, _______________ en muchos.
2. Los aztecas, al igual que los mayas, tenían muchos dioses, _______________ Huitzilopochtli era el más importante.
3. Es interesante que Huitzilopochtli no era sólo el dios de la guerra, _______________ también el dios del sol.
4. Los mayas sabían mucho de astronomía, _______________ no sabían cómo ocurrían los eclipses.
5. El calendario azteca y maya no sólo mostraba los días, _______________ mostraba cómo se movían el sol, la luna y el planeta Venus.
6. Ellos, también, tenían dos calendarios. Uno, el ritual, era de 265 días, _______________ el otro, el solar, tenía 365 días.
7. Los mayas, como los aztecas, no sólo construyeron templos, _______________ también pirámides.
8. El arte religioso azteca y maya no sólo se ve en la escultura de piedra, _______________ también aparece en la arquitectura, la pintura mural y la cerámica.
9. Entre los siglos XIII y XV, los mayas tomaron posesión del norte de Yucatán y crearon una gran civilización, _______________ las guerras entre ellos y otros grupos trajeron su destrucción.
10. Los aztecas también tuvieron una gran civilización, _______________ ésta no terminó por guerras entre ellos, _______________ por la destrucción hecha por los conquistadores.

Prueba 7-7

El subjuntivo en cláusulas adjetivas

A. Gabriel está buscando un programa de verano en una universidad, pero parece no tener mucha suerte. Completa las frases con el presente del indicativo o el presente del subjuntivo del verbo entre paréntesis.

Estoy buscando una universidad con algún programa de estudios mayas en México o Guatemala. Me interesa un programa que ______________ *(ofrecer)* vivienda con una familia mexicana, que ______________ *(incluir)* excavaciones en un lugar que ______________ *(estar)* cerca de algunas ruinas y que no ______________ *(ser)* muy caro.

La universidad de mi estado ofrece uno que ______________ *(incluir)* excavaciones, que ______________ *(estar)* cerca de unas ruinas y que ______________ *(ser)* bastante barato, pero es en Perú, para estudiar la civilización inca.

¿Saben Uds. de alguna universidad que ______________ *(tener)* un programa de estudios mayas como el que describí?

B. El Sr. Trejo está en una agencia de viajes planeando un viaje a México porque quiere visitar unas ruinas mayas. Completa el diálogo usando el presente del indicativo o el presente del subjuntivo.

—Mire, señorita, estoy interesado en visitar unas ruinas mayas que ______________ *(mostrar)* buenos ejemplos de su arquitectura. Me gustaría ir a un lugar en el que ______________ *(haber)* un hotel cerca y . . .

—Las ruinas de Uxmal en Yucatán tienen ruinas que ______________ *(ser)* impresionantes.

—Bien. Pero también quería decirle que busco unas ruinas que ______________ *(tener)* un observatorio. Yo soy astrónomo, como lo eran los mayas.

—Bueno, éstas ruinas no ______________ *(tener)* un observatorio, pero las de Chichén Itzá sí lo tienen. También hay un hotel que yo siempre ______________ *(recomendar)*. El hotel "Mi Tierra Maya" es excelente.

—Entonces hágame la reservación para el próximo fin de semana, por favor.

Examen: vocabulario y gramática 2

A. El profesor de historia les habla a sus estudiantes sobre los aztecas. Completa las frases usando las palabras del capítulo.

Para los aztecas ver el sol ___1.___ por el este y ___2.___ por el oeste era algo ___3.___, algo de los dioses. Así era como su dios Huitzilopochtli, dios del sol, nacía por las mañanas y moría por las noches. Como los aztecas no entendían por qué ocurrían estas cosas, ellos usaban los ___4.___ y las ___5.___ para explicar estos fenómenos a la gente, a los ___6.___ de sus ciudades. Por ejemplo, ellos decían que en la luna se podía ver la imagen de un ___7.___ porque los antiguos dioses decidieron ___8.___ este animal de orejas largas para cubrir un poco la luz de la luna. El sol debía ___9.___ más, dar más luz que la luna. ¿Qué les parece todo esto? ¿No es fascinante?

B. En la clase de astronomía la profesora habla con los estudiantes sobre algunos fenómenos de la naturaleza. Completa sus ideas con una palabra apropiada del vocabulario estudiado.

Los científicos observan los fenómenos que ocurren en todo el ___1.___, y desarrollan sus ___2.___ para explicarnos nuestro mundo. Hay ___3.___ que estudian los movimientos del sol, las estrellas, la luna y los ___4.___ como la Tierra y Venus.

La semana próxima Uds. van a poder ver un fenómeno natural muy interesante, un ___5.___ de luna. Este fenómeno ocurre cuando la Tierra está entre el sol y la luna y la ___6.___ de la Tierra deja oscura la luna.

C. Estás leyendo algunas informaciones de interés sobre los mayas. Completa las frases usando *pero, sino* o *sino que.*

1. Leer sobre la civilización maya no sólo es interesante, ___1.___ es fascinante, también.
2. Algo muy interesante sobre los mayas es que ellos conocían la rueda, ___2.___ nunca la usaron para mover cosas.
3. Los mayas no sólo contribuyeron con sus conocimientos de agricultura, ___3.___ también con sus conocimientos de matemáticas.
4. Los mayas no bebían café, ___4.___ chocolate.
5. Cuando los españoles llegaron, la civilización maya ya había desaparecido, ___5.___ sus creencias han seguido viviendo entre los mayas de hoy.

D. La jefa del departamento de arqueología de la universidad local busca a un(a) ayudante para su oficina. Ella habla con un amigo. Completa las frases con el presente del indicativo o el presente del subjuntivo de los verbos entre paréntesis.

—Oye, Antonio, el semestre próximo voy a enseñar un curso sobre los mayas y estoy buscando a una persona que ___1.___ *(haber)* estudiado las civilizaciones antiguas de México, que ___2.___ *(ser)* dedicada y responsable, y que le ___3.___ *(gustar)* trabajar con los jóvenes.

—Pues, yo conozco a una persona que ___4.___ *(ser)* dedicada y responsable y que ___5.___ *(estudiar)* en México.

—Necesito que esa persona ___6.___ *(saber)* mucho de la civilización maya, que ___7.___ *(tener)* experiencia con excavaciones y que ___8.___ *(poder)* enseñar.

—Bueno, yo sé que esta persona siempre ___9.___ *(trabajar)* en excavaciones en varias ruinas mayas y que este mes ___10.___ *(graduarse)* de arqueología de la Universidad de México.

—¿Quién es?

—¡Es mi hija, Elena!

HOJA DE RESPUESTAS, EXAMEN 2

A. *(___ / ___ puntos)*

1. ______
2. ______
3. ______
4. ______
5. ______
6. ______
7. ______
8. ______
9. ______

B. *(___ / ___ puntos)*

1. ______
2. ______
3. ______
4. ______
5. ______
6. ______

C. *(___ / ___ puntos)*

1. ______
2. ______
3. ______
4. ______
5. ______

D. *(___ / ___ puntos)*

1. ______
2. ______
3. ______
4. ______
5. ______
6. ______
7. ______
8. ______
9. ______
10. ______

EXAMEN DEL CAPÍTULO 7

A. Escuchar

Bienvenidos al programa de entrevistas de don Fernando. Don Fernando está conversando con el Dr. Cruz, el famoso arqueólogo puertorriqueño, y los miembros de su equipo arqueológico. Escucha la entrevista con cada arqueólogo para saber: (1) qué civilización estudió, (2) qué excavó o qué encontró y (3) qué uso tenía. Mientras escuchas, puedes tomar apuntes en el recuadro de tu hoja de respuestas. Luego, completa la tabla. Vas a oír cada entrevista dos veces.

B. Leer

Lee las siguientes leyendas. Luego, en tu hoja de respuestas, marca la respuesta a las preguntas.

De cómo se hizo árbol la semilla *(seed)* (Leyenda inca)

La semilla estaba muy sola y aburrida en la tierra. El sol la vio y le preguntó:

—¿Qué te pasa?

—Nada —le contestó la semilla— pero estoy muy aburrida, y no conozco a nadie que quiera jugar.

—¿Quieres jugar conmigo? —le preguntó el sol.

—¡Sí, gracias! —le contestó la semilla.

El sol se escondía detrás de las nubes y la semilla lo buscaba. Después de un tiempo, la semilla y el sol se enamoraron, pero el sol estaba muy lejos. Entonces la semilla decidió crecer y se convirtió en árbol para poder llegar hasta el sol.

Desde entonces los incas cuidaron ese árbol, y su dios, el sol, nunca estuvo solo.

Los lagos Chungará y Cota-Cotani (Leyenda inca)

Cuenta la leyenda que la princesa *(princess)* y el príncipe *(prince)* de dos tribus estaban enamorados. El suyo era un amor imposible porque las tribus se peleaban.

Sus familias trataron de separarlos de diferentes maneras, pero nada funcionó. Por fin, los sacerdotes *(priests)* decidieron sacrificarlos para que nunca pudieran estar juntos. Una noche oscura y sin luna mataron al príncipe y a la princesa.

Era tanto el amor de la pareja que hasta la naturaleza se sintió triste. Las nubes y la luna comenzaron a llorar. Los animales aullaron *(howled)*, y las tormentas cayeron sobre la tierra. Llovió durante muchos días y noches. Hubo inundaciones y las dos tribus enemigas desaparecieron bajo el agua. En su lugar quedaron dos hermosos lagos.

Se dice que a veces en estos lagos se pueden ver pasar a los dos enamorados en un pequeño bote.

C. Escribir

Piensa en uno de los misterios arqueológicos de los que han hablado en la clase. Escribe un párrafo sobre la civilización en la que se originó este fenómeno y una explicación posible sobre el mismo. Incluye el mito o la leyenda con que está relacionado.

Para evaluar tu escrito, se considerará:

- la cantidad de información que provees.
- tu capacidad de volver a contar una historia.
- el uso correcto de la ortografía, y del vocabulario y la gramática recién aprendidos.

D. Hablar

Piensa en un misterio inexplicable que te interese. Puede ser moderno o antiguo. Describe el misterio y la explicación popular que está relacionada con él. Sugiere además una explicación lógica para ese misterio.

Para evaluar tu presentación, se considerará:

- tu descripción del misterio y las explicaciones sobre el mismo.
- el uso correcto de la gramática cuando narras el pasado.
- la facilidad para entenderte y tu organización.

E. Cultura

Piensa en alguna leyenda o mito que hayas estudiado en este capítulo. Describe el mito y explica la función que tenía.

HOJA DE RESPUESTAS, EXAMEN DEL CAPÍTULO 7

A. Escuchar (___ / ___ *puntos)*

MIS APUNTES

1. Dr. Cruz		
2. Dra. Gutiérrez		
3. Dr. Martínez		
4. Dra. Maldonado		
5. Dra. Hernández		

	¿Qué civilización estudió?	**¿Qué excavó o qué encontró?**	**¿Qué uso tenía?**
1. Dr. Cruz			**científico** **sagrado**
2. Dra. Gutiérrez			**científico** **sagrado**
3. Dr. Martínez			**científico** **sagrado**
4. Dra. Maldonado			**científico** **sagrado**
5. Dra. Hernández			**científico** **sagrado**

B. Leer (___ / ___ *puntos)*

De cómo se hizo árbol la semilla

1. ¿Cómo jugaban la semilla y el sol?
- **a.** La semilla se escondía y el sol la buscaba.
- **b.** El sol se escondía y la semilla lo buscaba.
- **c.** Jugaban cuando estaban aburridos.

2. ¿Por qué cuidaron los incas ese árbol?
- **a.** Para tener protección del sol.
- **b.** Para divertir a la semilla.
- **c.** Para darle compañía al sol.

Los lagos Chungará y Cota-Cotani

3. ¿Por qué no podían casarse el príncipe y la princesa?
a. Porque el príncipe mató a la princesa.
b. Porque los animales aullaban.
c. Porque sus tribus estaban en guerra.

4. ¿Cómo murieron el príncipe y la princesa?
a. Se cayeron de una gran roca.
b. Fueron sacrificados por los sacerdotes.
c. Los mataron en una batalla.

5. Los lagos Chungará y Cota-Cotani se crearon porque . . .
a. había dos tribus enemigas.
b. los sacerdotes eran amigos de las tribus.
c. las nubes y la luna lloraron durante días y noches.

C. Escribir *(___ / ___ puntos)*

D. Hablar *(___ / ___ puntos)*

E. Cultura *(___ / ___ puntos)*

Prueba 8-1

Comprensión del vocabulario 1

A. En la clase de historia del arte, el profesor habla de la arquitectura que se ve hoy día en España. Escoge el dibujo que corresponda a cada frase.

a. 

b. 

c. 

d. 

e. 

f. 

1. Los romanos y los árabes contribuyeron mucho en la arquitectura española con los arcos que se ven en puentes y edificios. ______
2. Los romanos también trajeron a España el acueducto para traer agua a las ciudades. ______
3. Para decorar sus patios, los árabes no sólo usaban fuentes, sino también azulejos. ______
4. Los árabes también decoraban sus ventanas y puertas con rejas. ______
5. Otra influencia árabe en la arquitectura española son los balcones. ______
6. También se ve la influencia árabe en las torres de muchos edificios. ______

B. En tu libro de historia estás leyendo un párrafo sobre la influencia árabe en España. Subraya la palabra que mejor completa cada frase.

La cultura árabe ha influido mucho en España. Los árabes *(invadieron / expulsaron)* la península en el año 711, la *(invadieron / conquistaron)* en poco tiempo y la *(reconquistaron / ocuparon)* por casi ocho siglos.

Hicieron de Córdoba su capital, ciudad que *(maravilla / anteriormente)* había sido romana. Allí, además de construir la Mezquita, que es una *(población / maravilla)*, *(fundaron / gobernaron)* una universidad muy famosa. Fue durante este tiempo que muchos grupos *(únicos / étnicos)* pudieron *(conquistar / integrarse)* a la nueva cultura fácilmente. La *(conquista / población)* judía y la *(étnica / cristiana)* *(asimilaron / expulsaron)* el arte árabe y lo mezclaron con sus propias decoraciones. Aunque Toledo es el mejor ejemplo, no es la *(idioma / única)* ciudad donde encontramos *(maravillosos / judíos)* ejemplos de la mezcla de estas tres culturas.

C. Estás escribiendo un informe sobre los romanos en España. Este párrafo es parte de tu informe. Completa las frases usando las palabras del recuadro. No todas las palabras son necesarias.

unidad	dominaron	idioma	construcción
época	dejaron huellas	maravilla	influencias

España es un país que ha tenido ____________________ de muchas culturas. Por ejemplo, los romanos llegaron en el siglo III a.C. y ____________________ la región hasta el siglo V d.C. Ellos ____________________ diferentes por todas partes de la península. Durante esta ____________________, los romanos trajeron el orden con la ____________________ política y la ____________________ de puentes y acueductos. También contribuyeron al ____________________ español al traer el latín.

Prueba 8-2

Aplicación del vocabulario 1

A. Gloria tiene que escribir un informe sobre las influencias que dejaron algunas culturas en España. Ayúdala a terminar el informe completando las frases con la mejor palabra del vocabulario estudiado en este capítulo.

España es un país donde han vivido muchas culturas o grupos ____________________ y cada uno ha podido ____________________, pero también dejar huellas que todavía son visibles por toda España.

La influencia de los romanos empezó en el siglo III a.C. cuando ellos llegaron a la península. En este tiempo, o ____________________, los romanos construyeron ____________________ para traer agua a las ciudades, calles y puentes. También contribuyeron al ____________________ español porque ellos hablaban el latín que es la base del español. Como ____________________ a que ellos llegaran había mucho desorden político y social, la ____________________ política fue necesaria. Con ellos también entró a la península la religión cristiana.

Otro grupo que dejó huellas en España fueron los árabes, que llegaron de África. Ellos trajeron la religión ____________________ y, al construir sus mezquitas, también construyeron sus hermosos y ____________________ arcos, decorados con ____________________ de muchos colores. Hoy en día vemos la ____________________ de los árabes en la ____________________ de los edificios, especialmente en Andalucía. El uso de ____________________, o medios círculos, en las ventanas y las puertas, y de ____________________ para dar color y un diseño geométrico es típico de los árabes. También, se ven en las casas y los edificios de apartamentos los ____________________ que permiten a las personas salir al aire libre y las ____________________ de hierro que protegen las ventanas. En las catedrales como la de Sevilla, todavía se ve una parte de la mezquita árabe original. Es una ____________________ alta, que se llama La Giralda.

B. El profesor de historia está haciendo preguntas a la clase. Usa los verbos que has estudiando en este capítulo para completar las preguntas y las respuestas. Escribe los verbos en pretérito.

—A ver, en 711 hubo una invasión. ¿Quién puede decirme algo de ella?

—Yo puedo. Los árabes ____________ a España, entrando desde el sur, de África, y ____________ una gran parte de la parte de la península. La ____________ parte del país que no dominaron fue la parte más al norte de la península.

—Así es. ¿Y durante cuánto tiempo ____________ y dominaron los árabes España?

—Casi ocho siglos.

—Es cierto. ¿Los árabes ____________ a la cultura de los judíos y los cristianos o se quedaron separados?

—Al principio, la ____________ que vivía allí, principalmente los cristianos y judíos, aceptaron y ____________ a los árabes a su cultura. Por ejemplo, tomaron elementos del arte árabe y los combinaron con sus propias decoraciones. Y en este período en Toledo ____________ una escuela de traductores muy famosa de personas que traducían libros al latín.

—¿Qué pasó después de esos ocho siglos?

—Los cristianos comenzaron a tomar otra vez las ciudades y regiones, o sea que ellos ____________ España.

—Bien. Y después de este tiempo, ¿quiénes tuvieron el control del país, o sea, quiénes ____________ España?

—Los Reyes Católicos, Fernando e Isabel.

—¿Qué les hicieron los cristianos a los musulmanes que no se convirtieron al cristianismo en 1492?

—Hicieron que se fueran; los ____________ de España.

Prueba 8-3

El condicional

A. Después de vivir en Sevilla por un año, Mercedes le dice a Lidia cómo quiere que sea su casa. Completa las frases usando el condicional de uno de los verbos entre paréntesis.

—Mercedes, ¿dónde ______________ *(decir / construir)* tu casa?

—Creo que ______________ *(preferir / estar)* construirla en California.

—¿Qué ______________ *(poner / venir)* delante de la casa?

—Balcones. Y todas las ventanas ______________ *(haber/ tener)* rejas.

—¿______________ *(Salir / Querer)* tener un jardín, también?

—Por supuesto. ______________ *(Estar / Ser)* en el centro de la casa, con fuentes y flores. Me ______________ *(gustar / dar)* tener todas las habitaciones de la casa alrededor del patio.

—¿Qué ______________ *(dominar/ hacer)* dentro de la casa?

—La ______________ *(decorar / venir)* con azulejos de estilo árabe.

—Tu casa ______________ *(expulsar / ser)* una maravilla.

B. Este año Daniel estudió la civilización árabe en España. Ahora está planeando el viaje que va a hacer a Andalucía con sus padres. Completa el párrafo con el condicional de los verbos del recuadro. No todos los verbos son necesarios.

visitar	encantar	ir mostrar	estar	entrar	dar	poder	pasar

Me gustaría empezar en Córdoba. Allí yo ______________ la famosa Mezquita y les ______________ mostrar a mis padres los maravillosos arcos árabes. Les ______________. También nosotros ______________ a ver los hermosos patios de algunas casas. Luego nosotros ______________ por Sevilla. Allí yo les ______________ a mis padres el Alcázar, la Catedral y la torre de La Giralda. Luego nosotros ______________ un paseo por la ciudad. Por último, todos ______________ a Granada para visitar La Alhambra, una de las grandes maravillas del mundo.

Examen: vocabulario y gramática 1

A. Tú y un amigo están estudiando para el examen de historia de España. Uds. se hacen preguntas el uno al otro. Completa las respuestas con la palabra correcta del vocabulario estudiado.

—¿Quiénes llegaron a España en el siglo III a.C. y construyeron calles y puentes?

—Los ___1.___, que tenían un imperio con la capital en Roma.

—¿Qué construyeron ellos para traer agua a sus ciudades?

—Construyeron ___2.___.

—¿Qué otros dos pueblos o grupos ___3.___ vivieron en paz con los árabes en España por muchos años?

—Los judíos y los ___4.___. Vivieron en paz porque ellos ___5.___ a la nueva cultura y también tomaron de su arte, lo ___6.___ y lo mezclaron con sus propias decoraciones.

—¿Qué es La Giralda?

—Es una ___7.___ alta y hermosa que está al lado de la Catedral de Sevilla. Anteriormente era parte de una mezquita.

—¿Dónde vemos huellas árabes en Andalucía?

—En la ___8.___, porque muchos edificios tienen arcos con maravillosos azulejos.

—¿Quiénes sacaron a los árabes de España?

—Los Reyes Católicos, Fernando e Isabel, ___9.___ a los árabes de España.

B. En la clase de español están llenando un crucigrama con el vocabulario de este capítulo. Lee cada descripción y escribe la palabra en la hoja de respuestas.

1. Lo que hablamos; el español, por ejemplo.
2. conseguir, obtener a la fuerza *(by force)*
3. entrar en un país a la fuerza con muchas personas
4. Que causa admiración, que es muy bello.
5. un tiempo muy largo
6. crear algo; una ciudad, una escuela, etc.

C. A tu mamá le gustan mucho los patios españoles. Ella le está haciendo algunas preguntas al arquitecto que le va a decorar el patio. Contesta sus preguntas usando el condicional del verbo que está subrayado en el presente.

Modelo — ¿Es buena idea poner fuentes en el patio?
— *Sería* una excelente idea.

—Mi esposo prefiere poner dos fuentes grandes en el centro. ¿Qué cree Ud.?
—Yo __1.__ una grande solamente.

—¿Qué me recomienda para decorar el patio?
—Le __2.__ usar azulejos.

—¿Qué flores siembro?
—Yo __3.__ geranios rojos.

—¿Qué pongo en las ventanas que están alrededor del patio?
—Yo __4.__ rejas.

—¿Cubro el patio con un techo o lo dejo abierto?
—Yo lo __5.__ abierto.

—¿Cuánto cuesta todo esto?
—__6.__ $10,000.

—¿Cuándo puede empezar?
—__7.__ empezar el lunes.

D. Pedro y sus amigos están en Madrid y mañana van a visitar Toledo. Pedro les dice a sus amigos los lugares que deberían visitar porque él ya ha estado allí. Completa las frases con el condicional de uno de los verbos entre paréntesis.

Como Toledo sólo está a 45 minutos de Madrid, yo __1.__ *(decir / salir)* a las 8:00 A.M., así nosotros __2.__ *(poner / llegar)* a las 8:45 más o menos. Primero nosotros haríamos una visita a la Catedral. Luego, __3.__ *(poder / sacar)* ir a la Casa de El Greco que es un museo. También, yo __4.__ *(haber / ir)* a ver la obra maestra de El Greco, *El entierro del conde de Orgaz* que está en la iglesia de Santo Tomé. En Toledo hay un alcázar que Uds. __5.__ *(estar / querer)* visitar. A la hora del almuerzo yo les __6.__ *(tener / aconsejar)* ir al Café Pepe, un restaurante típico. Después del almuerzo __7.__ *(ser / estar)* interesante caminar por la ciudad y visitar el barrio judío. Yo __8.__ *(volver / pasar)* el resto del tiempo visitando algunas tiendas donde todos nosotros __9.__ *(beber / comprar)* recuerdos.

HOJA DE RESPUESTAS, EXAMEN 1

A. (___ / ___ *puntos*)

1. ________
2. ________
3. ________
4. ________
5. ________
6. ________
7. ________
8. ________
9. ________

B. (___ / ___ *puntos*)

1. ________
2. ________
3. ________
4. ________
5. ________
6. ________

C. (___ / ___ *puntos*)

1. ________
2. ________
3. ________
4. ________
5. ________
6. ________
7. ________

D. (___ / ___ *puntos*)

1. ________
2. ________
3. ________
4. ________
5. ________
6. ________
7. ________
8. ________
9. ________

Prueba 8-4

Comprensión del vocabulario 2

A. Silvia está leyendo unas notas biográficas de su autora favorita, Dolores Rivero. Completa sus frases con la mejor respuesta.

1. Me llamo Dolores Rivero y estoy muy orgullosa de mi ______.
a. encuentro **b.** herencia **c.** reto

2. Yo vivo en Santa Fe, Nuevo México, pero nací en Veracruz, México. Soy de ______ africana y europea.
a. descendencia **b.** encuentro **c.** riqueza

3. Mis ______ vinieron de África y España.
a. resultados **b.** poderosos **c.** antepasados

4. Mis novelas siempre tratan de la ______ de tradiciones y culturas diferentes que existen en nuestros pueblos.
a. variedad **b.** semejanza **c.** poderosa

5. Mis personajes muchas veces ______ contra la sociedad, porque no quieren ser parte de ella.
a. establecen **b.** adoptan **c.** se rebelan

6. El ______ es que terminan escapándose, como yo, de ellos mismos.
a. poder **b.** resultado **c.** encuentro

B. Silvia sigue leyendo las notas biográficas de su autora favorita, Dolores Rivero. Completa sus frases con la mejor respuesta.

Los aztecas eran *(europeos / indígenas)* que *(se enfrentaron / establecieron)* su capital, Tenochtitlán, entre dos lagos en el centro de México. Los aztecas formaron un *(reto / imperio)* muy fuerte en esta *(tierra / misión)*.

Sin embargo, en el siglo XVI Hernán Cortés y un grupo de *(soldados / misiones)* entraron a Tenochtitlán para conquistarla. Los aztecas *(se enfrentaron / adoptaron)* a los españoles y *(adoptaron / lucharon)* valientemente, pero después de varias *(herencias / batallas)* perdieron, y los españoles se apoderaron de *(took posession of)* todas sus *(riquezas / variedades)*. Así llegó a su fin este *(poderoso / desconocido)* imperio indígena. Fue un *(tierra / encuentro)* fatal.

C. Le estás haciendo preguntas a tu profesor de historia sobre lo que pasó después de la conquista. Usa las palabras de cada recuadro para terminar las frases.

europeos	colonia	reto	misioneros	intercambio	desconocidos	mercancías

—Después de la conquista, ¿qué pasó?

—Bueno, los españoles establecieron una ______________ y pronto España empezó un ______________ de nuevos productos o ______________ entre Europa y el Nuevo Mundo. Productos como el maíz y el chocolate, antes eran ______________ para los ______________.

—¿Quiénes llegaron después de la conquista a enseñar su religión a los indígenas?

—Llegaron muchos ______________.

variedades	mezcla	semejanzas	lengua	al llegar	adoptaron	misiones

—¿Y qué hicieron ______________?

—Cuando los primeros llegaron, fundaron muchas ______________. Ellos querían enseñarles su ______________, el español, y su religión, la católica.

—¿Las aceptaron los indígenas?

—No fue fácil porque las dos culturas eran muy diferentes; tenían pocas ______________. Al principio los indígenas no se integraron fácilmente, pero más tarde ______________ mucho de la cultura española y la mezclaron con sus creencias. Y hoy día existe una ______________ de culturas muy interesante.

Prueba 8-5

Aplicación del vocabulario 2

A. Han pasado varios años después de la conquista y uno de los indígenas aztecas que peleó contra los españoles es entrevistado por un periodista español. Completa las frases de la entrevista con una palabra del vocabulario estudiado en este capítulo.

—Dígame, amigo, sus ______________, sus padres y abuelos, ¿por qué escogieron este lugar para fundar, o ______________, Tenochtitlán?

—Porque nuestro dios Huitzilopochtli nos dio una señal. Además era una ______________ muy fértil para sembrar nuestros productos.

—Uds. habían formado un ______________ muy poderoso, tenían mucho ______________ y fuerza, ¿cómo es que Cortés los pudo conquistar?

—Porque tenía ______________ de fuego muy poderosas. Pero nosotros decidimos ______________ a sus soldados y ______________ hasta perder la última pelea, una ______________ muy dura, en 1521.

—¿Qué hace Ud. ahora?

—Estoy en esta misión donde los ______________ religiosos me enseñan su idioma, o ______________.

—Ud. habla español bastante bien.

—Gracias, aunque aprender el español no ha sido fácil, o sea que ha sido un ______________ para mí porque mi idioma no tiene ninguna ______________ con el español; los dos idiomas son muy diferentes.

—Bueno, muchas gracias por la entrevista.

B. El mismo periodista español entrevista ahora a Hernán Cortés. Completa las frases de la entrevista con la palabra del vocabulario estudiado.

—Don Hernán, ¿qué pasó cuando Ud. y Moctezuma se vieron por primera vez?

—Moctezuma y yo nos encontramos en Tenochtitlán y allí tuvimos un ___________________ de regalos.

—¿Cómo empezó la ___________________, esa lucha entre los ___________________ aztecas y sus hombres?

—Bueno, después de morir Moctezuma, sus hombres decidieron luchar y dejar de hacernos caso, o sea ___________________ contra mis ___________________, que eran un grupo de unos 300 hombres.

—¿Qué pasó después?

—Una lucha horrible comenzó, pero tuvimos que salir de Tenochtitlán e ir por lugares que no conocíamos, totalmente ___________________ para nosotros. Esa noche yo lloré. Pero después, nos preparamos para luchar mejor y el ___________________ de esa preparación fue que ganamos en 1521.

—¿Qué pasó después de la conquista?

—Bueno, entonces llegaron más españoles y religiosos y fundaron iglesias y misiones. Muchos indios han dejado sus creencias y quieren ___________________ nuestra religión católica.

—Gracias, Don Hernán por esta entrevista tan interesante.

C. Ahora un periodista español de nuestra época entrevista a Elena Castillo y hablan de su familia. Completa las frases del diálogo con palabras estudiadas en este capítulo. Usa como guía las palabras entre paréntesis, que quieren decir lo mismo.

—Srta. Castillo, ¿me puede hablar de su herencia?

—Por supuesto. Mi herencia ___________________ *(está hecha)* de elementos de varias culturas. De mi madre recibí mi herencia ___________________ *(que viene de África)*, y de mi padre la herencia española. Como ve, soy una ___________________ *(unión de varias cosas o razas)* de estas dos culturas.

—En mi opinión es una herencia hermosa y rica.

—Tiene razón. Esta diferencia o ___________________ *(varias cosas diferentes)* de culturas es lo maravilloso de nuestros países.

Prueba 8-6

El imperfecto del subjuntivo

A. Uno de los soldados que entró con Cortés a Tenochtitlán nos dice cómo era la ciudad. Completa las frases con el imperfecto del subjuntivo de uno de los verbos entre paréntesis.

1. Cuando entramos a Tenochtitlán me impresionó que la ciudad _______________ *(ser / tener)* canales llenos de agua para navegar.
2. No podíamos creer que la ciudad _______________ *(ser / estar)* esa maravilla.
3. Por un momento me sorprendió ver que Tenochtitlán _______________ *(componerse / parecerse)* a la ciudad de Venecia en Italia.
4. Parecía imposible que los aztecas _______________ *(poder/ poner)* construir cosas tan hermosas.
5. Era increíble que en la ciudad _______________ *(ser / haber)* pirámides tan grandes.
6. Nos pareció horrible que ellos _______________ *(hacer / estar)* tantos sacrificios a sus dioses.
7. Luego me pareció imposible que nosotros todavía _______________ *(estar / decir)* vivos.

B. Gabriel vive en Miami y es hijo de padre cubano y madre estadounidense. Él nos dice cómo él y sus hermanas pudieron mantener su herencia cubana. Completa las frases con el imperfecto del subjuntivo de los verbos del recuadro. No todos los verbos son necesarios.

ir	hablar	pensar	aprender	comer	interesar	olvidar	saber

1. Mi padre siempre quería que nosotros _______________ español en casa.
2. Mi madre exigía que nosotros también _______________ a hablar inglés.
3. Para ellos era importante que cada uno de nosotros _______________ quién era.
4. A mi madre no le gustaba que mis hermanas _______________ comida basura y no la comida cubana.
5. A mi padre le encantaba que yo _______________ con él a escuchar música cubana.
6. Mi padre también nos enseñaba sobre la historia de Cuba y le gustaba que a nosotros nos _______________ tanto.
7. Él no quería que nosotros _______________ nuestras raíces cubanas.

Prueba 8-7

El imperfecto del subjuntivo con *si*

A. Hace tres meses que Cristina y su familia viven en Chicago, pero ellos son de San Juan, Puerto Rico. Cristina está pensando en los cambios que la familia ha tenido al venir a los Estados Unidos. Usa el imperfecto del subjuntivo de uno de los verbos entre paréntesis.

1. Si nosotros ________________ *(estar / ser)* en San Juan, mi padre vendría a almorzar a casa todos los días.
2. Si nosotros ________________ *(adoptar / vivir)* en Puerto Rico, mi madre no tendría que trabajar aquí.
3. Si yo ________________ *(poder / ir)* a mi escuela en San Juan, estudiaría la cultura de mi país.
4. Si mis abuelos ________________ *(saber / tener)* hablar inglés, estarían más contentos.
5. Si yo ________________ *(poder / haber)*, me iría hoy mismo para mi San Juan.
6. Si yo se lo ________________ *(sentir / pedir)* a mis padres, ¿creen Uds. que ellos me dejarían volver?

B. Un soldado de Cortés nos describe la última batalla. Completa las frases con el imperfecto del subjuntivo de los verbos del recuadro.

ser	tener	haber	luchar	rebelarse	querer	componerse

1. Al principio no se oía nada, como si allí no ________________ nadie más que nosotros.
2. Luego se escucharon muchas armas de fuego como si ________________ truenos.
3. De pronto yo me sentí como si no ________________ estar allí.
4. Algunos soldados actuaron como si ________________ contra Cortés.
5. Cortés tenía mucha energía. No creo que ningún soldado ________________ como él.
6. Y los aztecas se enfrentaban a nosotros como si no ________________ nada de miedo.

Examen: vocabulario y gramática 2

A. La profesora les ha dado un crucigrama con palabras de este capítulo. Lee las definiciones o explicaciones de las palabras y escribe la palabra apropiada en la hoja de respuestas.

Horizontal

1. Pueblos que vivían en América antes que llegaran los europeos, por ejemplo, los aztecas y los mayas.
2. estar hecho de varias partes o cosas
3. Hombres que pelean en una batalla.
4. Que no se conoce.
5. Lo que hace un pueblo cuando los que gobiernan les hacen algo injusto.
6. Que tiene mucho poder.
7. Lugar que fundaron los religiosos para enseñar su religión y su lengua a los indígenas.
8. fundar
9. Que viene de África.

Vertical

1. Que viene de Europa, por ejemplo, un español.
2. Mucho de algo que tiene valor *(value)* dinero; oro, joyas.
3. Lo que nos dejan nuestros padres y abuelos.
4. pelear
5. Cuando no hay paz, lucha entre dos grupos.
6. Los familiares que vivieron antes que tú; tus abuelos y los padres de tus abuelos.
7. Productos, cosas que se intercambian.
8. Lo que viene de una raza, los hijos.
9. Sacar a alguien de un lugar.

B. Un soldado español y un indígena azteca hablan sobre lo que ha pasado en los últimos meses en Tenochtitlán. Usa el imperfecto del subjuntivo de uno de los verbos entre paréntesis.

—Y a Ud., ¿qué le impresionó más de nuestra cultura?

—Me impresionó que __1.__ *(predecir / haber)* tantos templos y pirámides.

—Yo no podía creer que Uds. __2.__ *(venir / hablar)* montados en esos animales que llaman caballos y que __3.__ *(creer / tener)* armas de fuego.

—Al principio fue interesante que Uds. nos __4.__ *(escribir / hablar)* como si nosotros __5.__ *(ser / decir)* dioses.

—A nosotros nos molestó que Cortés __6.__ *(seguir / pedir)* pensando que era Quetzalcóatl.

—Para mí era increíble que Moctezuma __7.__ *(llevar / poder)* tanto oro.

—A nosotros no nos gustó que los religiosos nos __8.__ *(prohibir / construir)* tener muchos dioses y nos __9.__ *(estar / hacer)* destruir nuestros templos.

—Los misioneros querían que Uds. __10.__ *(creer / decir)* en un solo dios.

—Uds. actúan como si __11.__ *(ir / saber)* lo que es mejor para nosotros, y eso es injusto.

C. Tú comentas con tus amigos lo que ocurrió en Tenochtitlán. Completa las frases con el imperfecto del subjuntivo de uno de los verbos entre paréntesis.

—Si Cortés __1.__ *(ser / poder)* ver lo que es la Ciudad de México hoy, ¿qué diría?

—Y, ¿qué diría Moctezuma si __2.__ *(visitar / aprender)* Tenochtitlán y no __3.__ *(venir / encontrar)* nada de lo que allí había antes? ¿Qué harías tú si __4.__ *(poner / ser)* Moctezuma?

—Yo gritaría como si __5.__ *(sentir / disfrutar)* un gran dolor en el pecho.

—Si los arquitectos aztecas que construyeron las pirámides y templos __6.__ *(tener / estar)* aquí, no les gustaría ver sus edificios destruidos.

—Pero si los misioneros españoles __7.__ *(volver / obtener)* a México y __8.__ *(tener / oír)* a los indígenas hablar español y los __9.__ *(ver / entender)* ir a las iglesias católicas, verían que el objetivo de sus misiones se cumplió.

—Probablemente. Si los religiosos aztecas __10.__ *(rebelarse / llegar)* ahora al Zócalo, se sorprenderían al ver que hay una catedral donde antes estaba la Gran Pirámide.

—Yo pienso que si todas esas personas del siglo XVI __11.__ *(regresar / cantar)* ahora, también les extrañaría ver que los dos lagos ya no existen.

—Sería interesante ver la reacción de todos ellos al ver todo lo que ha sucedido aquí, ¿verdad?

HOJA DE RESPUESTAS, EXAMEN 2

A. (___ / ___ *puntos)*

Horizontal

1. ____
2. ____
3. ____
4. ____
5. ____
6. ____
7. ____
8. ____
9. ____

Vertical

1. ____
2. ____
3. ____
4. ____
5. ____
6. ____
7. ____
8. ____
9. ____

B. (___ / ___ *puntos)*

1. ____
2. ____
3. ____
4. ____
5. ____
6. ____
7. ____
8. ____
9. ____
10. ____
11. ____

C. (___ / ___ *puntos)*

1. ____
2. ____
3. ____
4. ____
5. ____
6. ____
7. ____
8. ____
9. ____
10. ____
11. ____

EXAMEN DEL CAPÍTULO 8

A. Escuchar

Un grupo de estudiantes de la Escuela Central regresa de su viaje a España. Todos lo pasaron muy bien y quieren contarle a su profesora de ciencias sociales lo que hicieron durante el viaje. Escucha lo que dice cada joven para saber: (1) qué ciudad visitó; (2) por qué es famosa esa ciudad y (3) qué le sugirió el guía. Mientras escuchas, puedes tomar apuntes en el recuadro de tu hoja de respuestas. Luego, completa la tabla. Vas a oír cada conversación dos veces.

B. Leer

El Dr. Misterio es un viajero del tiempo y estudia las civilizaciones azteca, maya, inca y española. Lee el diario de cinco de sus viajes al pasado y luego indica si las frases de la hoja de respuestas son ciertas *(C)* o falsas *(F)*.

Diario científico

Día 1: La nave del tiempo llegó a Tenochtitlán, México, una ciudad de gran población donde hay mucha riqueza. Aquí vive el rey azteca. Los dioses habían dicho: "El imperio azteca será muy grande y poderoso. El centro del imperio estará en el lugar en que los aztecas encuentren un símbolo especial." Esta ciudad es la Gran Tenochtitlán.

Día 2: He llegado a una ciudad española llamada Sevilla. Es el año 1248. Los cristianos han reconquistado esta bella ciudad de los árabes y han construido una gran catedral encima de las ruinas de una mezquita. La única parte que queda de la construcción original de la mezquita es una torre llamada la Giralda. La Giralda no tenía escaleras porque así el rey árabe podía subir hasta arriba montado a caballo.

Día 3: Estoy en México otra vez. Hoy vi a un hombre llamado Hernán Cortés. Llegó de Cuba a la costa de México. Los aztecas lucharon contra los soldados de Cortés, pero los españoles conquistaron a los aztecas después de muchas batallas. El gobierno español creó una colonia y comenzó un intercambio de mercancías.

Día 4: He llegado a California. Es el año 1767. Los padres franciscanos construyen muchas misiones en California. Los indígenas estudian la religión cristiana y hacen nuevas tareas en las misiones. Los viajeros en California pueden dormir y comer en las misiones, que se componen de una iglesia, cuartos, comedores y talleres.

Día 5: Estoy en España, en la ciudad de Toledo. Esta ciudad tiene muchos grupos étnicos que colaboran juntos. El rey ha reunido a científicos y filósofos de origen árabe, judío y cristiano. Van a fundar la Escuela de Traductores de Toledo. Allí se traducirán al latín los libros más importantes de Europa.

C. Escribir

Escribe una reseña sobre las cosas que pueden hacer las familias hispanas de tu comunidad para mantener su herencia cultural. Sugiere qué pueden hacer para mantener el idioma, la comida y otras tradiciones familiares. Describe tu herencia cultural y algunas de las tradiciones y la comida de tu familia.

Para evaluar tu escrito, se considerará:

- el número de sugerencias que provees.
- la cantidad de información que das sobre tu herencia familiar.
- el uso correcto del idioma.

D. Hablar

Imagina que le hablas a un recién llegado a los Estados Unidos sobre la ciudad donde vives (o sobre tu ciudad favorita). Menciona los lugares de interés histórico, las influencias culturales y una breve historia de la ciudad. Incluye una descripción de los lugares adonde van los jóvenes para divertirse.

Para evaluar tu presentación, se considerará:

- la cantidad de información que das sobre la ciudad.
- tu pronunciación y fluidez.
- la facilidad para entenderte y tu organización.

E. Cultura

Da un ejemplo de intercambio entre culturas del pasado o de hoy en día que has estudiado en este capítulo. Describe el encuentro y explica por qué crees que ese intercambio es positivo o negativo.

HOJA DE RESPUESTAS, EXAMEN DEL CAPÍTULO 8

A. Escuchar (___ / ___ *puntos)*

MIS APUNTES

María		
Javier		
Teresa		
Joaquín		
Margarita		

	¿Qué ciudad visitó?	¿Por qué es famosa esa ciudad?	¿Qué le sugirió el guía?
María			
Javier			
Teresa			
Joaquín			
Margarita			

B. Leer (___ / ___ *puntos)*

Cierto o falso

1. La capital del imperio azteca fue Chichén-Itzá, pero el rey vivía en otra ciudad. ______
2. Los españoles construyeron la catedral de Sevilla. ______
3. Los aztecas ganaron la guerra contra los españoles y crearon el imperio más poderoso de América. ______
4. Las misiones les daban comida a los viajeros en California. ______
5. Toledo fue una ciudad muy importante en España porque había muchas culturas diferentes. ______

Nombre ____________________ Hora ____________

Fecha ____________

C. Escribir *(___ / ___ puntos)*

D. Hablar *(___ / ___ puntos)*

E. Cultura *(___ / ___ puntos)*

Nombre ______ Hora ______

Fecha ______

Prueba 9-1

Comprensión del vocabulario 1

A. Debemos proteger el medio ambiente. Lee las siguientes frases. Si la frase es una buena idea para proteger el medio ambiente, escribe una *B*. Si es una mala idea, escribe una *M*.

1. ______ Debemos colocar los recipientes plásticos y de vidrio en el depósito de reciclaje.
2. ______ Debemos depender de los recursos naturales que tenemos ahora porque van a ser suficientes para el futuro.
3. ______ Las pilas se pueden tirar con la otra basura.
4. ______ Debemos conservar energía cada vez que sea posible.
5. ______ Es importante fomentar la idea de reducir la contaminación del medio ambiente.
6. ______ No importa si desperdiciamos o usamos mucho papel. Hay muchos árboles en este planeta.
7. ______ Todos debemos limitar el uso de productos que contaminan el medio ambiente.

B. Laura le está escribiendo una carta al redactor de su periódico. Completa su carta, subrayando la palabra entre paréntesis que mejor complete sus frases.

Estimado redactor:

Estoy cansada de ver cómo estamos destruyendo nuestro medio ambiente y el *(recipiente / gobierno)* no está haciendo nada. Nuestro bello planeta cada día está más y más *(contaminado / conservado)* y necesita *(desperdicios / protección)*. Las fábricas que hacen *(pesticidas / medidas)* y otros productos *(graves / químicos)* muchas veces *(medidas / echan)* en nuestros ríos y mares sus *(desperdicios / recursos)* y son *(petróleos / venenos)* para el medio ambiente. La gente no recicla y no *(se deshace / depende)* de la basura como debe hacerlo. *(Debido a / En cuanto)* esto estamos *(fomentando / dañando)* el planeta Tierra. Hay que tomar *(medidas / venenos)* fuertes. Debemos educar al pueblo. Hay que *(promover / amenazar)* la idea de reciclar y enseñar a las personas que es importante obedecer las leyes de reciclaje y hay que *(agotar / castigar)* con multas a quienes las ignoren. ¡Salvemos nuestro planeta!

Atentamente,

Laura Ramírez

C. Tu profesor de ecología te está haciendo algunas preguntas sobre el medio ambiente. Completa las preguntas y las respuestas usando las palabras del recuadro.

agotar	grave	petróleo	en cuanto	creciendo
conservar	a cargo de	gobierno	limitando	

—¿Qué es una amenaza para el medio ambiente?

—Una amenaza muy _______________ es la contaminación del aire y del agua.

—¿Cuál es un recurso natural importante que se usa para obtener energía y para hacer funcionar los coches?

—El _______________ es uno de los recursos naturales importantes.

—¿Por qué nos amenaza la escasez de recursos naturales?

—Porque la población está _______________ cada día más.

—Si seguimos usando demasiado nuestros recursos naturales, ¿qué puede ocurrir?

—Se pueden _______________ y entonces vamos a tener problemas serios. Hay que _______________ los recursos que tenemos.

—¿Quién debe estar _______________ hacer leyes para proteger el medio ambiente?

—El _______________.

—¿Qué les recomiendan Uds. a los otros ciudadanos de nuestra sociedad?

—Les recomendamos que busquen más información sobre cómo apoyar las campañas para proteger el medio ambiente _______________ puedan.

Prueba 9-2

Aplicación del vocabulario 1

A. El Sr. Gonzaga, un miembro de una organización ambiental, vino a tu escuela a hablarles sobre los problemas del medio ambiente y cómo todos pueden ayudar. Para cada palabra que él dice que está subrayada, escribe una palabra del vocabulario de este capítulo que quiere decir lo mismo.

1. Como Uds. saben, la contaminación es un problema muy serio. ____________
2. Hay que fomentar que se hagan programas educativos sobre el reciclaje. ____________
3. La gente no sabe que si seguimos desperdiciando nuestras riquezas naturales muy pronto no habrá bastante de ellas en el futuro. ____________
4. Uds. tienen que hablar con los oficiales del gobierno que se encargan de hacer las leyes, y decirles que tomen medidas más fuertes para la protección del medio ambiente. ____________
5. La gente no debe seguir tirando la basura por todas partes. Hay que ponerles multas a los que hacen esas cosas. ____________
6. Uds. deben usar papel reciclado. Primero, porque es más barato y segundo, porque así ayudan al medio ambiente. ____________
7. Y también, ayuden a ahorrar electricidad. En cuanto terminen lo que están haciendo en una habitación, antes de salir, apaguen las luces. ____________
8. A causa de las prácticas de muchas personas, la contaminación del aire sigue siendo un problema. ____________
9. En muchas ciudades hay compañías industriales que arrojan basura a los ríos. ____________

B. Sandra y Eva, después de escuchar al Sr. Gonzaga, han decido ayudar a salvar el medio ambiente. Ahora están hablando de cómo pueden ayudar. Completa sus frases con una palabra apropiada del vocabulario estudiado.

—Yo, de hoy en adelante, voy a ahorrar ________. Si no necesito tener la luz encendida, no la voy a usar.

—Eso es una buena idea. También, debemos reducir o ________ el uso de productos que contaminan el medio ambiente. No los voy a usar tanto.

—En casa yo voy a ________ las botellas y otros ________ plásticos y de vidrio en depósitos de reciclaje. No voy a tirarlos a la basura.

—Porque hay poca agua en el mundo, no la voy a ________. La voy a ________ lo más posible.

—Claro. Otra cosa que voy a hacer es, cuando me deshaga de las ________ de mi radio que ya no funcionen, no las voy a mezclar con el resto de la basura.

—Oye, Eva, ¿por qué no empezamos un club de reciclaje en nuestra escuela?

C. El Dr. Mejorambiente, en su programa de televisión, nos da buenos consejos para proteger nuestro planeta. Completa sus frases con una palabra apropiada del vocabulario estudiado.

1. Hay que tener cuidado con los ________ que usamos para matar insectos. Éstos no sólo son malos porque causan ________, sino también pueden ser un ________ fatal para los niños. Pueden morir si lo beben.
2. Escriban a los oficiales del ________ para ver si se pueden hacer leyes más fuertes contra los dueños de fábricas que echan sus productos ________ en los ríos y mares. No podemos seguir teniendo aguas ________ que matan a los peces. Debemos parar estas prácticas y ________ duro, con multas muy altas, si es necesario.
3. Como Uds. saben, la población ________ y cada día hay más gente en nuestro planeta. Tenemos que mantener y cuidar nuestros ________ como los árboles y el petróleo. Si no lo hacemos, cada vez habrá menos, tendremos cada vez más ________ de recursos naturales y un día pueden llegar a ________, y ya no tendremos más.
4. En nuestro país nosotros ________ mucho del petróleo. Debemos de tratar de usar otras fuentes de energía más eficientes.
5. Y finalmente, ¡no se olviden de reciclar! Es la mejor manera de limitar la ________ de la contaminación al medio ambiente.

Prueba 9-3

Conjunciones que se usan con el subjuntivo y el indicativo

A. Los jóvenes de hoy están preocupados por los problemas de la contaminación y del futuro que les espera. Completa sus frases usando la forma correcta del verbo entre paréntesis.

—Si la gente sigue desperdiciando nuestros recursos naturales, antes de que nosotros *(cumplimos / cumplir / cumplamos)* los 35 años habrá una gran escasez de todo en nuestro planeta.

—Por eso es necesario que el gobierno tome medidas muy fuertes ahora. No deben esperar hasta que *(empiece / empieza / empezar)* la escasez.

—Las aguas seguirán contaminadas mientras las fábricas *(seguir / siguen / sigan)* echando sus desperdicios en los ríos. Eso me preocupa.

—Tampoco nadie conserva el agua ni la electricidad. En casa, siempre cuando *(haber / hay / haya)* escasez de agua, no la usamos para el césped ni lavamos el coche.

—Pues yo siempre estoy peleando con mi hermana porque nunca apaga la luz cuando *(termine / terminar / termina)* de bañarse o de ponerse el maquillaje.

—Yo siempre la apago tan pronto como *(salgo / salga / salir)* del baño o de mi cuarto. Hay que conservar la electricidad lo más posible.

B. Los jóvenes siguen hablando de los problemas de la contaminación y de sugerencias para detenerla. Completa sus frases usando el presente del indicativo, el presente del subjuntivo o el infinitivo del verbo entre paréntesis.

—En nuestra escuela a muchos chicos nada les preocupa. Muchas veces les digo algo en cuanto ______________ *(ver)* a algunos que no recogen su basura y la dejan en los pasillos o en las mesas de la cafetería.

—Yo, después de ______________ *(ver)* en los parques cómo la gente deja basura por todas partes, me he dado cuenta que hay que educar al pueblo antes de que ______________ *(ser)* demasiado tarde.

—Hagamos algo. Podemos organizar un club de reciclaje. Creo que en cuanto nuestros compañeros nos ______________ *(oír)* hablar del tema y ______________ *(saber)* del peligro en que estamos, van a colaborar. Debemos trabajar juntos para ______________ *(eliminar)* la contaminación en nuestro planeta.

Prueba 9-4

Los pronombres relativos *que, quien y lo que*

A. El profesor le ha pedido a los estudiantes que busquen en los periódicos frases que hablen de la contaminación y que tengan pronombres relativos. Completa las frases con *que, quien(es)* o *lo que.*

1. "El delfín", el barco ______ traía petróleo a nuestro país, tuvo un accidente ayer y todo el petróleo terminó en el mar.
2. El Sr. Alberto Ruiz, a ______ acusaron el mes pasado de echar desperdicios de su fábrica al río, tuvo que pagar una multa de $20,000.00.
3. ______ más le preocupa ahora al gobierno local es el problema de la contaminación del agua en nuestra ciudad.
4. El Dr. Mejorambiente, ______ tiene un programa de televisión sobre el medio ambiente, dará una presentación este sábado en nuestra universidad a las 10:00 de la mañana. Hablará sobre el peligro de los venenos ______ tienen algunos pesticidas.
5. Los políticos, con ______ se reunió el presidente ayer, están a cargo de escribir nuevas leyes para la protección del medio ambiente. Las leyes ______ existen ahora no han resuelto el problema de la contaminación.

B. Cecilia habla con Lucrecia sobre un nuevo problema ecológico que ha ocurrido en la ciudad donde ellas viven. Completa sus frases usando *que, quien(es)* o *lo que.*

—Lucrecia, ¿qué piensas de ______ está pasando? Ayer aparecieron más peces muertos en el río.

—La fábrica "Pestsol", ______ hace pesticidas, está creando todo este problema.

—La gente ______ está investigando piensa lo mismo.

—Las aguas del río estarán contaminadas y eso es ______ me preocupa.

—Los amigos de papá, con ______ él va de pesca, están furiosos.

—Hay que cerrar esa fábrica.

—El dueño de la fábrica, a ______ le pusieron una multa el mes pasado, no la quiere cerrar. Dice que todo en su fábrica está en orden.

—El problema ______ tenemos es grave.

Examen: vocabulario y gramática 1

A. Tú y tu compañero están hablando sobre lo que hacen para ayudar con los problemas que tenemos con los recursos naturales y el medio ambiente. Usa palabras del vocabulario estudiado en este capítulo para completar las frases.

—Darío, ¿qué haces para conservar __1.__?

—Siempre apago las luces tan __2.__ como salgo de las habitaciones.

—Y tú, Carlota, ¿reciclas?

—Claro. Coloco los __3.__ de plástico y de vidrio en los depósitos de reciclaje.

—Pues, yo trato de reducir, o __4.__, el uso del automóvil. Prefiero caminar cuando puedo. Trato de no __5.__ del coche para que el petróleo no se agote.

—En mi escuela, yo estoy a cargo de promover, o __6.__, el reciclaje en la cafetería.

—En casa no usamos __7.__ para matar los insectos porque __8.__ el medio ambiente, lo contaminan. Pueden ser productos peligrosos. Causan problemas muy __9.__ para nuestro planeta.

—Cuando se agotan las __10.__ de mi radio yo sé deshacerme de ellas. No las echo con el resto de la basura, sino en lugares especiales.

—Me alegro de que todos nosotros seamos tan responsables.

B. Leíste un artículo en el periódico que te preocupó. Ahora estás haciendo un comentario sobre este artículo. Completa las frases con una palabra del vocabulario estudiado.

Hoy leí en el periódico que para el año 2050, nos __1.__ el peligro de que se terminen nuestros recursos naturales. La población está __2.__ muy rápido, cada día somos más en este planeta. Si no conservamos los recursos naturales, en el futuro no van a alcanzar para todos, no va a haber recursos naturales __3.__ para todos. Habrá __4.__ de muchas cosas. Todos necesitamos hacer nuestra parte para __5.__ lo que todavía tenemos. En los Estados Unidos, por ejemplo, nosotros dependemos mucho del __6.__ para los coches, como fuente de energía y para hacer en las fábricas productos __7.__, gasolina y plásticos. El __8.__ de nuestro país, el presidente y su gente, debe hacer leyes para la __9.__ y el cuidado del medio ambiente y de los recursos naturales.

C. Eduardo y sus amigos están haciendo planes para su club del medio ambiente. Quieren que el año que viene el club sea más activo. Completa las frases usando el presente del indicativo, el presente del subjuntivo o el infinitivo.

—Tan pronto como __1.__ *(empezar)* el año escolar, tendremos que hacer planes.

—Yo creo que debemos hacer los planes antes de __2.__ *(terminar)* este año.

—Tenemos que ser más activos el año próximo. Hasta que nosotros no __3.__ *(traer)* a invitados a hablar en la escuela y __4.__ *(tener)* más proyectos, nuestros compañeros no van a participar en el club.

—Tienes razón, Gustavo. Cuando ellos __5.__ *(poder)* ver que somos activos, entonces querrán ser parte del grupo.

—Piensa en los proyectos en que limpiamos los alrededores de la escuela. Siempre, cuando nos __6.__ *(ver)* trabajando, algunos estudiantes quieren ayudar y se hacen miembros del club.

—Sí, yo soy uno de ellos. Después de __7.__ *(observar)* al grupo que se preocupaba por nuestro ambiente, yo quise ser uno de Uds.

—Es verdad. Cuando los demás estudiantes __8.__ *(entender)* que es por una buena causa, van a participar.

—Por eso debemos informar a nuestros compañeros del problema ambiental. Generalmente, cuando la gente __9.__ *(enterarse)* de un problema serio, quiere ayudar.

—Y éste del ambiente es un problema serio. Todos deben saberlo antes de que __10.__ *(ser)* demasiado tarde.

—Pues, ¡a trabajar, amigos!

D. Éste es un artículo que salió en el periódico de tu ciudad sobre unos perritos calientes que se vendieron el domingo en el parque. Completa las frases usando *que, quien(es)* o *lo que.*

Ayer más de 20 personas __1.__ comieron unos perritos calientes __2.__ se vendían en el parque se fueron al hospital. El hospital, en el __3.__ se encuentran los pacientes, nos dice que los perritos calientes estaban contaminados con una bacteria __4.__ causa fuertes dolores de estómago y una fiebre muy alta. Sin embargo, hay tres niños, a __5.__ sus padres no les permitieron comer los perritos calientes, __6.__ también están enfermos. Los médicos __7.__ los atienden saben que estos niños no comieron los perritos calientes que enfermaron a los demás, __8.__ les hace pensar que la bacteria puede estar en otros productos __9.__ se vendieron allí. Un padre, con __10.__ hablamos hoy, nos dijo que su hijo no comió nada en el parque y también está enfermo. Esto es todo __11.__ se sabe por ahora.

HOJA DE RESPUESTAS, EXAMEN 1

A. *(___ / ___ puntos)*

1. ______ 6. ______
2. ______ 7. ______
3. ______ 8. ______
4. ______ 9. ______
5. ______ 10. ______

B. *(___ / ___ puntos)*

1. ______ 6. ______
2. ______ 7. ______
3. ______ 8. ______
4. ______ 9. ______
5. ______

C. *(___ / ___ puntos)*

1. ______ 6. ______
2. ______ 7. ______
3. ______ 8. ______
4. ______ 9. ______
5. ______ 10. ______

D. *(___ / ___ puntos)*

1. ______ 7. ______
2. ______ 8. ______
3. ______ 9. ______
4. ______ 10. ______
5. ______ 11. ______
6. ______

Prueba 9-5

Comprensión del vocabulario 2

A. En la clase de biología los estudiantes están dando opiniones sobre problemas de contaminación del ambiente debido a algunas actividades humanas. Algunos estudiantes no tienen información correcta, pero otros sí. Escribe una *F*, si la información es falsa. Escribe una *C*, si la información es cierta.

1. ______ El efecto invernadero se produce cuando el CO_2 atrapa el calor del sol en la atmósfera.
2. ______ Un derrame de petróleo no les hace daño a los peces ni a las aves.
3. ______ Los cambios en el clima han puesto muchos animales salvajes en peligro de extinción.
4. ______ El recalentamiento global es cuando bajan las temperaturas en todo el planeta.
5. ______ Muchos animales que están en peligro de extinción podrán vivir con tal de que apoyemos los esfuerzos de los grupos ecológicos que trabajan para salvarles.
6. ______ La capa de ozono tiene agujeros porque usamos muchos productos, como los aerosoles, que la destruyen.
7. ______ Las especies que viven en las selvas tropicales han disminuido porque allí se han cortado muchos árboles.
8. ______ No es importante tomar conciencia de los problemas ambientales, ya que afectan nuestra vida diaria.

B. En la misma clase de biología los estudiantes siguen hablando sobre el problema de la extinción de algunos animales y de desastres ecológicos en el mar. Lee las frases y escoge la mejor respuesta.

1. El águila calva es un ______ que está en peligro de extinción.
   a. ave b. foca c. hielo
2. También, la ______, el animal enorme que vive en el mar, está en peligro de extinción.
   a. atmósfera b. caza c. ballena
3. Uno de los peores accidentes que puede ocurrir en el mar y causar muchísimo daño en la vida de los peces y animales marinos es un ______.
   a. derrame de petróleo b. recalentamiento global c. efecto invernadero
4. Cuando eso ocurre, limpiarles las ______ a las aves marinas es un trabajo muy difícil.
   a. pieles b. plumas c. capa de ozono
5. También, toma mucho tiempo el ______ de los animales marinos.
   a. clima b. agujero c. rescate
6. Otras causas de la extinción de algunos animales salvajes son la ______ y la pesca excesivas.
   a. especie b. caza c. falta
7. Muchos animales desaparecerán ______ se disminuyan algunas de estas actividades.
   a. salvaje b. preservación c. a menos que
8. Por eso es muy importante que todos nosotros hagamos un esfuerzo por la ______ de todas las especies.
   a. preservación b. limpieza c. amenaza
9. Y es necesario que el gobierno siga creando más ______ que sirvan de refugio para animales y plantas.
   a. rescates b. especies c. reservas naturales

C. Tu amigo te ha pedido que le ayudes a resolver las últimas siete palabras que le quedan del crucigrama que está haciendo. Lee las definiciones y escoge la palabra correcta. Escribe la letra correspondiente en el espacio en blanco.

1. Lo que cubre el cuerpo de una foca ______	a. detener
2. Lo que le pasa al hielo cuando se convierte en agua ______	b. la limpieza
3. La acción de limpiar ______	c. la piel
4. Hacer un producto o causar algo ______	d. la falta
5. Parar ______	e. la amenaza
6. El peligro ______	f. afectar
7. Cuando no hay algo ______	g. producir
	h. derretir

Prueba 9-6

Aplicación del vocabulario 2

A. Eugenio y Federico están hablando sobre los cambios de temperatura y por qué están ocurriendo. Completa sus frases usando una de las palabras o expresiones estudiadas en este capítulo.

—No puedo creer que estemos en invierno y haga tanto calor hoy.

—Sí, es extraño. Muchos científicos dicen que esto ocurre a causa del ____________________, o sea, el aumento de las temperaturas en todo el mundo.

—Pero, ¿por qué aumentan las temperaturas?

—Por el ____________________.

—¿Y qué es eso?

—Es lo que ocurre cuando algunos gases, por ejemplo los que producen los automóviles, ____________________, es decir que no permiten escapar, el calor del sol en la ____________________.

—Ese aumento de temperatura también puede ____________________ la nieve y el ____________________ de los polos y las montañas y crear más problemas, ¿no?

—Claro que sí. También, la ____________________, que es un gas que nos protege de los rayos ultravioleta del sol, está dañada. Tiene un ____________________ causado por el uso excesivo de los ____________________ y otros productos químicos.

—Pues, eso es un peligro enorme, una ____________________ para nuestro medio ambiente.

—Por supuesto. Es importante darse cuenta, o sea, ____________________ de este problema porque nos daña e influye en la vida de todos, nos ____________________ a todos.

B. Estás leyendo un artículo que habla de los accidentes en nuestros océanos. Completa las frases usando una de las palabras estudiadas en este capítulo.

Un ________________ causa un daño enorme en nuestros océanos. Esto produce contaminación de las aguas y muchos pájaros y otros animales marinos mueren a causa de este líquido negro en sus cuerpos. Aunque todas las ________________ no se mueren, es muy difícil limpiar las ________________ de los pájaros. También es un trabajo difícil limpiar la ________________ de algunos animales como las ________________ y de mamíferos marinos más grandes como las ________________. Tampoco es fácil la ________________ de las playas sucias y el ________________ de los animales.Tratar de salvar a estos animales y mantener las playas limpias es mucho trabajo y cuesta mucho dinero. Ahora muchos países están haciendo lo que pueden para parar aquellos barcos que no sean seguros, o sea ________________ los barcos antes de que puedan causar estos terribles accidentes.

C. Un experto en la preservación de la flora y fauna de los Estados Unidos ha venido de invitado a tu clase de biología. Los estudiantes le hacen preguntas sobre algunos animales que han desaparecido y por qué ocurre. Completa las frases con palabras apropiadas de este capítulo.

—¿Por qué algunos de los animales ________________ que viven en los bosques están en ________________?

—La desaparición de algunos de estos animales, como casi ocurre con el ________________, el símbolo de nuestro país, se debe a que las ciudades crecen mucho. Se destruyen bosques para construir casas, como ha pasado con la ________________ tropical. Los animales que viven en estos lugares no tienen adonde ir, tienen escasez de alimentos y sobre todo, la ________________ de agua es un problema muy grave. Tenemos que dejar de ________________ sin control estos lugares y permitir que los animales vivan en paz en su ________________.

—¿Es ésa la única razón?

—Por supuesto que no. Otra causa son los cambios de temperatura, cambios en el ________________ que estamos viendo por todo el planeta. También, las actividades humanas como la pesca y la ________________ de animales son ________________, o sea que se hacen demasiado, y ponen a muchos animales en peligro de extinción.

—¿Qué podemos hacer para ayudar con la ________________ de estos animales?

—Creo que todos debemos hacer un esfuerzo por aumentar, en vez de ________________, las ________________ del mundo animal.

Prueba 9-7

Conjunciones que se usan con el subjuntivo y el indicativo

Juan y Ricardo han ido de voluntarios a limpiar un área donde hubo un derrame de petróleo. Una de las organizadoras les dice lo que deben hacer. Completa las frases usando la forma correcta del verbo entre paréntesis.

—Gracias por venir a ayudar hoy. Primero necesitan ponerse esta ropa para que *(protegerse / se protejan / se protegen)* del petróleo.

—Creo que podemos hacer un buen trabajo aquí con tal de que todos nosotros *(trabajemos / trabajamos / trabajar)* juntos.

—Aunque este trabajo *(sea / es / ser)* muy difícil, vamos a terminarlo. Tenemos que salvar los animales y limpiar esta playa.

—Todo esto es una tragedia enorme y para que estos accidentes no *(siguen / seguir / sigan)* destruyendo nuestro medio ambiente, el gobierno debe tomar medidas más fuertes. Juan y Ricardo, vengan aquí.

—Usen este producto para *(limpie / limpia / limpiar)* las plumas de las aves. Límpienles la cabeza con cuidado sin que el producto les *(caer / caiga / cae)* en los ojos.

—No les toquen la piel a estas focas a menos que *(usan / usar / usen)* estos guantes especiales.

—Sé que es muy difícil, pero tenemos que quitarles el petróleo del cuerpo a los animales sin *(les hace / hacerles / les haga)* daño.

—Ha empezado a llover, pero aunque *(estuvo / estará / está)* lloviendo, vamos a seguir trabajando a menos que *(haya / hay / haber)* truenos y relámpagos.

Examen: vocabulario y gramática 2

A. Estás leyendo un artículo sobre cómo todos somos responsables de mucho del daño ambiental. Completa las frases usando una de las palabras estudiadas en este capítulo.

Todos somos responsables por el problema ambiental. ¿Es posible que nosotros podamos influir en el cambio en las temperaturas, en el __1.__ de una región? Bueno, piensa un momento en el uso que tenemos del automóvil. El CO_2 que producen los coches __2.__, o deja encerrado, el calor del sol en la __3.__, la capa de aire que está alrededor de la Tierra. Este fenómeno, que se llama __4.__, ha hecho que las temperaturas aumenten en varias regiones del planeta.

También, somos responsables por los __5.__ en nuestros océanos. Nuestros barcos causan la muerte de muchos animales marinos como peces, aves, focas y los animales más grandes del mar, las __6.__.

Otras actividades que afectan el ambiente son la pesca y la __7.__ excesivas. Estas actividades ponen en peligro de __8.__ a muchos animales __9.__, como es el caso del __10.__, el ave que es símbolo de nuestro país y que casi ha desaparecido.

Otro daño que nosotros hemos hecho al planeta es en la capa de ozono. Ésta nos protege de los rayos ultravioleta del sol, pero a veces tiene __11.__ a causa del uso excesivo de algunos productos, como los aerosoles.

Debemos tomar __12.__ de estos problemas y ayudar en la protección y conservación, o sea, en la __13.__ de nuestro planeta y de todas las __14.__ de animales.

B. Ayuda a tu hermanita a terminar este crucigrama. Para cada definición, escribe la palabra apropiada en la hoja de respuestas.

Horizontal

1. Lo que cubre el cuerpo de muchos animales.
2. Aumento de las temperaturas en todo el planeta
3. Acción de salvar
4. Escasez total, cuando no hay

Vertical

5. Peligro
6. Agua congelada
7. Transformarse la nieve en agua, o la mantequilla en líquido, por efecto del calor
8. Refugio para plantas y animales

C. Estás en una conferencia donde se está hablando de cómo debemos cuidar el medio ambiente. Éstas son algunas frases que algunas personas dijeron en la conferencia. Completa las frases usando el presente del indicativo, el presente del subjuntivo o el infinitivo del verbo entre paréntesis.

A menos que algunas actividades humanas __1.__ *(disminuir)*, muchos de los animales desaparecerán de nuestro planeta.

Tenemos que parar el excesivo uso de los aerosoles y otros productos químicos, para que no __2.__ *(dañar)* más la capa de ozono.

Para __3.__ *(evitar)* la contaminación de las aguas, tenemos que protestar contra las fábricas que siguen echando desperdicios en nuestros ríos.

Aunque los dueños de las fábricas sin duda __4.__ *(saber)* que esto es ilegal, algunos siguen haciéndolo. Por esa razón, a menos que el gobierno les __5.__ *(dar)* multas altas, estas personas no dejarán de contaminar los ríos.

Es nuestra responsabilidad cuidar y proteger el planeta en el que vivimos. No podemos disminuir la contaminación sin __6.__ *(hacer)* un esfuerzo.

Algunos dicen que aunque nosotros __7.__ *(producir)* cambios, el daño ya está hecho. Bueno, yo no pienso así. Sigamos luchando sin __8.__ *(parar)* por un ambiente mejor.

HOJA DE RESPUESTAS, EXAMEN 2

A. *(___ / ___ puntos)*

1. ____
2. ____
3. ____
4. ____
5. ____
6. ____
7. ____
8. ____
9. ____
10. ____
11. ____
12. ____
13. ____
14. ____

B. *(___ / ___ puntos)*

1. ____
2. ____
3. ____
4. ____
5. ____
6. ____
7. ____
8. ____

C. *(___ / ___ puntos)*

1. ____
2. ____
3. ____
4. ____
5. ____
6. ____
7. ____
8. ____

EXAMEN DEL CAPÍTULO 9

A. Escuchar

Don Fernando, el famoso locutor de radio, tiene como invitado al Dr. Buenaventura, un experto sobre el medio ambiente. Escucha lo que dice cada persona para saber: (1) de qué problema habla y (2) qué solución le sugiere el Dr. Buenaventura. Mientras escuchas, puedes tomar apuntes en el recuadro de tu hoja de respuestas. Luego, completa la tabla. Vas a oír cada conversación dos veces.

B. Leer

Lee los siguientes artículos y contesta las preguntas que siguen.

El derrame de petróleo de un barco petrolero bastante viejo cerca de la costa de Argentina puede dañar el ecosistema severamente. Varios científicos han llegado al lugar para ayudar al gobierno local en los esfuerzos de preservación ecológica. Están usando unas bacterias especiales que se deshacen del petróleo en las costas para disminuir los daños. El rescate de animales, como las águilas calvas y las ballenas azules en el área, ocurre todos los días en las islas desde que hubo el derrame. El gobierno local tiene miedo de que la gente no venga a visitar las islas y que la economía se vea afectada a menos que el derrame se limpie completamente.

Cloromex, una fábrica de productos químicos en el sur de Costa Rica, es responsable de la contaminación de los ríos y lagos. Los empleados echan miles de galones de desperdicios muy tóxicos en un río cerca de la fábrica. Esta práctica amenaza con dañar los recursos naturales de la región. Un representante del gobierno costarricense dijo que tan pronto como los productos químicos sean identificados, la compañía tendrá que pagar una multa de cien mil dólares. El inspector Rodríguez está a cargo de la investigación. El gobierno quiere poner una multa a las personas que contaminan el medio ambiente en Costa Rica.

Es importante disminuir el uso de aerosoles con fluorocarbonos. Estos productos químicos destruyen la capa de ozono de la atmósfera. La capa de ozono nos protege de los rayos ultravioleta. Los rayos ultravioleta afectan nuestro cuerpo y, sin esta protección, podemos morir de cáncer. El uso excesivo de los coches contribuye a la contaminación de la atmósfera y la destrucción de la Tierra. También hay muchos gases que causan el efecto invernadero. Mientras no detengamos el uso de esos gases, el recalentamiento global será peor cada año. La preservación de nuestro medio ambiente es muy importante.

C. Escribir

Tu profesor(a) quiere que escribas una carta al periódico sobre los problemas del medio ambiente en tu comunidad. Describe por lo menos dos problemas y sugiere algunas soluciones. Explica las consecuencias graves si no se toman las medidas necesarias.

Para evaluar tu escrito, se considerará:

- el número de problemas y soluciones que das.
- el uso correcto del vocabulario y la gramática recién aprendidos.
- la facilidad para entenderte y tu organización.

D. Hablar

Después de tus clases, trabajas con un grupo de niños de diez años. Los profesores te piden que hables con ellos sobre cómo pueden proteger el medio ambiente en su vida diaria. Diles qué pueden hacer en casa, en la escuela y en la comunidad.

Para evaluar tu presentación, se considerará:

- el uso correcto del vocabulario y la gramática recién aprendidos.
- el número de sugerencias para cada categoría que das.
- la facilidad para entenderte.

E. Cultura

Piensa en y describe uno de los problemas mencionados en el capítulo y cómo se solucionó. Si existe, habla de cómo lo están resolviendo. Di si en los Estados Unidos existe o no el mismo problema.

HOJA DE RESPUESTAS, EXAMEN DEL CAPÍTULO 9

A. Escuchar *(___ / ___ puntos)*

MIS APUNTES

Beto		
Elena		
Antonio		
Carmen		
Raúl		

	PROBLEMA	SOLUCIÓN
Beto		
Elena		
Antonio		
Carmen		
Raúl		

B. Leer *(___ / ___ puntos)*

Escoge la respuesta correcta:

1. Ningún artículo habla ______.
   a. del daño hecho por los productos químicos
   b. del rescate de aves afectadas por el petróleo
   c. de los refugios naturales
2. ______ son responsables de la contaminación de los ríos.
   a. Las ballenas azules
   b. Las fábricas de productos químicos
   c. El calentamiento global
3. Los gobiernos temen el efecto que los derrames de petróleo tengan ______.
   a. en la economía y el turismo
   b. en las selvas tropicales
   c. sobre el efecto invernadero

4. La práctica de ______ protege los recursos naturales del mundo.
   a. echar desperdicios en los ríos
   b. disminuir el uso de aerosoles
   c. usar barcos petroleros demasiado viejos
5. Los gobiernos deben ______ a las personas que contaminan el medio ambiente.
   a. fomentar
   b. proteger
   c. castigar

C. Escribir *(___ / ___ puntos)*

D. Hablar *(___ / ___ puntos)*

E. Cultura *(___ / ___ puntos)*

Prueba 10-1

Comprensión del vocabulario 1

A. Es el primer día de clases y el director de la escuela les habla a los estudiantes sobre las reglas de la escuela y sobre sus derechos y responsabilidades como estudiantes. Escoge la respuesta que mejor completa cada frase.

1. Nuestro distrito escolar ha decidido tener nuevas reglas para este año escolar. Primero, en cuanto a la ropa, hay un nuevo ______ para los estudiantes.
   a. maltrato **b.** apoyo **c.** código de vestimenta

2. Los estudiantes deben usar ropa ______ para cada estación del año sin que llame mucho la atención.
   a. adecuada **b.** gratuita **c.** de ese modo

3. ______ los armarios de estudiantes, los directores de cada edificio tienen el derecho de registrarlos.
   a. En cuanto a **b.** De ese modo **c.** Ambos

4. Los estudiantes no sólo deben respetar lo que dicen sus maestros, sino también la ______ de expresión de sus compañeros.
   a. discriminación **b.** libertad **c.** injusticia

5. Todos deben ______ del derecho de expresar sus ideas y sentimientos sin ofender a nadie.
   a. dañar **b.** maltratar **c.** gozar

6. En esta escuela no se permite ______ a ninguna persona.
   a. discriminar **b.** sufrir **c.** votar

7. Los estudiantes y los profesores deben tratarse con ______ y tolerancia.
   a. asunto **b.** respeto **c.** abuso

8. Cada estudiante tiene el derecho de ______ por sus representantes estudiantiles en las elecciones anuales.
   a. votar **b.** sufrir **c.** aplicar

9. Y por favor, recuerden que todos Uds. reciben una educación ______. Úsenla bien. Gracias.
   a. de ese modo **b.** discriminada **c.** gratuita

B. En tu libro de gobierno estás leyendo un párrafo sobre los derechos del individuo. Subraya la mejor de las palabras que están entre paréntesis para completar cada frase.

El gobierno de nuestro país garantiza la *(injusticia / enseñanza)* de todos nuestros niños. También, el *(estado / apoyo)* es responsable de *(aplicar / sufrir)* las leyes que protegen a la *(tolerancia / niñez)*. Nuestra Constitución garantiza *(la felicidad / el abuso)* de los ciudadanos y que lleven una vida en *(maltrato / paz)*. Ningún joven debe sufrir *(abusos / igualdad)* ni *(apoyo / maltratos)* de quienes los cuidan. Los adultos que cuidan a los jóvenes y no los tratan bien están *(pensamientos / sujetos)* a ser castigados por las autoridades. Nuestro gobierno también da apoyo a aquellos que *(sufren / aplican)* de mucha *(razón / pobreza)* y no permite *(discriminar / gozar)* por *(razones / libertades)* de raza, nacionalidad o sexo. Es muy importante que se reconozca la *(enseñanza / igualdad)* de todos ante la ley.

C. Estás leyendo un artículo que escribió una consejera familiar sobre algunos problemas que tienen los jóvenes y sus padres. Completa las frases usando las palabras del recuadro. No todas la palabras son necesarias.

autoridad	enseñanza	adolescentes	tratan
deberes	satisfactorios	injusticia	respeto

En muchas familias hoy día los ______________ muchas veces se quejan de sus padres. Ellos dicen que les dan muchas obligaciones y ______________ como si ellos fueran adultos, pero los ______________ como niños. Por eso piensan que es una ______________. Los padres también se quejan de que sus hijos no les hablan con ______________ y que parece que ellos ya no tuvieran la ______________ que deberían tener. En mi opinión, cuando estas situaciones ocurren, lo mejor es hablar sobre el problema y tal vez escribir una lista de derechos que sean ______________ para ambos, los hijos y los padres.

Prueba 10-2

Aplicación del vocabulario 1

A. Ernestina viene a hablar con su consejera porque otra vez tiene problemas con sus padres. Completa las frases con una palabra del vocabulario estudiado en este capítulo.

—No aguanto más, Sra. Gutiérrez.

—Tus padres otra vez, ¿verdad?

—Sí, ellos me tratan como una niña, no se dan cuenta que soy una ________________, tengo 16 años. No tengo ________________ para decidir lo que quiero hacer.

—Ésa no es razón o ________________ para estar tan enojada. Tú sólo tienes 16 años y vives en su casa. Ellos tienen la ________________ y la responsabilidad de decidir por ti.

—Siempre dice que me quieren ver feliz, que se preocupan por mi ________________, pero nunca es así.

—¿Cómo te tratan? ¿Te ________________ o te tratan con ________________ y cariño?

—No, ellos me escuchan y los dos, ________________, mamá y papá me dejan tener libertad de expresión y ________________, pero siempre quieren que yo haga cosas que no me gustan, me ________________ a hacer lo que ellos quieren. Parece que tengo más ________________ que derechos en mi casa.

—Pero todo eso es por tu bien. ¿Te ayudan, te dan ________________ cuando tratas de resolver tus problemas personales?

—Sí, pero . . .

—Ernestina, tú también debes ser tolerante con tus padres. Trata de hablar con ellos y entender por qué te ponen ciertas reglas. Y quizás ellos te den más libertad en cosas que no son peligrosas para ti, pero lo que sea por tu bien, debes aceptarlo.

B. María Teresa está escribiendo una composición sobre la diferencia entre el hombre y la mujer en el trabajo. Completa las frases usando una de las palabras del vocabulario estudiado.

No creo que la _______________ entre el hombre y la mujer exista totalmente en nuestra sociedad. Todavía se ve una manera diferente de tratar a las personas, o _______________, especialmente en el mundo del trabajo.

Es en el trabajo donde las mujeres están _______________ a ser _______________ en cuanto a los puestos y salarios. Ellas no disfrutan, no _______________ de las mismas oportunidades que los hombres. También, son víctimas del _______________ de autoridad por parte de algunos jefes. Todo esto no es justo, es una gran _______________ que la mujer tiene y _______________ todavía en el mundo de hoy.

C. Tu amigo está buscando en el diccionario las definiciones de algunas palabras que estudiaron en la clase de español. Tu objetivo es decirle cuál es la palabra que él describe. Escribe la palabra en el espacio en blanco.

1. opuesto de riqueza _______________
2. educación _______________
3. tema _______________
4. de esa manera _______________
5. primera época de la vida humana _______________
6. apropiado _______________
7. Tratar diferente, sea por raza, nacionalidad o sexo. _______________
8. Algo que no se paga. _______________
9. el respeto hacia las maneras de pensar y de sentir de los demás _______________
10. Lo que hacen los ciudadanos de un país para decidir quién va a ser su presidente. _______________
11. gobierno _______________
12. Regla de un lugar que dice qué clase de ropa se debe usar. _______________
13. opuesto de guerra _______________

Prueba 10-3

La voz pasiva: *ser* + participio pasado

Cuando llegas a la escuela este año encuentras muchas sorpresas. Tú le preguntas a tus compañeros quiénes son los responsables. Usa la voz pasiva de los verbos subrayados para contestar las preguntas.

Modelo — ¿Quiénes escogieron al nuevo director?

— El nuevo director *fue escogido* por los padres y los profesores.

—¿Quiénes hicieron todos estos cambios?

—Todos estos cambios ________________ por el director, los profesores y los padres.

—¿Quiénes escribieron el código de vestimenta?

—El código de vestimenta ________________ por el director y los profesores.

—¿Quién prohibió las salidas a almorzar?

—Las salidas a almorzar ________________ por el director.

—¿Quiénes pidieron tareas para los fines de semana?

—Las tareas ________________ por los padres.

—¿Quiénes pusieron la reja a la entrada de la escuela?

—La reja ________________ por los trabajadores del distrito escolar.

—¿Quiénes cambiaron el horario de clases?

—El horario de clases ________________ por los profesores.

—¿Quiénes promovieron el uso de computadoras en las clases?

—El uso de computadoras en las clases ________________ por los estudiantes.

—¿Quiénes le dieron permiso a la administración para registrar los armarios?

—El permiso ________________ por las autoridades escolares.

Prueba 10-4

El presente y el imperfecto del subjuntivo

Victoria habla con su abuelita y se queja de lo que sus padres la obligan a hacer. La abuelita le contesta con lo que sus padres la obligaban a hacer a ella. Usa el presente o el imperfecto del subjuntivo del verbo entre paréntesis.

VICTORIA: Mis padres insisten en que yo les ________________ *(decir)* siempre adónde voy.

ABUELITA: Pues, mis padres no me dejaban salir sin que yo les ________________ *(decir)* adónde iba.

VICTORIA: Es increíble que mis padres no ________________ *(permitir)* que yo ________________ *(salir)* sola y ________________ *(volver)* a casa después de las once.

ABUELITA: En mis tiempos yo no podía salir a menos que ________________ *(ser)* con mi hermana o una amiga. Y siempre querían que ________________ *(regresar)* a las nueve de la noche.

¿Sabes que en mi casa era necesario que yo ________________ *(tener)* mi cuarto ordenado y limpio?

VICTORIA: También en la nuestra. Mamá insiste en que yo ________________ *(mantener)* mi cuarto ordenado y limpio.
Papá no quiere que yo ________________ *(trabajar)* hasta que se ________________ *(terminar)* las clases.

ABUELITA: Mi papá no permitía que yo ________________ *(hacer)* ningún trabajo durante el año escolar.

Para mis padres era importante que yo ________________ *(estudiar)* una profesión que ________________ *(ser)* honorable en aquellos tiempos, como la de maestra. Y eso estudié.

VICTORIA: Pues, Mamá espera que yo ________________ *(ser)* enfermera como ella. Pero yo quiero ser artista.
Es interesante que las cosas no ________________ *(haber)* cambiado mucho entre mi tiempo y tu época, abuelita.

ABUELITA: Tienes razón, hija. Yo dudaba que la vida de mis nietos ________________ *(poder)* ser tan similar a la mía, pero así es.

Examen: vocabulario y gramática 1

A. Estás escribiendo una composición sobre las leyes en los Estados Unidos para tu clase de gobierno. En muchos casos, tienes dos maneras de expresar la misma idea. Completa esta parte de tu composición usando palabras del vocabulario estudiado en este capítulo y escríbelas en tu hoja de respuestas.

Modelo Obedecer o *respetar* las leyes es muy importante.

Estados Unidos es un país con grandes leyes, leyes que todos debemos obedecer y respetar. Ante la ley, todos tenemos el derecho de disfrutar o __1.__ de una vida tranquila, una vida feliz o llena de __2.__. También tenemos derecho a vivir sin que nadie nos moleste, es decir a vivir en __3.__. Nadie debe ser víctima de la desigualdad, es decir estar __4.__ a ser tratado como menos, o __5.__ por motivos o __6.__ personales o sociales.

Éste país educa a su pueblo sin que la gente tenga que pagar un centavo. Le garantiza una __7.__ que es __8.__ a todos sus ciudadanos. Prohíbe el __9.__, o sea el no tratar bien, y el __10.__ contra cualquier persona que viva aquí. Tenemos la __11.__ de expresión y __12.__, que quiere decir que tenemos el derecho de decir y pensar lo que queramos. Si vemos alguna __13.__, algo injusto, que se hace contra algún ciudadano, podemos ir ante las __14.__ del gobierno o del __15.__ y obligarlos a __16.__ la ley contra esos criminales o castigarlos. También, tenemos el derecho y el __17.__ (una responsabilidad importante), como ciudadanos, de __18.__ para escoger a quienes van a gobernarnos.

Es verdad que todavía tenemos muchos problemas que no han sido eliminados. Es una lástima ver tanta __19.__, gente pobre que sufre, en un país tan rico. También, a veces vemos una falta de respeto y __20.__ hacia aquellos que no piensan como la mayoría. Pero debemos seguir luchando y trabajando juntos para que de verdad haya __21.__, que todos sean iguales ante la ley, y terminar totalmente con la discriminación que todavía existe.

B. En el periódico estás leyendo sobre algunas cosas que han ocurrido en tu ciudad. En los artículos que lees, las frases están escritas en la voz activa. Usa la voz pasiva con el verbo *ser* en pretérito para decir que ha pasado.

- Los oficiales del gobierno castigaron a la dueña del restaurante "Mi país hermoso" por discriminar a un empleado.
  La dueña del restaurante "Mi país hermoso" __1.__ por oficiales del gobierno por discriminar a un empleado.
- Tres estudiantes pusieron ventanas nuevas en el hogar de ancianos "Días felices."
  Ventanas nuevas __2.__ por tres estudiantes en el hogar de ancianos "Días felices."
- Destruyeron la antigua fábrica de pesticidas para controlar la contaminación.
  La antigua fábrica de pesticidas __3.__ para controlar la contaminación.
- Unos adolescentes vieron extraterrestres a tres kilómetros de la ciudad.
  Extraterrestres __4.__ por adolescentes a tres kilómetros de la ciudad.
- Una enfermera maltrató a un paciente del Hospital General.
  Un paciente del Hospital General __5.__ por una enfermera.

C. Ana le está escribiendo una carta a su amiga Luisa sobre su relación con sus padres. Completa las frases usando el presente o el imperfecto del subjuntivo de los verbos entre paréntesis.

Querida Luisa:

En mi casa no hay nadie que me __1.__ *(entender)*. Mis padres son muy estrictos conmigo, como si __2.__ *(ser)* una niña por la manera en que me tratan. No me permiten que __3.__ *(hacer)* lo que yo __4.__ *(querer)*. El sábado no dejaron que __5.__ *(salir)* con mi novio porque no había terminado mi proyecto. Es injusto que me __6.__ *(obligar)* a hacer cosas que no quiero. Ayer, por ejemplo, antes de que yo __7.__ *(poder)* decirles que tenía planes para ir al cine con Mónica, me dijeron que __8.__ *(ir)* rápido a mi cuarto y __9.__ *(vestirse)* porque íbamos a ver a la abuelita. Siempre me dicen que sólo quieren mi felicidad, pero yo dudo que ellos __10.__ *(estar)* interesados en que yo __11.__ *(ser)* feliz. ¿Sabes una cosa, Luisa? A menos que ellos __12.__ *(empezar)* a tratarme como una adolescente de 16 años, no les voy a hacer más caso. Dudo que ellos __13.__ *(querer)* que los trataran así si tuvieran 16 años. Algún día, cuando yo __14.__ *(tener)* hijos, no voy a ser tan estricta como mis padres. ¿Qué piensas tú?

Escríbeme pronto.

Tu amiga,

Ana

HOJA DE RESPUESTAS

A. *(___ / ___ puntos)*

1. ______
2. ______
3. ______
4. ______
5. ______
6. ______
7. ______
8. ______
9. ______
10. ______
11. ______
12. ______
13. ______
14. ______
15. ______
16. ______
17. ______
18. ______
19. ______
20. ______
21. ______

B. *(___ / ___ puntos)*

1. ______
2. ______
3. ______
4. ______
5. ______

C. *(___ / ___ puntos)*

1. ______
2. ______
3. ______
4. ______
5. ______
6. ______
7. ______
8. ______
9. ______
10. ______
11. ______
12. ______
13. ______
14. ______

Prueba 10-5

Comprensión del vocabulario 2

A. En la clase de gobierno el profesor habla de la Constitución de los Estados Unidos. Escoge la mejor respuesta para completar las frases que él dice.

1. La libertad de expresión es la base de una sociedad ______.
   a. inocente **b.** democrática **c.** pacífica

2. Y como se nos garantiza esta libertad, somos ______ de decir lo que queremos.
   a. culpables **b.** libres **c.** mundiales

3. La Constitución de los Estados Unidos no sólo garantiza la libertad de expresión, sino también la libertad de ______.
   a. motivo **b.** desempleo **c.** prensa

4. Otra ______ que da la Constitución es el derecho de cada ciudadano a reunirse con otros.
   a. garantía **b.** justicia **c.** tolerancia

5. La Declaración de Derechos de la Constitución también le da derechos a un sospechoso. La policía no puede ______ a una persona sin acusarla de un crimen específico.
   a. detener **b.** asegurarlo **c.** proponerlo

6. Tampoco su casa puede ser registrada sin un documento que diga que esa persona es sospechosa de haber ______ la ley.
   a. opinado **b.** violado **c.** intercambiado

7. Otra cosa, el acusado debe ser juzgado por un ______ imparcial.
   a. estado **b.** testigo **c.** jurado

8. Y recuerden en este país, que un acusado es ______ hasta que se demuestre con pruebas que es culpable.
   a. culpable **b.** inocente **c.** democrático

9. Los Estados Unidos es un país que garantiza libertad y ______ para todos sus ciudadanos.
   a. justicia **b.** juicio **c.** aspiración

B. Ésto es parte de un artículo que tu amiga Cecilia escribió para el periódico de la escuela. Ella te pidió que lo leyeras y le ayudaras a escoger las mejores palabras. Completa las frases subrayando la palabra que mejor completa la frase.

Los adolescentes de hoy sabemos que nuestras opiniones cuentan y tienen un gran *(castigo / valor)* en el mundo. Por eso participamos en reuniones de organizaciones internacionales, como la Red de Jóvenes y Estudiantes, *(de modo que / en lugar de)* podamos escuchar los *(fines / puntos de vista)* y las *(aspiraciones / garantías)* de otros jóvenes. El *(pacífico / fin)* de algunas de estas organizaciones es *(asegurar / juzgar)* que ningún joven sufra de una *(falta de / ante)* educación y entrenamiento. En muchas de estas reuniones, nosotros *(violamos / proponemos)* diferentes *(modos / juicios)* de resolver no sólo nuestros problemas, sino también los problemas de otros adolescentes. Al mismo tiempo, *(intercambiamos / detenemos)* ideas y hacemos *(propuestas / fundamentales)* para solucionar algunos conflictos *(inocentes / mundiales)* y nacionales como son el *(desempleo / castigo)* y las *(aspiraciones / desigualdades)* sociales, económicas y políticas.

C. Éstas son algunas frases que escuchamos en una corte. Completa las frases usando las palabras del recuadro.

juzgar	a medida que	castigo	en lugar de
testigo	culpable	violaron	jueza

1. El acusado no es ________________ del crimen del que Uds. lo acusan.
2. Registraron la casa de mi cliente sin un documento oficial. ________________ sus derechos civiles.
3. ________________ este juicio se vaya desarrollando, el jurado se dará cuenta de que mi cliente es inocente.
4. Hoy vamos a escuchar a un ________________ que dice que vio al señor Fernández esa noche en otro lugar.
5. Señores del jurado, sólo pueden ________________ al acusado en base a las pruebas que aquí se muestran.
6. Mi cliente ha recibido un ________________ injusto. Seguiré luchando por su libertad.

Prueba 10-6

Aplicación del vocabulario 2

A. Tu padre te está haciendo preguntas sobre diferentes temas. Contéstale con palabras del vocabulario que quieren decir lo mismo que la(s) palabra(s) subrayada(s).

—Esteban, ¿cuál es tu opinión sobre la discriminación?

—Mi ________________ es como el tuyo, papá. Es muy injusta.

—Entonces, ¿qué propones?

—Mi ________________ es aplicar las leyes que existen y castigar con multas altas a aquéllos que la practican.

—¿Qué harías para resolver el problema de aquéllos que no tienen oportunidades de educación y entrenamiento?

—Creo que para aquellas personas que sufren ________________ oportunidades de estudio y entrenamiento, el estado debería ayudar más; que no quede un ciudadano sin educación.

—¿Qué opinas de la libertad que tienen los periódicos de escribir lo que quieran?

—La libertad de ________________ es un derecho básico que todos tenemos, aunque muchas veces en los periódicos se escriben cosas que no son noticias sino opiniones del redactor.

—¿Crees que alguien al que acusan de un crimen horrible debe tener los mismos derechos que la víctima?

—¿Por qué no? El ________________ ante la ley es inocente hasta que se muestre de otra manera.

—Hijo, en vez de querer ser médico, deberías ser abogado. Serías muy bueno.

—No, papá, ________________ ser abogado, quiero ser presidente de este país.

—Para nosotros es muy importante la libertad de palabra, ¿verdad?

—Sí, la libertad de palabra es un derecho y un ________________ fundamental de una sociedad libre.

—¿Cómo se le llama a un país en el cual todos los ciudadanos pueden votar para elegir a su gobierno?

—Es un país ________________, como el nuestro.

B. Tu amigo quiere que le ayudes a terminar este crucigrama de palabras del vocabulario. Escribe la palabra apropiada en el espacio en blanco junto a cada definición.

Horizontal

1. persona que se cree que pudo haber cometido un crimen _______________
2. alguien que vio un crimen _______________
3. maneras _______________
4. decidir si alguien es culpable o inocente _______________
5. arrestar _______________
6. lo que recibe alguien que hizo algo malo _______________
7. el / la que tiene libertad _______________
8. lo contrario a igualdad _______________
9. En una sociedad justa hay ______ para todos. _______________
10. derechos que la Constitución nos garantiza _______________

Vertical

1. no obedecer la ley _______________
2. alguien que no es inocente _______________
3. que actúa o sucede en paz _______________
4. proceso para decidir si alguien es inocente o no _______________
5. del mundo _______________
6. cuando no hay trabajo _______________
7. lo que se desea _______________
8. los que deciden en un juicio si el acusado es inocente o no _______________
9. hacer que las personas estén seguras de algo _______________
10. frente a _______________

Prueba 10-7

El pluscuamperfecto del subjuntivo

A. En el juicio del Sr. Torres hubo sorpresas y alegrías para todos. Completa las frases usando el pluscuamperfecto del subjuntivo de uno de los verbos en paréntesis.

1. El abogado de la defensa no podía creer que la policía ________________ *(violar / intercambiar)* los derechos de su cliente.
2. El acusado estaba sorprendido de que su mejor amigo lo ________________ *(aplicar / juzgar)* como lo hizo.
3. Una testigo se sorprendió de que el abogado le ________________ *(decir / sufrir)* que ella estaba mintiendo.
4. A todos les pareció extraño que los padres del acusado ________________ *(detener / salido)* riéndose.
5. La jueza se sorprendió de que el jurado ________________ *(tomar / discriminar)* una decisión tan rápida.
6. Al final del juicio, el acusado se alegró muchísimo de que el jurado ________________ *(obligar / decidir)* que él era inocente.

B. José está escribiendo un artículo para el periódico de su escuela sobre la reunión a la que él asistió. Completa las frases de este artículo usando los verbos del recuadro en el pluscuamperfecto del subjuntivo.

poder	resolver	abrir	venir	llevarse	ser

El fin de semana pasado se celebró en Nueva York la reunión anual de Estudiantes Internacionales. Más de 300 estudiantes de todas partes del mundo participaron. El presidente de la organización dijo que se alegraba mucho de ver que tantos estudiantes ________________, pero también dijo que era una lástima que sólo cinco estudiantes de países del tercer mundo ________________ asistir. En la reunión expresamos diferentes puntos de vista y presentamos propuestas. Yo no podía creer que al final nosotros ________________ todas las propuestas y que ________________ tan bien. Cada representante habló como si ________________ un experto en política.

Prueba 10-8

El condicional perfecto

A. Tu amigo Paco a veces tiene opiniones diferentes a las tuyas. Tú le estás diciendo lo que hiciste en la última reunión de Estudiantes Internacionales, pero él siempre habría hecho algo diferente. Usa el condicional perfecto para expresar su opinión.

Modelo —Yo fui a la reunión con Luisa.
—Yo no *habría ido* con ella.

—Yo hice una propuesta sobre la discriminación sexual.
—Yo la ________________ sobre el desempleo.

—Propuse ayudar a los jóvenes sin hogar.
—Yo nunca ________________ eso.

—Yo no hablé de la contaminación ambiental.
—Pues, yo sí ________________ de la contaminación.

—Yo rompí con la tradición de esperar hasta el fin de la reunión para salir.
—Hiciste muy mal. Yo no ________________ con esa tradición.

B. Estás hablando de cómo sería tu vida si hubieras nacido en otro país. Completa las frases usando los verbos del recuadro en el condicional perfecto. No todos los verbos son necesarios.

poder	vivir	sufrir	permitir	saber	intercambiar	tener	detener

Si mi familia y yo hubiéramos nacido en un país sin libertades, ________________ mucho porque no ________________ los derechos que tenemos en los Estados Unidos. A mi papá las autoridades del gobierno no le ________________ escribir sus críticas y hablar de sus puntos de vista o opiniones libremente en el periódico. Lo ________________ inmediatamente. Mi mamá, como reportera que es, no ________________ tener la libertad de expresión tampoco. Y yo no ________________ lo que es vivir en una sociedad libre y con justicia para todos. Creo que nosotros ________________ una vida muy triste en un país sin libertad.

Examen: vocabulario y gramática 2

A. Éstas son frases de un artículo sobre un robo que salió en el periódico. Usa las pistas entre paréntesis y completa las frases con palabras del vocabulario de este capítulo.

Hoy comenzó el ___1.___ *(lo que se hace para decidir si alguien es culpable o inocente)* contra la Sra. Alfonsina Guzmán que fue ___2.___ *(dijeron que ella lo hizo)* de haberle robado medio millón de dólares a la compañía donde trabajaba.

La Sra. Guzmán asegura que no robó nada y que es ___3.___ *(que no tiene la culpa)*. Dice que su jefe fue quien robó el dinero, que él es el ___4.___ *(que tiene la culpa)*.

Pero todos dudan de ella; es la ___5.___ *(la persona de quien se sospecha)* porque no se sabe cómo consiguió tanto dinero para irse de viaje con su familia.

Antes de empezar, habló la jueza y les dijo a los abogados y al ___6.___ *(grupo de personas que deciden si alguien es culpable o inocente)* que quería un juicio rápido y que la Sra. Guzmán fuera ___7.___ *(decidir si es culpable o inocente)* con justicia, con todos los derechos y ___8.___ *(cosas que se garantizan)* que la Constitución le da. A los ___9.___ *(los que vieron u oyeron algo del crimen)* les recordó que sólo debían decir la verdad. Esperan que todo esto termine en un mes. Ya pasó una semana desde que la policía ___10.___ *(arrestó)* a la Sra. Guzmán.

B. La profesora les puso un crucigrama con las palabras del vocabulario de este capítulo. Te faltan sólo unas definiciones para completarlo. Escribe la palabra del vocabulario apropiada en el espacio en blanco junto a cada definición.

1. cambiar ideas unos con otros ___1.___
2. decir lo que se puede hacer ___2.___
3. de todo el mundo ___3.___
4. que tiene paz o es hecho con paz ___4.___
5. resultado que se espera lograr al hacer algo; objetivo ___5.___
6. diferentes maneras de ver o pensar sobre algo ___6.___
7. falta de igualdad ___7.___
8. falta de empleos ___8.___

C. Al Sr. Juan Soto lo detuvieron esta mañana y los detectives registraron su apartamento. Ahora los vecinos reaccionan ante lo ocurrido. Usa el pluscuamperfecto del subjuntivo de uno de los verbos entre paréntesis para completar los comentarios.

SR. ORTIZ: Juan es mi amigo y lo conocía bien. No podía creer que él __1.__ *(violar / juzgar)* la ley.

SRA. ORTIZ: Él hablaba como si siempre __2.__ *(decir / ser)* una persona honesta. Nunca le oí decir una mentira.

SRA. FLOR: Yo sólo lo creería si los detectives __3.__ *(encontrar / detener)* pruebas.

SR. TRAP: ¿Era verdad lo que escuchábamos? ¿Sería posible que Juan __4.__ *(hacer / robar)* ese dinero?

SRA. CRUZ: No creo. ¿Por qué lo haría? Él no necesitaba hacer eso para obtener dinero. Si él me lo __5.__ *(pedir / proponer)*, yo se lo habría dado.

SR. PINTO: Si fuera cierto, nosotros __6.__ *(ver / llegar)* algo sospechoso. Visitábamos su casa a menudo.

D. Imagina cómo habrían reaccionado tú y tus amigos si hubieran visto un crimen. Usa el condicional perfecto de los verbos del recuadro para completar las frases. No todos los verbos son necesarios.

recordar	estar	escribir	hacer	salir	llamar	morirse

—Si Conchita hubiera observado un crimen, no __1.__ muy tranquila.

—Felipe __2.__ a la policía inmediatamente.

—Samuel y Rosa __3.__ de miedo.

—Roberto y yo __4.__ todo. Tenemos muy buena memoria.

—Yo también, y __5.__ un informe de todo lo que hubiera visto.

—Y tú, ¿qué __6.__ si hubieras estado en esta situación?

HOJA DE RESPUESTAS

A. *(___ / ___ puntos)*

1. ______ 6. ______
2. ______ 7. ______
3. ______ 8. ______
4. ______ 9. ______
5. ______ 10. ______

B. *(___ / ___ puntos)*

1. ______ 5. ______
2. ______ 6. ______
3. ______ 7. ______
4. ______ 8. ______

C. *(___ / ___ puntos)*

1. ______ 4. ______
2. ______ 5. ______
3. ______ 6. ______

D. *(___ / ___ puntos)*

1. ______ 4. ______
2. ______ 5. ______
3. ______ 6. ______

EXAMEN DEL CAPÍTULO 10

A. Escuchar

Escucha a las siguientes personas que se quejan de algunos problemas. Escucha lo que dice cada persona para saber: (1) si está hablando de un derecho o de un deber y (2) de qué derecho o deber está hablando. Mientras escuchas, puedes tomar apuntes en el recuadro de tu hoja de respuestas. Luego, completa la tabla. Vas a oír cada comentario dos veces.

B. Leer

Lee estos artículos sobre lo que opinan algunas personas famosas que luchan por los derechos de los demás. Luego contesta las preguntas en tu hoja de respuestas.

El Dr. Vicente Amado, famoso médico veterinario, asegura que los derechos de los animales domésticos, como los gatos y los perros, siempre son violados por los seres humanos. Él insiste que es injusto que maltratemos a nuestros animales como lo hacemos. Dice, por ejemplo, que los animales tienen que esperar a que les demos agua y comida porque no tienen la libertad de buscar sus alimentos ellos mismos. Desde el punto de vista del Dr. Amado, esto es un abuso y es necesario que tratemos a nuestros animales con respeto y compasión.

Alberto Medina, el famoso político hispano, nos escribe: Propongo que las diferencias económicas entre las personas sean destruidas. La gente pobre no vive con igualdad y no tiene las mismas oportunidades de empleo. Los ricos lo tienen todo y los pobres no tienen nada. Los ricos tiran la comida, mientras que los pobres tienen que buscarla en la basura. Es inhumano vivir bajo estas terribles condiciones. No digo que se les dé dinero a los pobres, sino que se les dé apoyo para que obtengan una buena educación gratuita. Así podrán salir de su pobreza.

Ana Martínez, profesora del año, fue entrevistada por el reportero de un periódico nacional. Ella nos dijo que fue un honor ser nombrada la maestra del año, pero añade: "son los padres de mis estudiantes los que realmente deben recibir el crédito. La enseñanza empieza en el hogar, sin importar la clase social o económica. Por ejemplo, leerles libros a nuestros hijos les ofrece una garantía para el futuro".

C. Escribir

Se construyó un nuevo parque en la comunidad, pero la gente no estaba de acuerdo en cómo usarlo. Sin embargo, se necesitaba el apoyo de la comunidad para que tuviera éxito. Escribe un cuestionario para preguntarles a los entrevistados cómo habrían usado el parque si hubieran sido vecinos de esa comunidad. Incluye una explicación del propósito de la entrevista.

Para evaluar tu escrito, se considerará:

- el uso correcto del vocabulario y la gramática recién aprendidos.
- tu capacidad para formular preguntas.
- la facilidad para entenderte.

D. Hablar

Haz una presentación breve a tus compañeros sobre lo que deben hacer para ayudar a los animales abandonados en la comunidad. Incluye una explicación del problema, qué derechos deben tener los animales, cuáles son nuestros deberes y qué pueden hacer los jóvenes por ellos.

Para evaluar tu presentación, se considerará:

- tu explicación del problema y sus posibles soluciones.
- la facilidad para entenderte.
- tu organización.

E. Cultura

Piensa en la historia que leíste sobre las experiencias de Domitila Barrios cuando era niña. Explica cómo pudo vencer los obstáculos y prejuicios a los que tuvo que enfrentarse. Compárala con alguna historia que conozcas de una persona de los Estados Unidos en circunstancias similares.

HOJA DE RESPUESTAS, EXAMEN DEL CAPÍTULO 10

A. Escuchar *(___ / ___ puntos)*

MIS APUNTES

Ana		
Ramón		
Diana		
Daniel		
Lorena		

	PROBLEMA	SOLUCIÓN
Ana	derecho deber	
Ramón	derecho deber	
Diana	derecho deber	
Daniel	derecho deber	
Lorena	derecho deber	

B. Leer *(___ / ___ puntos)*

Lee cada frase y escribe *C* si es cierta o *F* si es falsa.

1. El veterinario cree que los animales sufren porque no jugamos con ellos. ______
2. Más que dinero, es mejor que les demos educación a los pobres. ______
3. La profesora piensa que los padres deberían ser llamados "Los profesores del año". ______
4. Es seguro que estos tres personajes famosos piensan que el gobierno debe resolver todos los problemas. ______
5. Todos recibieron un premio por sus esfuerzos en la comunidad. ______

Nombre ______ Hora ______

Fecha ______

Hoja de respuestas, Examen del capítulo 10, Página 2

C. Escribir *(___ / ___ puntos)*

D. Hablar *(___ / ___ puntos)*

E. Cultura *(___ / ___ puntos)*

Exámenes acumulativos

EXAMEN ACUMULATIVO I

PARTE I. Vocabulario y gramática

A. A ti y a tu amiga Lupe les encanta jugar con las palabras. Ella te da una definición y tú debes decirle lo que es. En tu hoja de respuestas escribe la palabra correcta para completar cada frase.

1. Cuando alguien está parado, está ______.
2. Cuando una pintura representa a la persona que la pintó es un ______.
3. Para poder ver en el cámping cuando está oscuro de noche, se usa una ______.
4. Para saber en qué dirección caminas, lleva una ______.
5. Si te duele el pecho porque tienes mucha tos, toma un ______.
6. Debes comer de todos los grupos de alimentos todos los días para mantener una dieta saludable y ______.
7. Si le dices todos tus secretos a tu mejor amigo, es porque tienes ______ en él.
8. Tu abuela te abraza y te besa cuando te ve, es muy ______.
9. Otra palabra que expresa "tener miedo" es ______.
10. Para decir "espero" o "deseo" puedes usar la palabra ______.
11. Una alimentación nutritiva es ______.
12. Si alguien no quiere trabajar todos los días, necesita un puesto a tiempo ______.
13. Las personas que no tienen un lugar donde vivir son ______.
14. La persona que trabaja en una piscina para ayudar si hay alguien que no puede nadar es un(a) ______.

B. Los fines de semana tú trabajas con tu tío en una fábrica donde se hacen letreros. Anoche hubo una tormenta y después Uds. encontraron todos los letreros tirados por todas partes. Ahora les faltan algunas palabras. Usa las ilustraciones y los verbos entre paréntesis para escribir las instrucciones para cada letrero con la forma de mandato apropiada.

¡Cuidado! Estimado deportista, ¡no ___1.___ *(escalar)* ___2.___ Ud. sin compañero!

Estimados artistas, por favor ___3.___ *(recoger)* Uds. los pinceles y las paletas antes de salir del ___4.___ .

Mis compañeros atletas, (nosotros) ___5.___ *(hacer)* ___6.___ todos los días.

¡Niños! ¡No ___7.___ *(traer)* ___8.___ a la escuela!

C. Tu amiga Luz María y tú se encuentran en el pasillo después de la tercera clase. Completa la conversación que sigue con *por* o *para*, según el caso.

TÚ: Hola, Luz María. ¿Quieres acompañarme a la reunión del Club de Jóvenes Voluntarios? Nos reunimos ___1.___ planear nuestra marcha ___2.___ juntar fondos ___3.___ las víctimas del desastre que ocurrió en agosto en Bolivia.

LUZ MARÍA: ¡Claro que sí! ¿Pero puedes esperarme ___4.___ unos minutos? Tengo que pasar ___5.___ la oficina ___6.___ entregar mi inscripción ___7.___ la carrera Campos Verdes.

TÚ: Pues, date prisa porque la última vez cuando yo llegué ya había empezado. La reunión fue anunciada ___8.___ las 12:00 en punto. Y tú sabes bien como es el Sr. Morales.

LUZ MARÍA: No te preocupes. La secretaria sale a almorzar a las 11:50. ¡Bueno, vamos!

D. Pasas por la cafetería de tu escuela y oyes lo que dicen varias personas. Completa los diálogos con la forma correcta de los verbos indicados en el presente o el subjuntivo.

Conversación 1

FRANCISCO: Oye, Nacho. Oí que Natalia se inscribió para el equipo de natación.

NACHO: Me sorprende que ella __1.__ *(tener)* tiempo suficiente para entrenarse.

ANA: Pues, creo que ella __2.__ *(nadar)* muy bien.

ALICIA: ¡Fabuloso! ¡Ojalá que nuestro equipo __3.__ *(ganar)* el campeonato este año!

Conversación 2

RIGO: ¡Qué ridículo! Gloria y Esteban están peleándose de nuevo.

LYDA: ¡Ay de mí! Es una lástima que no __4.__ *(llevarse)* bien.

RIGO: Gloria tiene muchos amigos y temo que Esteban __5.__ *(ser)* muy celoso.

CONSUELO: Ojalá que se pongan de acuerdo y __6.__ *(hacer)* las paces.

Conversación 3

MIGUEL: ¡Noticias nuevas, amigos! Nuestro amigo Javier ha conseguido un trabajo de niñero en el jardín de infantes "Chiquititos".

SABRINA: Ya lo sé. Él quiere que yo también __7.__ *(entrevistarse)* con el director. Pero no __8.__ *(poder)* hacerlo porque debo estudiar, practicar el fútbol . . .

MIGUEL: ¿Javier __9.__ *(recibir)* un buen salario allí?

SABRINA: Creo que sí. Y a él también le gusta que el horario __10.__ *(ser)* flexible.

E. Dolores está escribiendo un informe sobre una cueva *(cave)* en España. Completa su informe con el pretérito o el imperfecto de los verbos entre paréntesis.

En el norte de España se encuentra una cueva muy famosa. Aquí se relata la historia. Un día mientras un cazador y su perro __1.__ *(caminar)* por el campo, el perro __2.__ *(perderse)* entre unas piedras. Después de quitar unas piedras que __3.__ *(estar)* sobre la entrada de una cueva, el cazador encontró a su perro. Pero, como encontró al perro, no __4.__ *(entrar)* en la cueva.

Años después, un arqueólogo empezó a explorar en ese sitio. Su hijita María a veces iba con él. Un día, mientras su papá __5.__ *(estar)* excavando, la pequeña __6.__ *(ir)* en otra dirección y __7.__ *(entrar)* en la misma cueva. Cuando entró a la cueva, la niña __8.__ *(gritar)*: "¡Toros pintados!" En las paredes de la cueva __9.__ *(verse)* dibujos coloridos de caballos, bisontes, y otros animales. Y esa tarde, el arqueólogo y su hija __10.__ *(encontrar)* unas de las pinturas más famosas de la época prehistórica: los dibujos de la cueva de Altamira.

PARTE II. Comunicación

A. Escuchar

Vas a escuchar a cinco personas describir algo que les pasó durante un viaje fuera de la ciudad. Mientras escuchas, escribe el número de la persona que habla al lado del dibujo correspondiente. Luego, indica con una X lo que hizo allí. Solamente vas a escribir *cinco* números y marcar *cinco* actividades. Vas a oír cada descripción dos veces.

B. Escuchar

Vas a escuchar cuatro conversaciones. En las conversaciones, varias personas chismosas hablan de las relaciones personales de sus amigos. Mientras escuchas, marca con una X la frase que ofrezca la mejor conclusión sobre la situación que se describe en cada conversación. Vas a oír cada conversación dos veces.

C. Leer

La señora Ramos, consejera de tu escuela, preparó este anuncio para informarles a los estudiantes de la variedad de actividades extracurriculares que se ofrecen. Después de leerlo, indica si las oraciones son *C* (ciertas) o *F* (falsas).

UNA VIDA LLENA DE EXPERIENCIAS EN SANDIA HIGH SCHOOL

¡Bienvenidos! Nuevamente este año les ofrecemos una gran variedad de actividades extracurriculares. Les recomiendo que vengan a la oficina donde van a encontrar información sobre todas las actividades en las que pueden participar. Por ejemplo, tenemos un club para los aficionados al deporte de escalar rocas o a los que les guste explorar la naturaleza, un club literario, y otro para los que desean desarrollar páginas Web. ¿Tienen Uds. talento artístico? Pueden participar en el Club Teatral o la Sociedad de Artistas. Si les interesa trabajar como voluntarios, pueden ser ayudantes en las clases de ciencias o matemáticas. También se ofrece la oportunidad de participar en el proyecto Hábitat para la Humanidad. ¡Visítennos pronto! ¡Queremos conocerlos!

D. Escribir

Hay un gran problema económico en tu distrito escolar y el director quiere eliminar todas las clases de educación física y las clases de música para los niños de la escuela primaria. Escríbele una carta defendiendo estas clases porque piensas que son esenciales. Incluye en tu carta:

- la importancia de incluir estas clases para los niños.
- las desventajas para los niños si no tienen estas clases.
- una manera en que se puede continuar ofreciendo estas clases.

> Para evaluar tu escrito, se considerará:
> - la cantidad de información que das.
> - el uso correcto del vocabulario.
> - el uso correcto de la gramática.

E. Hablar

Fuiste a ver unas pinturas en un taller. Habla con tu profesor(a) de una de las pinturas que viste. Dile:

- cómo se llamaba la pintura.
- cuál era el tema o mensaje de la pintura.
- algo del (de la) pintor(a) y de su estilo.
- por qué te gustó o no te gustó la pintura.
- cómo contribuyen las obras de este(a) artista a la sociedad.

> Para evaluar tu presentación, se considerará:
> - el número de detalles que provees.
> - el uso correcto de la gramática.
> - la facilidad para entenderte y tu organización.

HOJA DE RESPUESTAS, EXAMEN ACUMULATIVO I

PARTE I. Vocabulario y gramática

A. *(___ / ___ puntos)*

1. ______ 8. ______
2. ______ 9. ______
3. ______ 10. ______
4. ______ 11. ______
5. ______ 12. ______
6. ______ 13. ______
7. ______ 14. ______

B. *(___ / ___ puntos)*

1. ______ 5. ______
2. ______ 6. ______
3. ______ 7. ______
4. ______ 8. ______

C. *(___ / ___ puntos)*

1. ______ 5. ______
2. ______ 6. ______
3. ______ 7. ______
4. ______ 8. ______

D. *(___ / ___ puntos)*

1. ______ 5. ______ 8. ______
2. ______ 6. ______ 9. ______
3. ______ 7. ______ 10. ______
4. ______

E. *(___ / ___ puntos)*

1. ______ 5. ______ 8. ______
2. ______ 6. ______ 9. ______
3. ______ 7. ______ 10. ______
4. ______

PARTE II. Comunicación

A. Escuchar (___ / ___ *puntos*)

Persona: ______ ______ andar ______ perderse	Persona: ______ ______ perder el equilibrio ______ nadar	Persona: ______ ______ pescar ______ relajarse
Persona: ______ ______ hacer cámping ______ ver animales	Persona: ______ ______ dar un paseo todos los días ______ educar	Persona: ______ ______ entrenarse ______ caerse

B. Escuchar (___ / ___ *puntos*)

Conversación	Conclusión
1.	______ Tienen mucho en común. ______ No tienen mucho en común.
2.	______ Cambió de opinión. ______ No cambió de opinión.
3.	______ Se reconciliaron. ______ No se reconciliaron.
4.	______ Resolvieron el conflicto. ______ No resolvieron el conflicto.

C. Leer *(___ / ___ puntos)*

1. Este anuncio les explica a los estudiantes la variedad de actividades extracurriculares. ______
2. No menciona actividades para los estudiantes interesados en viajar. ______
3. No hay ninguna actividad para los deportistas. ______
4. La escuela tiene un club para los estudiantes que tienen interés en actuar. ______
5. No hay una actividad en la que se usen las computadoras. ______

D. Escribir *(___ / ___ puntos)*

____
____
____
____
____
____
____
____
____
____
____
____
____
____
____
____

E. Hablar *(___ / ___ puntos)*

EXAMEN ACUMULATIVO II

PARTE I. Vocabulario y gramática

A. Tu prima Nilda nunca está de acuerdo con nada. Completa cada frase para indicar la opinión de Nilda, que siempre es opuesta *(opposite)* a lo que dicen los demás.

1. A mí no me gusta vivir en la sierra sino en el ______.
2. No, ese cuento no es familiar sino ______.
3. Creo que no hay exceso de recursos naturales sino ______.
4. Las reglas de la escuela no son justas sino ______.
5. No estoy a favor de la guerra sino que estoy ______ de ella.
6. Las fábricas no conservan los recursos naturales sino que los ______.
7. La cafetería no sirve alimentos saludables sino ______.
8. No puedo ver los conejos porque no están al sol sino a la ______.
9. Los soldados no eran muy poderosos sino muy ______.
10. Estoy segura de que ese joven no es inocente sino ______.

B. Te interesa encontrar un trabajo de verano que te permita investigar algunas posibilidades para el futuro. Primero, escribe el nombre de la profesión debajo de cada dibujo. Luego, completa cada descripción con el subjuntivo del verbo entre paréntesis.

1. ______ 2. ______ 3. ______ 4. ______

5. El director del programa de verano busca jóvenes que ______ *(ser)* maduros y responsables.
6. Esta posición requiere que el joven ______ *(saber)* hablar y escribir en español. Trabajará contestando el teléfono y ayudando a los estudiantes.
7. A esta persona debe interesarle que haya justicia para todos. Trabajará en la corte para asegurar que todas las personas ______ *(llegar)* a gozar de los mismos derechos.
8. Si quieres este trabajo, es importante que ______ *(mantenerse)* en buena forma, porque pasarás horas al aire libre en el desierto.

C. ¡Nos encantan las fiestas de cumpleaños! Pero es una lástima que de vez en cuando recibamos algo que no nos interesa. Por esta razón, en mi familia, cada uno le da su regalo a otro de la familia. Primero, mira la ilustración y escribe el regalo que ha recibido cada persona. Luego completa la frase con los pronombres directos e indirectos apropiados.

A mi padre, su jefe le regaló unos ___1.___ . Aunque es artista, se expresa con obras de escultura. Por eso, ___2.___ va a dar a mí.

A mi primo, nuestro abuelo le regaló una ___3.___ pero mi primo tiene alergias y no puede pasar mucho tiempo al aire libre. Por eso, ___4.___ va a dar a nosotros.

A mis abuelos, mi tío les regaló unos bonitos ___5.___ . Ellos viven en un apartamento y no tienen patio. Por eso, ___6.___ van a dar a mis tíos que viven en Florida en una casa.

Mi hermana mayor me regaló unas ___7.___ para el concierto del conjunto "Gran Ruido". A mí no me gusta la música moderna sino la música clásica. ¿Quieres que ___8.___ dé a ti?

D. Esta conversación ocurrió en casa de Raúl, un amigo mío, antes de salir para la escuela. Después de leer cada frase, complétala con la forma apropiada del presente del indicativo o del subjuntivo.

MAMÁ: Raúl, esta tarde trabajo como voluntaria en el comedor de beneficencia. Los directores del centro de la comunidad nos pidieron que ___1.___ *(donar)* dos horas de trabajo cada semana.

RAÚL: No dudo que estas organizaciones ___2.___ *(ayudar)* a la gente sin hogar y me da mucho orgullo que tú ___3.___ *(participar)*.

MAMÁ: Pues, hazme un favor, querido. Tan pronto como ___4.___ *(volver)* de la escuela, me gustaría que tú hicieras la cena.

RAÚL: Está bien, mamá. Sabes que me ___5.___ *(gustar)* mucho cocinar y hoy aprendimos una receta nueva en la clase de español. Es arroz con pollo. Estoy seguro que nosotros ___6.___ *(tener)* los ingredientes en casa. Necesito pollo, arroz, cebollas, aceite . . .

MAMÁ: ¡Qué rico!

E. Para un informe estás investigando algunos de los hispanohablantes que han contribuido mucho a nuestra cultura. Lee los párrafos y complétalos con la forma correcta del pretérito o el imperfecto de los verbos entre paréntesis, según el caso.

César Chávez, un mexicano-americano de California, ___1.___ *(organizar)* a los trabajadores para lograr que se mejoraran las condiciones de trabajo. Él ___2.___ *(creer)* en el derecho a "ser parte del sueño americano y mantener la cultura mexicana al mismo tiempo". Esto ___3.___ *(ser)* un concepto nuevo en su época. César Chávez ___4.___ *(morir)* en 1993.

José Vasconcelos (1882-1959), también ___5.___ *(servir)* a su patria como político. Después de luchar en la Revolución Mexicana, ___6.___ *(crear)* la Secretaría de Educación Pública. Él ___7.___ *(pensar)* que todos los mexicanos debían aprender a leer y a escribir. Por eso, los estudiantes ___8.___ *(soler)* llamarlo "Maestro de las juventudes de América".

F. Tus padres están pasando unos días de vacaciones en Barcelona. Completa los párrafos que les escribes con la forma correcta de los verbos en el presente o el imperfecto del subjuntivo.

Espero que ___1.___ *(ir)* a más lugares en Barcelona. Recuerdo bien mi viaje con mis compañeros de escuela el verano pasado. Me alegro de que Uds. ___2.___ *(divertirse)* durante su viaje a esa ciudad fabulosa. Es increíble que ___3.___ *(quedarse)* en el mismo hotel que yo me quedé.

Fue magnífico que Uds. ___4.___ *(asistir)* a la presentación de danza clásica en el Teatro Mercat de les Flores y que después ___5.___ *(conocer)* a los bailarines. Montjuïc es un barrio muy interesante, ¿verdad? Espero que también ___6.___ *(visitar)* el museo de Joan Miró.

G. Tu maestra les ha pedido que ustedes, los estudiantes, le digan sus opiniones acerca de los derechos y los deberes. Lee las opiniones y luego completa las frases en el pasado, usando el pluscuamperfecto del subjuntivo o el condicional perfecto, según el caso.

Modelo No es posible que el testigo haya visto al acusado en ese lugar.
No era posible que ***el testigo hubiera visto al acusado en ese lugar***.

1. Es bueno que el gobierno encuentre una solución para la pobreza.
   Fue bueno que ______________________________.
2. Me alegro de que la escuela nos enseñe cómo evitar la discriminación.
   Me alegré de que ______________________________.
3. Si una persona es periodista, le interesa mucho la libertad de prensa y de pensamiento.
   Si Marcos hubiera sido periodista, le ______________________________.
4. Si hay poco desempleo, la gente vive de manera satisfactoria.
   Si hubiera habido poco desempleo, ______________________________.

PARTE II. Comunicación

A. Escuchar

Vas a escuchar cinco descripciones de unas partes del castillo del dibujo. Mientras escuchas, escribe el número de la descripción en la parte correspondiente del dibujo. Luego escribe la letra del comentario de la lista que corresponde a la parte del castillo indicada. Vas a oír cada descripción dos veces.

B. Escuchar

Vas a escuchar a cinco personas hablar sobre el futuro. Mientras escuchas, escribe la letra de la persona que habla al lado del dibujo correspondiente. Luego marca con una *X* la acción de la que habla esa persona. Solamente vas a escribir *cinco* letras y marcar *cinco* acciones. Vas a oír cada comentario dos veces.

C. Leer

Estás escribiendo un reportaje sobre uno de los héroes de los derechos humanos en Latinoamérica para tu clase de ciencias sociales. Encontraste este artículo sobre Benito Juárez. Léelo y luego completa las frases en tu hoja de respuestas.

Benito Pablo Juárez es uno de los hombres más admirados y respetados en la lucha por la igualdad en América. Nació el 21 de marzo de 1806 en San Pablo Guelatao, en el sur de México. Sus padres, Marcelino Juárez y Brígida García, indios zapotecas, murieron cuando Benito tenía tres años. Benito fue con dos de sus hermanas a vivir con un tío. Benito trabajaba como pastor en el campo cuidando ovejas. Pero la idea de cuidar las ovejas el resto de su vida no lo inspiraba mucho.

Cuando tenía doce años, Benito decidió dejar a su tío y buscó la casa de la familia Maza, donde su hermana María Josefa trabajaba de cocinera. Aunque el señor Maza no necesitaba más criados, permitió que Benito se quedara a vivir con ellos. Al poco tiempo, el señor Maza lo recomendó con un padre franciscano, Antonio Salanueva, y Benito se fue a trabajar a su taller. El señor Salanueva se interesó mucho en la educación de Benito.

Benito entró a la Escuela Real, pero su experiencia no era lo que esperaba. Se dio cuenta de que podía aprender mucho más estudiando solo en el taller con los libros del señor Salanueva, y no asistió más a la escuela.

En 1826, Benito entró el Instituto de Ciencia y Arte como estudiante. Allí también enseñó física. Como profesor, tuvo la gran satisfacción de poder ayudar a los jóvenes de raza indígena como él. Después de graduarse, empezó a participar activamente en la política del estado y, con el tiempo, en la política de la nación. Luchó para introducir reformas para que las leyes fueran iguales para todos. Llegó a ser gobernador de su estado y más tarde, uno de los presidentes más importantes de México.

D. Escribir

Eres un antropólogo famoso. Escribe un artículo para la revista *Misterios del pasado* sobre una civilización antigua que acabas de explorar. Incluye en el artículo:

- una descripción de la civilización.
- dónde y cuándo existió.
- algunas de las teorías de por qué desapareció.

Para evaluar tu escrito, se considerará:

- tu descripción de la civilización y de las teorías sobre su desaparición.
- el uso correcto del vocabulario.
- el uso correcto de la gramática.

E. Hablar

Quieres trabajar este verano y tienes una entrevista con un agente de empleos. Yo haré el papel de agente. Quiero averiguar tus experiencias en el pasado. Explica en detalle algunos trabajos que hayas tenido. En tu conversación, háblame de:

- tus experiencias previas de trabajo.
- tus destrezas y habilidades.
- el trabajo que te gustaría tener.
- tus metas en ese trabajo.

Para evaluar tu presentación, se considerará:

- la cantidad de información que das sobre tu experiencia, tus destrezas y habilidades, y tus objetivos.
- el uso correcto de la gramática.
- la facilidad para entenderte y tu organización.

HOJA DE RESPUESTAS, EXAMEN ACUMULATIVO II

PARTE I. Vocabulario y gramática

A. (___ / ___ *puntos*)

1. ____ 5. ____ 8. ____
2. ____ 6. ____ 9. ____
3. ____ 7. ____ 10. ____
4. ____

B. (___ / ___ *puntos*)

1. ____ 4. ____ 7. ____
2. ____ 5. ____ 8. ____
3. ____ 6. ____

C. (___ / ___ *puntos*)

1. ____ 4. ____ 7. ____
2. ____ 5. ____ 8. ____
3. ____ 6. ____

D. (___ / ___ *puntos*)

1. ____ 3. ____ 5. ____
2. ____ 4. ____ 6. ____

E. (___ / ___ *puntos*)

1. ____ 4. ____ 7. ____
2. ____ 5. ____ 8. ____
3. ____ 6. ____

F. (___ / ___ *puntos*)

1. ____ 3. ____ 5. ____
2. ____ 4. ____ 6. ____

G. (___ / ___ *puntos*)

1. ____
2. ____
3. ____
4. ____

PARTE II. Comunicación

A. Escuchar (___ / ___ puntos)

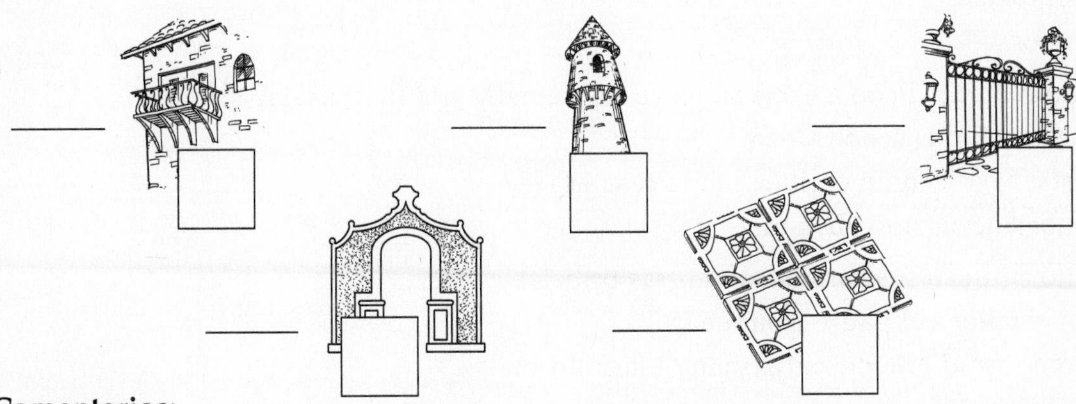

Comentarios:

a. Se integra al castillo perfectamente.

b. Brillan al sol.

c. Domina el frente del castillo.

d. Muestra la influencia romana.

e. Mide diez metros de alto.

B. Escuchar (___ / ___ puntos)

Persona: ______ ______ organizar ______ construir	Persona: ______ ______ descubrir ______ predecir	Persona: ______ ______ observar ______ entrenar
Persona: ______ ______ castigar ______ fomentar	Persona: ______ ______ proteger ______ limpiar	Tus derechos Persona: ______ ______ limitar ______ educar

C. Leer *(___ / ___ puntos)*

1. Los padres de Benito Juárez no eran españoles sino ______
   a. africanos.
   b. europeos.
   c. indios.
2. Cuando Benito llego a Oaxaca, ya su hermana María Josefa estaba ______
   a. casada con el señor Maza.
   b. establecida como cocinera en la casa Maza.
   c. trabajando como abogada.
3. Benito empezó sus estudios mientras trabajaba ______
   a. en el taller del padre Salanueva.
   b. como ayudante de su hermana María Josefa.
   c. como pastor.
4. Después de graduarse de abogado, Benito Juárez ______
   a. se fue a vivir a los Estados Unidos.
   b. empezó a realizar su sueño de asegurar la justicia para todos.
   c. trabajó como hombre de negocios.
5. Benito Juárez sirvió a su patria como ______
   a. líder de los revolucionarios.
   b. presidente de su gran país.
   c. cocinero del presidente.

D. Escribir *(___ / ___ puntos)*

____

____

____

____

____

____

____

____

E. Hablar *(___ / ___ puntos)*